D0228088

Consultez

le Docteur des Rêves

Charles Lambert McPhee

Consultez le Docteur des Rêves

Un guide de A à Z
pour interpréter les symboles
dissimulés dans vos rêves
Plus de 160 rêves interprétés !

Révision : Nancy Coulombe
Traduction : Danielle Champagne
Infographie : Stéphanie Gravel
Graphisme de la page couverture : Stéphanie Gravel
ISBN 2-89565-082-9
Première impression : 2003
Dépôts légaux : premier trimestre 2003
Bibliothèque nationale du Québec
Bibliothèque nationale du Canada

ÉDITIONS ADA INC.
172, des Censitaires
Varennes, Québec, Canada J3X 2C5
Téléphone : (450) 929-0296
Télécopieur : (450) 929-0220
www.ada-inc.com info@ada-inc.com

LES ÉDITIONS GOÉLETTE
600, boul. Roland-Therrien
Longueuil, Québec, Canada J4H 3V9
Téléphone : (450) 646-0060
Télécopieur : (450) 646-2070

DIFFUSION
Canada : Éditions AdA Inc.
Téléphone : (450) 929-0296
Télécopieur : (450) 929-0220
www.ada-inc.com info@ada-inc.com
France : D.G. Diffusion
Rue Max Planck, B.P. 734
31683 Labege Cedex
Téléphone : 05-61-00-09-99
Belgique : Vander-27.61.12.12
Suisse : Transat - 23.42.77.40

Imprimé au Canada

DONNÉES DE CATALOGAGE AVANT PUBLICATION (CANADA)

McPhee, Charles Lambert
Consultez le docteur des rêves

Traduction de : Ask the dream doctor.
Publ. en collab. avec : Éditions Goélette.

ISBN 2-89565-082-9

1. Rêves - Interprétation. 2. Rêve-éveillé-dirigé. I. Titre.
BF1078.M3214 2003 154,6'34 C2002-942059-8

Dédié à Petra

Table des matières

Consultez le docteur des rêves

Introduction

L'INTERPRÉTATION DES RÊVES se libère actuellement des superstitions et des informations erronées qui l'ont dépossédée pendant longtemps de son potentiel naturel. Les progrès récemment accomplis dans la médecine consacrée aux troubles du sommeil nous ont permis d'étudier pour la première fois les événements liés à celui-ci, de comprendre les causes physiques de certains de nos rêves les plus puissants. Dans Internet, nous avons recueilli de grandes quantités d'informations sur les rêves qui met en évidence, de manière convaincante, la relation entre leur langage métaphorique et les pensées et préoccupations quotidiennes du rêveur. Dans le monde du rêve, la maison est une métaphore du soi ; les chats sont des symboles féminins associés à la grossesse ; ne pas être prêt pour un examen scolaire révèle que nous sentons que nous sommes mis à l'épreuve à l'état de veille ; les tornades représentent la peur d'une séparation familiale en raison de violentes tempêtes émotionnelles. Aujourd'hui, nous en avons des preuves.

Le site Internet « Ask the Dream Doctor » a été créé le 15 mars 1998. Depuis, plus de trois cent mille rêves (et ça continue) ont été recueillis venant d'usagers de plus de quatre-vingt-trois pays. La base de données qui en est résultée est la plus grande collection de rêves au monde. Elle est accessible par mots-clés, selon l'âge, le sexe, l'état civil et la situation géographique : ville, état ou province et pays. Aujourd'hui, pour savoir à quoi rêvent les adolescentes en Australie, nous n'avons qu'à entrer des paramètres de recherche et l'ordinateur nous trouvera rapidement les rêves en question. Nous ne serons pas surpris d'apprendre que les filles rêvent des garçons, mais peut-être hausserons-nous les sourcils en lisant à propos de symboles tels que l'eau, les vampires, les coups de poings qui n'atteignent pas leur cible, les vols très haut dans le ciel, ou les amis qui meurent. Ce sont des thèmes communs chez les adolescents des États-Unis, du Royaume-Uni, du Canada, de la Malaysia, du Japon et de l'Inde. En fait, ces thèmes communs se retrouvent dans toutes les cultures. La preuve est fulgurante. Sous la surface de notre diversité culturelle et géographique, nous parlons tous un même langage.

En tant que personne qui passe sa vie à discuter de rêves – dans Internet, dans des livres et à la radio – pour moi, l'aspect le plus fascinant de l'état des connaissances actuelles réside dans le fait que très peu de gens savent comment utiliser leurs rêves dans leur vie pratique de tous les jours. Malgré le travail de pionniers comme Sigmund Freud et Carl Jung, et en partie en raison des travaux récents de Francis Crick et Alan Hobson, qui ont avancé que les rêves ne signifiaient rien, aujourd'hui la valeur du travail du rêve se trouve en suspens. De nombreuses personnes croient que les rêves constituent des événements aléatoires dont le contenu n'a aucun lien avec la vie quotidienne. Si, soudainement après votre divorce, vous faites des cauchemars, peut-être croyez-vous qu'il s'agit d'une coïncidence. Cependant, l'information que renferme ce livre démontre de façon puissante que les théories sur le « hasard » date du siècle dernier. Le docteur des rêves nous montre que les rêves sont des portraits honnêtes et intelligents de notre vie émotionnelle intérieure. Les rêves sont des outils pratiques pour améliorer notre compréhension de nous-mêmes, pour faciliter la communication dans notre vie amoureuse et avec nos enfants, pour repérer les relations dangereuses ou malsaines, pour élargir notre perspective spirituelle et pour nous donner la force de devenir les personnes que nous souhaitons être. Comprendre les images de nos rêves constitue la clé pour mieux comprendre l'artiste qui en est le créateur : soi-même.

La première étape sur le chemin de la découverte de nos pouvoirs consiste à apprendre à mieux se souvenir de nos rêves. Un texte intitulé « Comment se souvenir de ses rêves » suit cette introduction. Lisez-le et mettez-le en pratique au cours de votre lecture. En deux semaines, vous vous serez souvenu de plus de rêves que vous ne l'auriez cru possible.

À la seconde étape, vous devez apprendre à comprendre le sens de vos rêves, quotidiennement. La plupart d'entre nous n'établissons pas le lien entre nos rêves et notre vie de tous les jours parce que nous mettons l'accent sur le sens littéral, la surface du rêve. Toutefois, les rêves expriment leur signification au moyen du merveilleux langage métaphorique, un langage de base qui permet aux êtres humains d'une multitude de cultures d'aborder les mêmes questions vitales universelles : la naissance, la mort, la souffrance, la séparation, l'identité, la famille, l'état civil, l'estime de soi, l'amour et la romance, pour n'en citer que quelques-uns. En lisant ce livre, les grandes lignes de ce langage universel vous apparaîtront peu à peu. En effet, en partageant nos rêves, nous apprenons que nous avons plus de similarités avec les autres que de différences.

J'ai plusieurs fois été ému jusqu'aux larmes, assis devant mon ordinateur à lire les puissants récits héroïques de gens ordinaires qui se trouvaient face à des décisions déchirantes, révélées dans leurs rêves. Les âmes progressent, les décisions prennent forme et le rêveur s'efforce de trouver un sens. Vous aussi connaîtrez la vie de ces rêveurs honnêtes et courageux. Dans leur comptes rendus, vous découvrirez votre propre image. En acceptant de partager leurs histoires, ces personnes nous offrent un cadeau généreux. Tous leurs noms et autres renseignements ont été changés afin de protéger leur vie privée.

Comment se souvenir de ses rêves

Le secret pour retenir ses rêves consiste à apprendre à s'éveiller lentement, afin de prolonger le contact avec l'inconscient. S'éveiller LENTEMENT signifie que vous restez étendu dans votre lit, les yeux fermés, sans parler ni penser au programme de la journée et que vous vous appliquez à tenter de vous rappeler ce dont vous venez de rêver – car nous rêvons toujours juste avant le réveil matinal.

Si vous ne parvenez pas à vous souvenir immédiatement d'une image ou d'une scène spécifique, il est important que vous demeuriez quand même immobile et que vous vous accordiez du temps pour évaluer vos sentiments. Les rêves nous laissent toujours un relent émotionnel. Vous éveillez-vous tendu, frustré, heureux, triste ou inquiet ?

Lorsque vous avez capté vos sentiments, vous devez répondre à quatre questions dans un journal que vous tenez sur vos rêves et que vous gardez à votre chevet.

- Quelle était l'image clé de mon rêve ?
- Quel sentiment primait ?
- Où se passait le rêve ?
- À quels événements de ma vie me fait penser le rêve ?

Vos réponses vous aideront à préciser le sens du rêve et à vous en souvenir plus tard, lorsque vous aurez plus de temps pour y réfléchir et que votre esprit sera plus clair.

L'étape suivante pour enrichir votre vie onirique est la plus simple. Avant de vous mettre au lit, le soir, affirmez que vous voulez vous rappeler vos rêves et vous éveiller lentement le lendemain.

Cela paraît simple – et ça l'est ! J'ai enseigné à des milliers de gens à se souvenir de leurs rêves avec cette méthode. Suivez ces étapes faciles pendant deux semaines et je vous assure que bientôt vous serez la vedette de vos rêves. Cette pratique quotidienne constitue la base d'une relation active, excitante et très enrichissante avec votre inconscient.

Symboles des rêves

Agression

Agression : Les rêves à propos d'agressions traduisent rarement la peur de violences physiques dans notre vie. La plupart du temps, ils expriment la sensation d'une attaque sur le plan émotionnel. Lors de discussions vives avec des amis, un amoureux ou des collègues de travail, il ne faut pas oublier que les mots peuvent faire aussi mal qu'une balle de fusil.

L'assaillant est-il une personne connue ? Dans ce cas, il s'agit d'un avertissement comme quoi nous sommes menacés sur le plan affectif ou que cette personne nous blesse. L'agresseur est-il un animal ? Peut-être luttons-nous contre un instinct primitif ou un élan affectif, par exemple le désir de défendre notre famille ou, chez les femmes, d'avoir un enfant. Lorsque l'agresseur est déguisé, il est possible qu'une répression opère en nous ; nous luttons contre un problème que nous « refusons de reconnaître ». Si nous nous préparons pour une bataille ou pour la guerre, nous prévoyons à coup sûr une période de défi au travail ou dans notre vie personnelle. Si nous résistons à l'assaillant, c'est signe de confiance en soi et d'estime de soi. Si nous sommes incapables de nous défendre (nous ne trouvons pas d'arme ou notre fusil ne fonctionne pas), le rêve reflète des sentiments d'impuissance envers la personne ou la chose que représente l'agresseur. Lorsque nous rêvons que nous sommes victimes d'une attaque, souvent nous nous sentons impuissants dans la vie consciente. Ce genre de rêves survient souvent chez les enfants et révèle une hostilité ou une agression à l'école ou dans le milieu social.

Les agresseurs peuvent aussi être le symbole de luttes intérieures – des « batailles » avec la drogue, l'alcool ou la nourriture – ou de luttes contre l'obligation de se plier à des conventions sociales. Les thèmes courants d'agression, par exemple être poursuivi par un groupe d'hommes qui veulent attraper et attaquer le rêveur, peuvent aussi refléter une peur véritable de la violence dans la vie éveillée.

Consultez aussi « Poursuite » et « violence ».

• **Truc d'interprétation :** Si vous rêvez que vous êtes atteint d'une balle de fusil ou que vous êtes poursuivi, essayer de découvrir les situations où vous vous sentez agressé sur le plan émotif dans votre vie consciente. Si vous faites ce genre de rêve à répétition, tentez d'affronter vos agresseurs dans vos rêves et demandez-leur de s'identifier.

* * *

Les rêves qui suivent illustrent différents aspects des agressions dans le monde du rêve. « Une balle dans l'estomac » symbolise les sentiments d'une jeune femme qui vient de vivre un dur coup sur le plan affectif. « Attaqué par des hommes en uniforme » nous rappelle que notre milieu de travail peut parfois se transformer en zone de guerre. « Tuer son élève » révèle que les luttes que nous livrons sont souvent contre nous-mêmes.

Rêves d'agression

« Une balle dans l'estomac »

Récemment, mon ami et moi, nous nous sommes séparés. Notre relation datait d'environ dix mois lorsqu'il m'a annoncé qu'il voulait « être libre et s'amuser ». Avant cette séparation, nous étions en quelque sorte fiancés. Depuis, j'ai fait deux rêves.

Le premier s'est produit le lendemain de la séparation. Nous étions dans une automobile devant un camp militaire et quelqu'un m'a tiré une balle dans l'estomac. La balle m'était destinée et m'a atteinte directement. Lorsque je me suis rendu compte que j'étais touchée, je saignais à profusion, mais mon ami (mon ancien ami) ne semblait pas s'en apercevoir ou s'en soucier. Lorsqu'enfin, il s'en est rendu compte, il a dit qu'il devait partir pour une mission quelconque.

Après son départ, je suis partie en voiture dans la direction opposée. Ma blessure était encore douloureuse, mais le saignement avait diminué. Lorsque je me suis réveillée, j'ai senti une douleur à l'estomac, où j'avais soi-disant été touchée.

J'ai fait le second rêve la nuit dernière. Une sorte de crise régnait et de nombreuses personnes étaient appelées pour exécuter des tâches. Mon ami faisait partie de ces gens. Pendant qu'il se préparait, j'ai entendu raconter que des gens étaient tués. J'ai donc couru vers lui pour l'empêcher d'y aller. Lorsque je suis arrivée, tout le monde avait disparu sauf lui. Je l'ai supplié de ne pas y aller et il m'a répondu qu'il n'y allait pas. Par après, il m'a donné une bague qu'il m'a mise au doigt. Puis, nous sommes partis, enlacés.

Que signifient ces rêves ? Au réveil, j'ai ressenti de la peur et je ne sais que faire.

–Brooke, 19 ans, célibataire, États-Unis

LES RÊVES DE BROOKE évoquent certainement la détresse, à la lumière de l'annonce que lui a récemment faite son ami (il veut être célibataire pour profiter de sa liberté et s'amuser). Sa décision a apparemment été prononcée sur un ton autoritaire, ce qui a rappelé à Brooke un environnement militaire. La balle qui l'a atteinte à l'estomac représente la douleur émotionnelle qu'elle éprouve. Sa peur de la mort symbolise son désir d'éviter le changement et la séparation. Elle craint que si son ami exécute sa mission secrète, elle le perdra à jamais.

Pouvons-nous reconnaître les symboles familiers qui se manifestent librement dans ce rêve ? Lorsque Brooke est blessée par la balle (quand elle absorbe le coup de la nouvelle difficile que lui apprend son ami), elle part seule en voiture (symbole du soi ou de la direction que nous prenons dans la vie) et prend la direction opposée de son ami. Sa blessure saigne, ce qui montre que Brooke est blessée sur le plan affectif et qu'elle souffre. Dans le second rêve, une fois qu'elle a convaincue son ami de ne pas partir en « mission », il lui offre une bague (symbole d'engagement, dans le cas de Brooke, un signe qu'elle est toujours engagée).

Le rêve de Brooke se réalisera-t-il ? Son ami, après quelques moments de liberté, reviendra-t-il afin qu'ils puissent poursuivre leur engagement ? Sa mort symbolique sera-t-elle évitée ? Le rêve de Brooke entrevoit l'avenir sans offrir de garantie.

« Attaqué par des hommes en uniforme »

Depuis environ trois semaines, presque toutes les nuits, je rêve de gens qui m'attaquent. Parfois, il s'agit d'hommes en uniforme portant la cravate ; d'autres fois, ils sont vêtus de noir. Ce ne sont pas des voleurs, mais plutôt des soldats en mission nocturne, ou de simples soldats avec des fusils.

Ce qui m'ennuie, c'est que j'ai un fusil mais qu'il ne fonctionne pas. Soit je tire et atteins la personne, mais elle ne semble pas avoir été touchée ou mon fusil ne fonctionne pas. Parfois, je suis un soldat et je tente de protéger les gens autour de moi. La plupart du temps, je ne connais pas les gens avec qui je me trouve.

Depuis deux ans, j'ai un nouvel emploi qui me stresse beaucoup. Ma collègue est souvent de mauvaise humeur et un rien la fâche. Elle a un visage à deux faces. Elle peut être très gentille avec moi puis, soudainement, se transformer en véritable sorcière. Tout le personnel du bureau sait comment elle agit, mais les gens responsables n'interviennent pas. Les gens croient qu'en ne tenant pas compte de sa mauvaise humeur, celle-ci disparaîtra simplement. J'aime mon travail et mes autres camarades et je ne peux me permettre de quitter cet emploi, sinon je l'aurais probablement déjà fait.

– Jenna, 28 ans, mariée, États-Unis

JENNA DOIT SUBIR à son travail une collègue instable qui a des propos violents. Elle a demandé de l'aide aux « gens responsables » (les hommes en uniformes), mais jusqu'à maintenant, c'est la conspiration du silence. Les soldats en uniforme (Jenna est également un soldat) sont communément des symboles d'autorité et renvoient à la hiérarchie dans l'entreprise où elle travaille.

Curieusement, la collègue agressive qui est la cause des problèmes immédiats de Jenna n'est pas directement représentée. Jenna est plutôt poursuivie par des groupes organisés – parfois des hommes en uniformes, d'autres fois des soldats en mission nocturne. Cet aspect du rêve indique que l'incapacité de Jenna à recevoir de l'aide ou du soutien de ses autres collègues et de la haute direction l'a amenée à considérer que toute l'entreprise l'agressait. Quelqu'un répondra-t-il à sa demande d'aide ?

Le fusil qui ne fonctionne pas symbolise le sentiment d'impuissance de Jenna. La noirceur est une métaphore de la conspiration et de son incapacité à voir l'avenir. Pour redonner du pouvoir à son fusil, Jenna doit immédiatement consulter un conseiller en ressources humaines. Elle a droit à un environnement de travail hospitalier. Si Jenna réussit à faire appliquer leurs propres règlements aux hommes en uniforme de sa compagnie, elle apportera un éclairage nouveau dans son milieu de travail et son fusil fonctionnera.

« Tuer son élève »

Je suis instructrice et j'ai rêvé que je tuais une de mes élèves (une jeune femme) sans savoir pourquoi. Je l'ai frappé à la tête avec une pelle. Mon angoisse et mon désespoir était si grands que je n'étais plus moi-même. Je suis allée chez la directrice de l'école pour lui raconter ce qui venait de se passer. Elle m'a dit de ne pas m'inquiéter, puis nous avons jeté le corps dans un puits.

Plus tard, j'ai trouvé sa prothèse dentaire (c'était une jeune femme) et elle ressemblait à l'assiette de plastique que j'utilise pour blanchir mes dents. La terreur m'a de nouveau gagnée ; je ne savais pas comment me débarrasser de cette preuve. Je suis retournée voir la directrice ; elle était très occupée et n'avait pas de temps à me consacrer. Mais encore une fois, elle m'a dit de ne pas m'inquiéter.

J'ai alors pensé à brûler la prothèse ou à la mettre en pièces. Une fois cette décision prise, j'ai marché pour me rendre chez moi (ma voiture était au garage). Je n'arrivais pas à trouver mon chemin. Je marchais sans but et, anxieuse, j'ai pensé : « Qu'est-ce que je vais dire à mes enfants et à mes petits-enfants lorsque la police m'attrapera dans quelques années ? » (Mes enfants ne sont même pas encore mariés.)

Le désespoir et l'angoisse ne cessaient de grandir et j'avais très peur. À ce moment, j'ai pensé que j'étais prête à faire n'importe quoi pour que toute cette situation ne soit pas vraie. Finalement, je me suis réveillée, très secouée par tous ces sentiments. Quelques minutes plus tard, j'ai ressenti un fort sentiment de soulagement et de gratitude envers la chance que j'avais dans la vie. J'ai pensé qu'il me fallait apprécier toutes mes expériences et que je ne devais pas tenir ma vie pour acquise.

J'ai cinquante-deux ans. Récemment, j'ai déménagé, après avoir passé près de vingt-cinq ans dans un autre État. C'est une grande transition dans ma vie. Je sais que les choses vont changer, mais je n'en connais pas encore les conséquences pour moi. Je suis heureuse et je me sens presque coupable de ne pas avoir de soucis. J'aime l'endroit où je vis et je suis assez à l'aise financièrement. Cependant, je me demande souvent pourquoi je suis sur cette planète et comment je pourrais apporter une contribution au monde. Parfois, je me sens engourdie, et même si ce rêve était effrayant et douloureux, quand je me suis éveillée, l'expérience de tous ces mauvais sentiments m'a donné une sensation de renouveau.

Il y a peut-être un autre élément important. Je me suis enfin décidée à demander de l'aide professionnelle (médicale) pour maîtriser ma consommation de nourriture. Je suis portée à me gaver de manière incontrôlée et, en conséquence, j'ai pris beaucoup de poids même si je ne suis pas obèse. Je ne suis pas très forte sur les médicaments ; je suis enseignante et conseillère en médecine douce. Et voilà que je prends des médicaments pour aider à diminuer mon appétit. Je sais quels aliments manger, quels exercices effectuer et je connais les émotions qui déclenchent mes épisodes d'alimentation excessive, mais je n'arrive pas à maîtriser mes habitudes alimentaires. Je me sens hypocrite de parler à mes élèves d'un mode de vie sain.

Je suppose qu'au fond de moi j'ai l'impression de mal agir et que j'ai honte de prendre des médicaments. Actuellement, je sens que je pourrais me retrouver en prison, privée de ma liberté. Parfois, je me sens emprisonnée dans ma propre prison. Je suis désespérée à ce point.

– Sara, 52 ans, divorcée, États-Unis

APRÈS TOUT LE DUR LABEUR de Sara – sa formation, son apprentissage et ses efforts pour mettre en pratique ce qu'elle prêche – sent-elle parfois que son trouble alimentaire se manifeste et lui tape sur la tête – avec une pelle (une cuiller géante) ? Quiconque a déjà lutté contre une habitude autodestructrice sait ce que c'est que d'être victime d'un comportement compulsif.

Parce que Sara enseigne la médecine douce, sa décision récente d'accepter des soins de médecine traditionnelle l'angoisse. Non seulement sa décision constitue un aveu comme quoi les traitements naturels ne fonctionnent pas toujours, mais elle se sent hypocrite face à ses élèves qui recherchent ses conseils et son soutien.

Sara joue les deux rôles dans le combat interne décrit par son rêve. Son trouble alimentaire (premier rôle) frappe l'élève (second rôle) sur la tête avec une pelle. L'indice qui permet d'identifier Sara comme l'élève qui se fait tuer est la découverte de la prothèse dentaire de la victime, qui lui rappelle précisément l'assiette dont elle se sert pour blanchir ses dents. Identification formelle ?

Sara se sent terriblement coupable de ses actions et demande l'aide d'un symbole d'autorité (la directrice). La directrice l'aide à dissimuler la preuve – reflet du désir de Sara de cacher son comportement à ses élèves. Ayant toujours peur d'être découverte, Sara passe une bonne partie du rêve à se demander ce qu'elle va dire à « ses enfants et à ses petits-enfants », une référence à ses élèves qui recherchent ses conseils et son leadership. À la fin du rêve, sa voiture est au garage – un symbole d'impuissance – et elle ne trouve plus son chemin. De toute évidence, elle est perdue.

Le rêve de Sara est une invitation à être honnête avec ses élèves. Lorsqu'elle s'est éveillée, elle a éprouvé une sensation de soulagement cathartique après avoir ressenti « tous ces mauvais sentiments ». Si elle veut donner un exemple d'authenticité, Sara doit annoncer sa décision à ses élèves et ne devrait pas craindre de révéler sa véritable identité : une élève sympathique qui est aussi à la recherche de ses pouvoirs.

Ancien amoureux

Ancien amoureux : Surprise ! Souvent nos anciens amoureux manifestent leur présence dans nos rêves juste au moment où nous nous engageons davantage avec une nouvelle personne (fiançailles, établissement d'une date de mariage, enfants). Ainsi, les rêves où nous nous retrouvons avec une ancienne flamme signalent plutôt des craintes face à un engagement avec l'amoureux actuel plutôt qu'une véritable attirance vers l'ex. De façon similaire, lorsque vous rêvez que votre conjoint retrouve un ancien flirt, demandez-vous si vous avez perçu de l'insécurité ou un malaise quelconque dans votre relation au cours des derniers jours.

Les anciens amoureux peuvent représenter une attirance sexuelle ou affective qui persiste, surtout si la relation s'est terminée subitement sans qu'il y ait de conclusion. Vous demandez-vous souvent si la relation aurait pu fonctionner différemment? Certaines qualités de votre ex vous manquent-elles? Les personnes qui s'acharnent à poursuivre leurs anciens partenaires dans la vie apparaissent souvent sous une forme négative en rêve, par exemple un personnage qui nous hante et nous harcèle.

• **Truc d'interprétation** : Lorsqu'une ancienne flamme figure dans vos rêves, posez-vous cette question : avez-vous vraiment mis un point final à la relation? Est-il temps de reprendre contact ou d'aller de l'avant?

⁂

Nos anciennes amours finiront-elles par s'éclipser? « Mon premier amour » est un récit puissant qui nous permet d'examiner la véritable motivation qui inspire la plupart des fantasmes sur les anciens amoureux. Dans le même ordre d'idées, « Fiancé » fournit un témoignage éloquent sur la puissance des amours cachées. (S'il ne se parlent pas, qu'y a-t-il de mal ?) « Un ancien amoureux qui revient » met en évidence la différence entre les personnes que nous avons rejetées et celles qui nous ont abandonnés. « Un ancien amoureux qui part » présente un homme en processus de transition, qui a décidé que ses pieds étaient assez forts pour le faire avancer.

Rêves à propos d'anciens amoureux

« Mon premier amour »

J'ai épousé l'homme que j'aime le plus au monde et récemment nous avons appris que nous deviendrons bientôt parents. Cependant, depuis deux mois je rêve à un homme que j'ai connu lorsque j'allais à l'école. Il s'agit de mon premier amoureux, de la maternelle à la huitième année, mais nous ne nous sommes pas fréquentés depuis au moins neuf ans. Je ne l'ai pas vu et je n'ai pas eu de ses nouvelles depuis au moins cinq ans. Je peux affirmer en toute honnêteté que je ne pense jamais à lui.

Avec ce garçon, mes sentiments n'ont jamais été très profonds. Nous sommes restés amis pendant nos études, mais il serait exagéré de dire que nous étions attirés l'un vers l'autre en vieillissant. Je vis dans une autre ville et pendant plusieurs années j'ai oublié mes anciens amis. Ce garçon n'était pas mon petit ami à l'école secondaire et il n'a pas été une figure importante dans ma vie de jeune adulte. Pourquoi apparaît-il dans mes rêves soudainement ? Dans mes rêves, nous n'avons pas de relations sexuelles, mais notre lien est très intime. Nous nous embrassons, nous tenons la main et nous étreignons ; rien de sexuel. Pouvez-vous m'éclairer? Cette histoire m'angoisse. Pourquoi, après toutes ces années, se retrouve-t-il dans mes rêves?

– Alondra, 23 ans, mariée, États-Unis

LES RÊVES D'ALONDRA à propos de son premier amour – une personne à qui elle n'a pas pensé depuis cinq ans et qu'elle n'a jamais envisagée comme partenaire amoureux – ont débuté au moment où elle a appris qu'elle était enceinte de son premier enfant. Comme tous les hommes et toutes les femmes dont la relation amoureuse s'approfondit, Alondra éprouve de la nervosité en raison de l'engagement que représente une grossesse et plusieurs questions assaillent son esprit : « Mon mari est-il le bon partenaire? Allons-nous vraiment nous aimer jusqu'à ce que la mort nous sépare? »

Alondra rêve à cet homme parce que durant son enfance (de la maternelle à la huitième année), elle a certainement imaginé – peut-être même y a-t-il eu des jeux de rôle – qu'elle était mariée et avait des enfants avec lui, comme le font la plupart des enfants.

Alondra connaît de façon réaliste la position de cet homme dans sa vie – elle n'a pas été en relation avec lui en tant qu'adulte – ses rêves sont donc inoffensifs mais tout de même éloquents. Maintenant qu'elle est devant la réalité, (il est impossible d'échapper au rôle de parent) que son fantasme d'enfance ne se réalisera pas, elle en fait le deuil.

Ses rêves l'angoissent, mais elle n'a aucune raison de résister aux sentiments qu'ils soulèvent. (En fait, elle peut être certaine que son mari a aussi vécu ses propres angoisses face à l'engagement.) Ses rêves l'informent simplement qu'elle vit une transition importante (de jeune femme à mère). Comme nous le savons, de nombreuses expériences l'attendent.

« Fiancé »

Je n'arrête pas de rêver à un ami du temps de l'école secondaire. Il ne l'a jamais su , mais j'étais complètement entichée de lui et encore aujourd'hui, je l'aime beaucoup.

Je ne l'ai pas vu depuis sept ans parce que j'ai poursuivi mes études dans une autre ville et nous avons perdu le contact. Nous avons correspondu pendant un an après mon départ.

Depuis environ une semaine, j'ai rêvé trois fois que nous passions du temps ensemble en tant que couple. Au cours du mois dernier, j'ai aussi rêvé que nous avions un enfant ensemble.

Je vais me marier bientôt. Est-il possible que le mariage m'angoisse? Ces rêves ont-ils un sens ?

– Shannon, 25 ans, fiancée, États-Unis

VOILÀ UN RÊVE DÉCONCERTANT, n'est-ce pas ? Shannon est fiancée, mais son esprit commence à lui jouer des tours. Son futur mari n'est pas la vedette de ses rêves – par exemple, la transportant dans ses bras pour franchir le seuil d'une nouvelle vie. Il s'agit plutôt d'un garçon de son passé qui lui a toujours plu, sans qu'un lien intime n'ait été créé. De plus, elle rêve qu'elle a des enfants avec lui. Ces rêves auraient-ils pu survenir à un moment plus importun ou plus significatif ?

Pour vaincre sa peur d'épouser un homme qui n'est pas le bon, Shannon doit absolument reconnaître qu'elle ne connaît pratiquement pas l'homme qui figure dans ses rêves. Ils étaient de bons amis à l'école secondaire et elle était secrètement entichée de lui. Puis, ils ont échangé des lettres pendant un an. Toutefois, elle ne l'a pas vu ni ne lui a parlé depuis sept ans. Le moment où ses rêves se sont manifestés – juste avant son mariage – a beaucoup d'importance. Si cet ancien béguin est vraiment l'homme de ses rêves, pourquoi n'y est-il pas apparu avant ?

À la lumière de son mariage prochain, il est normal que Shannon repense à ses anciennes amours. Cependant, il existe un danger réel à fantasmer sur un amour passé – dans le cas de Shannon, un ancien béguin (ce qui est pire). Shannon risque d'idéaliser une relation qui n'a jamais été vécue. En conservant ce fantasme, inévitablement elle fera des comparaisons avec sa véritable relation, ce qui est injuste envers elle et son fiancé. Elle sera déçue lorsque sa relation ne sera pas à la hauteur de son idéal et elle sera frustrée que son mari ne se montre pas à l'image de l'homme de ses rêves.

Évidemment, Shannon se demande si ses rêves ne viennent pas de son inconscient qui lui dicte d'entrer en contact avec cet homme. Si elle croit que ce geste apaiserait son esprit tourmenté, il n'y a certainement pas de mal à ce qu'elle lui téléphone. Si, par ailleurs, Shannon reconnaît qu'elle est simplement nerveuse en raison de son mariage imminent et qu'elle aime son fiancé, il serait alors préférable qu'elle laisse tomber ce rêve et se concentre plutôt sur la réalité.

« Un ancien amoureux qui revient »

> Je rêve souvent à un homme de qui j'ai déjà été très amoureuse. Manuel m'a brisé le cœur et s'est en allé. Depuis, je fais des rêves très « réels » dans lesquels il tente de revenir vers moi. Chaque fois, quelque chose l'en empêche. Au réveil, je baigne dans une sensation de douceur, de bonheur et d'amour que je n'ai jamais connue autrement. Actuellement, je suis mariée avec un homme merveilleux qui me satisfait sur tous les plans. Pourquoi donc Manuel revient-il constamment dans mon sommeil ?
>
> – *Valerie, 31 ans, mariée, États-Unis*

Les amoureux qui nous ont brisé le cœur font partie d'une classe à part. Nous en cherchons la raison sans répit et nous laissons la porte ouverte, quoi que nous dicte la réalité. Pourquoi agissons-nous de la sorte ? Habituellement, il y a un lien avec notre ego. Dans cette dynamique, le facteur clé est que cette personne nous a quittés – et non le contraire. Elle n'a pas voulu de nous. Mais nous voulons encore nous assurer de notre pouvoir de séduction (ou en avons besoin ?). Nous entretenons donc la possibilité d'un retour.

Malgré tout, le rêve de Valerie montre qu'elle évalue sa situation de façon réaliste. Dans ses rêves, quelque chose empêche le rapprochement de son ex. Cette « chose » est le monde réel.

Valerie mérite des félicitations pour avoir bâti une relation aussi solide avec son mari. C'est un véritable accomplissement. Elle doit abandonner son fantasme sur le retour de son ancien amoureux. Elle est déjà rendue plus loin.

« Un ancien amoureux qui part »

Il y a environ six mois, j'ai mis fin à une relation. Cela s'est mal passé. La nuit dernière, j'ai rêvé que j'étais avec elle à bord d'un autobus conduit par son ancien mari. L'autobus s'est arrêté et j'en suis sorti un instant. Quand j'y suis remonté, en marchant dans l'allée, j'ai remarqué que tous les passagers avaient un air triste. (En les regardant, le mot « épave » m'est venu à l'esprit.) Je ne voulais pas les fréquenter.

L'autobus s'est mis en marche et je suis revenu vers l'avant. La femme que j'avais quittée était étendue sur un banc disposé le long d'un côté ; ses mains étaient fermement posées sur son visage et elle gueulait. Je ne savais comment interpréter ses paroles. (« Je ne peux continuer comme ça ! ») Je m'apprêtais à sortir lorsque le chauffeur s'est adressé à moi : « La voilà qui recommence ! Vous n'en avez pas assez ? » J'ai d'abord voulu la défendre, mais j'ai plutôt demandé au chauffeur de me laisser descendre.

Il a continué pendant quelques instants. Nous sommes parvenus au bas d'une colline, puis nous avons franchi quelques pâtés de maisons avant de tourner à droite. Passé un autre coin de rue, nous avons pris un virage à gauche, après quoi il s'est arrêté et m'a laissé descendre au milieu d'une rue à trois voies, à sens unique. Je me trouvais sur le terre-plein et je suis parti en direction du terminus d'autobus (là où je me serais rendu si j'étais resté à bord). Mais après quelques pas, j'ai soudainement pensé : « Je suis à mi-chemin de chez moi. » Je suis donc parti à pied en sens inverse. Je me souviens de m'être demandé si mes souliers allaient tenir le coup jusque chez moi. À mon réveil, je me sentais très bien.

– Nicholas, 46 ans, célibataire, États-Unis

PARFOIS, IL FAIT BON DE « DESCENDRE DE L'AUTOBUS », surtout lorsque ce véhicule symbolise une relation boiteuse. À la suite de sa relation qui a échoué, il est évident que Nicholas éprouve une certaine empathie pour l'ancien mari de son ex – le chauffeur d'autobus.

Il est toujours difficile de quitter une personne avec qui, un jour, nous avons cru en de grandes possibilités. Toutefois, le rêve de Nicholas indique qu'il n'apprécie plus de nombreuses caractéristiques de cette femme. Dans son rêve, elle semble avoir perdu la maîtrise de ses émotions (une « épave ») et tous les passagers « ont un air triste ». Nicholas croit-il que son ex-conjointe apporte de la tristesse à tous ceux qu'elle croise ?

L'apparition de l'ancien mari – qui conduit le bus – suggère que Nicholas a l'impression de « marcher sur ses traces ». Dans leur tentative de construire une relation avec cette femme, il est probable qu'ils aient connu les mêmes difficultés. En conséquence, Nicholas éprouve de l'empathie pour le chauffeur et ne défend pas son ex. Il décide plutôt de « descendre de l'autobus » – tout comme l'a fait le chauffeur quelques années auparavant.

Le rêve de Nicholas laisse croire que son amie éprouve des troubles émotionnels. Cependant, Nicholas semble avoir compris qu'il n'est pas obligé de rester dans une relation malsaine. Respectera-t-il sa décision ? (Ses souliers pourront-ils le ramener chez lui ?) De toute évidence, Nicholas croit qu'il est capable d'entreprendre ce voyage. À son réveil, ses émotions lui signalent qu'il a fait le bon choix. (Comme il est bon de se sentir bien, n'est-ce pas ?).

Automobile

Automobile : Dans le monde onirique, l'automobile représente le soi, la direction que nous prenons dans la vie. Les autos qui ont des problèmes de frein ou de direction et qui offrent une mauvaise visibilité suggèrent que nous ne sommes pas en pleine possession de nos moyens ou que nous ne savons pas où nous allons. Les voitures en marche arrière indiquent que nous n'arrivons pas à progresser sur le plan personnel ou professionnel, ou un mouvement vers le passé en vue de poursuivre une action ou une relation. Les rêves où nous nous retrouvons dans une course et où nous dépassons un autre véhicule signifient que nous avons l'impression d'être dans une compétition. Les rêves agréables de poursuite automobile peuvent traduire le désir d'une aventure amoureuse. Lorsque nous rêvons que nous heurtons une personne rivale ou étrangère, il est question respectivement de sentiments d'hostilité ou de la peur de blesser des innocents.

Remarquez l'état de l'automobile. Les autos neuves signalent une situation nouvelle – une grossesse, une promotion, un mariage – ou l'avènement de nouveautés dans le domaine des relations ou du travail. Les véhicules qui ont des problèmes de moteur, une défaillance mécanique ou qui n'ont presque plus d'essence sont signes de dépression ou d'épuisement physique et que nous avons besoin de « réparation ». Si nous rêvons que nous conduisons une voiture dont nous ne sommes plus propriétaires, il est possible que nous soyons en train de reprendre une action ou une relation que nous avions délaissée. Les camions et les autobus évoquent, respectivement, la sensation de transporter une charge lourde ou de se déplacer lentement vers un but. Les voitures sport sont des symboles de puissance.

(Nous pouvons atteindre rapidement un but.) Les décapotables annoncent une transition.

Généralement, les rêves d'accidents ne sont pas prémonitoires. Ils reflètent plutôt une perte de contrôle, qui présage une prise de décision inhabituelle. Les rêves d'autos non maîtrisées sont toujours importants ; ce sont des encouragements à retrouver un équilibre émotif dans la vie.

• **Truc d'interprétation :** Qui conduit la voiture ? Si vous êtes passager, se peut-il que vous laissiez une personne diriger votre vie ou vous influencer ?

* * *

Les rêves de ce chapitre éclairent différents aspects de la relation automobile/soi. Dans « Conduire de la banquette arrière », la mère de la rêveuse conduit une voiture neuve à partir de la banquette arrière. Voilà une place bien étrange pour diriger une auto, mais elle est le reflet de la dynamique familiale. Le thème de la perte de contrôle est exploré dans « À toute vitesse ». Notre rêveuse tiendra-t-elle compte de son rêve et assumera-t-elle la responsabilité de sa vie ? Dans « Un mauvais tournant », un couple de longue date voit sa relation s'engager sur un terrain glissant. Est-il temps d'abandonner le navire ? Dans le rêve suivant, nous faisons la connaissance d'une femme confuse sur le plan amoureux. Elle croit progresser, mais sa boîte de transmission indique qu'elle est « Bloquée en marche arrière ». « Une décapotable neuve » nous présente une femme qui conduit dangereusement. Qu'a de si spécial sa décapotable blanche pour rendre les autres aussi jalouses ?

Rêves d'automobiles

« Conduire de la banquette arrière »

Ma mère, ma sœur et moi-même quittions le centre commercial après une journée d'emplettes. Nous sommes montées dans la voiture neuve de ma sœur, qui avait la forme d'un soulier (une chaussure pour femme avec une courroie à l'arrière et un talon effilé). Dans la réalité, sa voiture n'est pas neuve. J'étais à la place du conducteur, ma sœur dans le siège du passager et ma mère, derrière moi, mais c'est elle qui conduisait l'auto. Nous sommes sorties du stationnement du centre commercial et avons monté une pente raide. Il semble que nous nous trouvions dans une région montagneuse.

Soudain, il a fait très noir (comme quand la nuit tombe ou avant une tempête) et j'ai dit à ma mère : « Maman, es-tu certaine que c'est le bon chemin ? » Elle a répondu oui et au même instant un éclair a fendu les nuages, révélant que nous arrivions à un virage au bord d'une falaise. Nous allions très vite – je me souviens d'avoir vu cent kilomètres à l'heure au compteur. Lorsque ma mère s'est aperçu que nous allions trop vite, elle a freiné brusquement. Nous avons dérapé et nous sommes tombées de la falaise, dans le canyon.

J'étais en état de choc et je ne pouvais croire ce qui arrivait. Je pensais : « Ce n'est pas possible. Revenons en arrière. » Puis, ma mère a dit : « Oh mon Dieu, nous allons mourir. » À cet instant, j'ai recouvert mon visage de mes mains et nous nous sommes écrasées. Ensuite, j'ai repris connaissance (étonnée de revenir à la vie), étendue au fond du canyon. Mon corps était complètement broyé, mais j'étais en vie. Je pouvais bouger ma tête et un bras. J'ai cherché ma mère et ma sœur, mais je ne voyais qu'un liquide vert épais qui coulait près de moi et contenait du sang. J'ai pensé qu'elles étaient mortes, mais je n'étais pas sûre. Je ne les ai pas appelées. Je me souviens d'avoir souhaité être morte, parce que maintenant j'allais souffrir ici avant de mourir. Et je me suis réveillée.

Tout au long du rêve, j'ai ressenti clairement toutes les émotions imaginables dans une telle situation : le doute, la résignation devant ce qui allait se produire et la curiosité de découvrir ce que cela me ferait.

La nuit suivante, j'ai fait un autre rêve d'automobile, mais il n'était pas tragique. Cela ressemblait plutôt à un retour chez soi. J'étais avec des amis d'enfance que je n'avais pas vus depuis plusieurs années. L'auto était très petite et bondée. Nous revenions chez nous – dans la ville où j'ai grandi. Nous nous sommes arrêtés quelques fois en chemin, mais il ne s'est rien passé. Je crois qu'il est intéressant que j'aie rêvé à des voyages en automobile deux nuits de suite.

Voici ce qui s'est passé récemment dans ma vie. Mes parents viennent tout juste de déménager dans la ville où ma sœur et moi habitons. Ils sont venus de la côte Est et se sont occupés eux-mêmes du déménagement. Tous les deux ont extrêmement peur des hauteurs et ne conduiraient jamais dans une région montagneuse. Cela fait seulement deux semaines qu'ils vivent ici, mais j'ai déjà l'impression d'avoir perdu le contrôle de ma vie. Ils s'attendaient à ce que nous les aidions et la culpabilité m'a poussée à leur consacrer du temps.

Ma sœur et moi sommes angoissées de voir nos parents s'installer ici. Nous les aimons beaucoup, mais ils sont autoritaires et ont tous les deux tendance à porter des jugements. En tant qu'adulte, j'ai remarqué de sérieux problèmes dans la relation de mes parents, que je n'avais pas perçus quand j'étais enfant. Maintenant, je me rends compte des répercussions que cela a eu dans ma vie. Ma sœur et moi voulons absolument agir différemment avec nos enfants. De plus, ma sœur est enceinte. Je désire un enfant, mais je n'ai pas encore réussi à tomber enceinte.

– Kirsten, 35 ans, mariée, États-Unis

DANS LES RÊVES, les voitures neuves sont associées à un nouveau statut et les souliers à talons hauts sont liés aux vêtements chics et à une apparence sexy. Par conséquent, nous pouvons déduire le sens de l'étrange auto neuve de la sœur de Kirsten, qui a la forme d'un « soulier pour femme avec une courroie à l'arrière et un talon effilé ». L'auto neuve représente sa nouvelle condition de femme enceinte, à un moment où la rêveuse elle-même souhaiterait avoir un enfant.

Dans le rêve, Kirsten est à la place du conducteur et sa sœur, à qui appartient la voiture, est dans le siège du passager. Cet arrangement laisse supposer que Kirsten est la personnalité dominante dans la relation. (Est-elle la plus vieille ?) Mais, surprise ! La mère de Kirsten, assise à l'arrière, est celle qui conduit l'auto. C'est littéralement une «conductrice de la banquette arrière ».

La place de sa mère, sa conduite dangereuse et l'accident qui en résulte indiquent que Kirsten s'inquiète de l'influence de sa mère. La tempête qui se prépare et assombrit la route est un symbole courant d'incertitude à propos de l'avenir ; Kirsten ne voit pas la route devant elle. Tandis qu'elle remet en question le sens du jugement de sa mère (la direction) dans le rêve, cette dernière perd le contrôle du véhicule qui tombe d'une falaise. La mort que craint Kirsten est un symbole de ses doutes concernant sa capacité de « survivre » durant cette période difficile de sa vie. L'accident nous informe que Kirsten sent qu'elle ne maîtrise plus sa vie.

Le second rêve, même s'il paraît banal, reprend des sujets explorés dans le premier. Kirsten voyage dans une automobile qui est « très petite et bondée » d'amis d'enfance qu'elle n'a pas vus depuis plusieurs années. Quel est le lien ? Kirsten se sent redevenir une enfant et son espace est trop peuplé. Y a-t-il un sens plus large ? Kirsten se sent opprimée par l'arrivée de sa mère.

Les rêves de Kirsten viennent l'avertir qu'elle doit définir des limites claires entre ses parents et sa vie personnelle, maintenant qu'ils se sont rapprochés géographiquement. Sa propre famille a besoin d'espace physique et émotionnel pour grandir et former une entité et Kirsten doit sentir qu'elle – et non sa mère – en est pleinement responsable. Dans ses prochains rêves, Kirsten devra se trouver derrière le volant de sa propre voiture et la conduire.

« À toute vitesse »

> Je fais le même rêve depuis dix nuits. Je conduis une automobile. Tout est calme et soudain, j'accélère brusquement jusqu'à la voiture devant moi, comme si j'allais l'emboutir. Il s'agit toujours d'un véhicule différent et je ne le heurte jamais. La puissance de l'accélération et la quasi-collision me réveillent chaque fois.
>
> Voici quelques renseignements sur moi. En janvier, au moment où j'étais enceinte de sept mois, j'ai découvert que mon mari avait une aventure. En mars, j'ai donné naissance à mon fils. L'accouchement a été très difficile et a duré trente heures. Entre-temps, mon père, qui est alcoolique et toxicomane, a tout perdu et est tombé gravement malade. Il y a un mois, nous avons déménagé dans une ville où je ne connais personne. Mon subconscient est-il en train de me dire que j'ai perdu le contrôle de ma vie?
>
> – *Ruby, 28 ans, mariée, États-Unis*

Le rêve de Ruby utilise la métaphore de l'accident d'automobile pour représenter son état émotionnel actuel. Et d'après son récit, il est facile d'en deviner la raison. Ruby a vécu de durs moments dernièrement et quelque part au fond d'elle-même, elle se demande quel malheur va encore bientôt frapper ?

Ruby a très bien déterminé la cause de son cauchemar. Les rêves dans lesquels une auto n'est pas maîtrisée sont l'un des indicateurs les plus courants – et les plus évidents – d'une perte de contrôle dans la vie. Lorsque nous conduisons l'auto dangereusement, trop vite, que les freins ne fonctionnent pas ou que la visibilité est mauvaise, le message est le même. Nous devons ouvrir l'œil immédiatement et déterminer quel comportement ou quelle relation nous déséquilibre sur le plan émotif. Une fois la source trouvée, nous devons entreprendre des actions concrètes pour résoudre ces problèmes. Dans le cas de Ruby, des limites claires doivent être établies entre elle et les deux personnes qui causent des accidents dans sa vie : son mari et son père.

« Un mauvais tournant »

> Je suis divorcée depuis plus de douze ans. Mon ancien mari et moi avons deux adolescents. Son obsession d'accumuler des provisions est l'une des raisons pour lesquelles nous avons divorcé.
>
> Dans mon rêve, mon ex-mari conduit une auto qui nous appartenait lorsque nous étions ensemble. Je suis à la place du passager. Il prend un mauvais tournant et nous aboutissons sur un terrain en pente et boueux. L'océan se trouve devant nous. C'est impossible de manœuvrer la voiture et nous glissons dans l'eau.
>
> Je commence à baisser la vitre pour pouvoir sortir. L'eau de la mer s'engouffre. Mon ancien mari est occupé à ramasser des choses sur la banquette arrière et ne sort pas de l'auto. Je veux qu'il se sauve, mais il reste là. Je lui dis que je suis enceinte et que je ne peux élever un autre enfant toute seule. (Je n'attends pas d'enfant.) Il semble m'écouter, mais je sors de la voiture. C'est tout ce dont je me souviens.
>
> – *Kimberly, 50 ans, divorcée, États-Unis*

En rêve, chaque fois que nous nous retrouvons dans le siège du passager et non derrière le volant, cela signifie que nous laissons quelqu'un d'autre « diriger » notre vie. Le « mauvais tournant » que prend l'ancien mari de Kimberly est une référence aux problèmes qu'ils ont connus par le passé et qui les ont menés au divorce. Peu après le « mauvais tournant », son ex perd le contrôle de l'automobile qui tombe dans l'océan.

L'océan est un symbole des émotions et est souvent lié à l'inconscient. D'après le rêve de Kimberly, il est évident qu'elle pense que le comportement d'accumulation compulsive de son ancien mari gouverne sa vie et menace sa survie. Il préfère se noyer dans les eaux de sa manie inconsciente plutôt que de sauver sa vie en abandonnant ce comportement.

La grossesse de Kimberly dans le rêve est un signe d'espoir pour l'avenir. Elle « a des attentes » ; elle souhaite que son ancien mari change son comportement et revienne vers elle. Malheureusement, son rêve sous-entend qu'elle connaît déjà la réponse à cette question. Même s'il semble l'entendre, il n'arrête pas d'amasser des choses et elle est obligée de le laisser.

Kimberly est sortie de la voiture il y a longtemps. Son rêve lui dit qu'elle ferait une erreur en retournant en arrière. Dans un autre ordre d'idée, sa grossesse montre qu'elle est enthousiaste et confiante devant l'avenir et la nouvelle période de croissance dans sa vie. Si Kimberly désire un partenaire pour « entreprendre une randonnée », elle doit regarder vers l'avenir et quitter le passé.

« Bloquée en marche arrière »

La semaine dernière, j'ai rêvé que la nouvelle amie de mon ancien amoureux, que j'ai déjà rencontrée, me poursuivait avec un bâton de golf. J'essayais de monter dans ma voiture pour me sauver.

Je suis entrée dans l'auto et, même si je passais la commande de marche avant, elle s'est mise à reculer et a heurté l'amie de mon ex. Je suis sortie et je l'ai vue couchée par terre. Elle avait les jambes cassées et il y avait du sang sur son visage.

J'ai paniqué et j'ai appelé mon ancien ami pour lui expliquer ce qui était arrivé. Il disait : « Je sais, je sais. On m'a raconté. Elle est folle. » Le rêve s'est terminé ainsi.

Lui et moi ne sommes plus ensemble depuis cinq ans, mais nous avons des amis communs et nous avons gardé un lien solide. Récemment, j'ai appris que son amie n'appréciait pas que nous soyons restés amis.

Lui et moi sommes souvent ensemble, par exemple nous nous sommes vus le mois dernier. Que veut dire ce rêve ?

– Molly, 31 ans, célibataire, États-Unis

Ce rêve est intéressant, mais il y a un problème dans ce récit. Molly et son ex ne se sont jamais séparés. Molly raconte qu'elle et son ancien amoureux se sont vus (ont eu des relations sexuelles ?) tout juste le mois dernier.

Molly dit qu'elle poursuit sa vie, mais son rêve montre qu'elle est en marche arrière. (Surprise !) Non seulement elle n'avance pas, mais ses actes blessent une personne innocente.

Si Molly poursuivait vraiment sa vie, elle n'envierait pas la nouvelle amie de son ancien amoureux et ne s'amuserait pas à cette petite lutte territoriale. Le message que lui livre son rêve est clair : si elle veut vraiment avancer, elle doit bien étudier la boîte de vitesse et comprendre comment mettre la marche avant pour s'éloigner de cette situation confuse.

« Une décapotable neuve »

Je conduis une belle décapotable blanche. Ma meilleure amie se trouve à mes côtés. Je vais très vite mais je maîtrise bien le véhicule. Je ris et je crie de joie. Je suis extrêmement heureuse. Mes cheveux volent au vent. Tout semble si facile et léger.

Puis, j'aperçois d'anciennes amies de mon mari autour de la voiture. Elles sont toutes très jalouses. J'explique à mon amie qu'elles ne supportent pas que je sois au volant de cette magnifique décapotable. Le fait qu'il s'agit d'une décapotable les rend très jalouses.

Renseignements sur moi-même : je me suis mariée la semaine dernière ; je comprends que les anciennes amies soient jalouses, mais que représente l'automobile ?

– Antonia, 30 ans, mariée, États-Unis

Les dernières semaines (avant et après le mariage) ont été très remplies et se sont écoulées rapidement pour Antonia. Son rêve montre, toutefois, que malgré la vitesse, elle sent qu'elle garde le contrôle. En réalité, sa voiture signale un renforcement de pouvoir indéniable. Comme l'observe Antonia, « tout semble si facile et léger ».

D'après le contexte de son rêve, il n'est pas étonnant que l'auto qu'elle conduise soit blanche (son mariage) et qu'elle croise les anciennes amies de son mari. Antonia est celle qui a gagné le cœur de son mari et elle mérite bien un tour de piste pour célébrer sa victoire. À la fin du rêve, elle accorde beaucoup d'importance au fait que la voiture soit décapotable. Pouvons-nous déchiffrer le sens de cette métaphore onirique assez fréquente ?

Les décapotables changent de fonction et d'aspect. Ainsi, elles symbolisent souvent des périodes de transition dans la vie. Maintenant qu'Antonia est passée de célibataire à épouse, voici la voiture la plus appropriée pour elle.

Avion

Avions : Parce que nous les associons aux longs voyages, les avions symbolisent souvent des transitions et des tentatives d'atteindre de nouvelles destinations dans notre vie. Les destinations courantes incluent les objectifs de carrière – un nouveau poste avec davantage de responsabilités, la reconnaissance ou un boni – et un changement de statut social, par exemple un mariage ou une relation amoureuse sérieuse.

Les écrasements d'avion, les pertes de contrôle et les problèmes en plein vol sont des rêves communs qui reflètent la crainte de ne pouvoir atteindre une destination. Lorsqu'il s'agit d'un rêveur qui a peur de voler, les rêves peuvent refléter l'anxiété avant un vol ou peuvent survenir quand un enfant est en voyage. Les écrasements ne doivent pas être vus comme prémonitoires.

• **Truc d'interprétation** : Si vous rêvez que vous êtes en avion (ou que vous les voyez tomber du ciel), demandez-vous quel but – sur le plan professionnel ou social – vous cherchez à atteindre.

Les rêves décrits ci-après illustrent différents aspects du thème de l'avion. Dans le premier, la vie du rêveur est « À l'envers » à cause d'une maladie dans la famille. Dans « L'avion qui tombe », une jeune femme pleine d'espoir se demande si un lien romantique conduira à un engagement sérieux. « L'avion qui s'écrase » nous montre que les rêves d'avion peuvent aussi représenter les petits stress de la vie quotidienne ; il ne s'agit pas toujours de problèmes majeurs. « L'ami qui meurt » révèle une peur plus profonde qui a pris la forme d'une inquiétude liée aux voyages par avion. Enfin, « Atterrissage sur le ventre » nous fait connaître une femme en transition qui n'est pas sûre de pouvoir réaliser les hautes aspirations qu'elle vise sur le plan professionnel. Survivra-t-elle à son entrée dans le monde ?

Rêves d'avion

« À l'envers »

La nuit dernière, j'ai fait un rêve qui m'a perturbée. Je montais à bord d'un petit avion, d'un vieux modèle qui comprenait environ dix places et qui n'avait pas de toit. J'étais nerveuse de prendre cet avion en raison de son aspect, mais j'y suis quand même entrée même si je trouvais cela étrange.

Dès que l'avion a décollé, je me suis retrouvée à l'envers, suspendue par les genoux à une barre au-dessus de moi. J'ai dû m'accrocher par les mains à une autre barre sous ma tête. D'autres personnes faisaient la même chose mais je ne savais pas qui étaient ces gens. Je voyais le dos du pilote. Il ne s'est jamais retourné ni n'a prononcé un seul mot. Il portait une écharpe qui volait au vent comme les anciens pilotes dans les films d'armée.

Nous avons atterri et je me souviens avoir pensé : « oh la la, nous avons réussi ». Mais je savais que je devais revenir de la même façon et je m'apprêtais à le faire, même si je savais que le vol serait horrible.

Puis, je me suis retrouvée dans ce qui était censé être ma salle de bains (les couleurs et les dimensions différaient). La toilette était cassée en quatre morceaux et c'était soi-disant mon ancien conjoint qui avait fait cela.

Laissez-moi vous raconter ce qui s'est passé dans ma vie récemment ; cela pourrait vous aider à comprendre le rêve. J'essaie de quitter une relation insatisfaisante qui a commencé il y a cinq ans. Ma mère est morte il y a cinq ans d'un accident cérébrovasculaire et mon père a aussi fait un grave ACV cette année. Actuellement, je déménage chez mon père pour prendre soin de lui car il ne peut rester seul. Je suis mère monoparentale d'un adolescent de quinze ans et je travaille à temps plein. Ce rêve évoque peut-être la turbulence dans ma vie, mais je ne comprends pas très bien la partie de la toilette.

– Lauren, 35 ans, célibataire, États-Unis

AVEC L'INFORMATION QUE FOURNIT LAUREN, ce rêve n'est pas difficile à comprendre. La vie de Lauren a été bouleversée à cause d'un coup dur dans sa famille. Parce qu'elle est la principale personne à s'occuper de son père, cela a beaucoup de répercussions dans sa vie.

Le rêve de Lauren fonctionne comme une métaphore qui fait référence au changement dans sa vie, occasionné par la maladie de son père. Le pilote de l'avion – qui détermine maintenant le chemin de sa vie – est certainement son père. Dans le rêve, Lauren remarque son âge, son immobilité et son absence de discours – des caractéristiques liées à l'ACV.

Même si le vol est « horrible », Lauren s'apprête à revenir de la même façon. Ce segment du rêve reflète sa décision de terminer le voyage (prendre soin de son père), malgré qu'il soit difficile actuellement. Son père est très chanceux d'avoir une fille si aimable.

La toilette semble incongrue, mais il s'agit d'un symbole courant du « relâchement » et de l'« élimination » d'émotions intimes refoulées. Lauren croit que la toilette, qui ne fonctionne plus, a été brisée par son ancien conjoint. Est-ce une coïncidence qu'elle veuille quitter une relation de cinq ans ? La toilette (qui ne fonctionne plus) représente la difficulté de Lauren à éliminer cette relation de sa vie.

Le rêve de Lauren évoque ses préoccupations concernant deux relations importantes dans sa vie : son père et son ami. Il confirme son engagement à son père dont la vie a sombré dans le chaos à cause de la maladie et définit une zone d'indécision émotionnelle qui se prolonge avec son ami. Quel message son rêve transmet-il ? Que le voyage qui s'annonce ne sera pas facile. Pour arriver saine et sauve et que sa vie revienne à l'endroit, Lauren a besoin de force et de clarté sur le plan émotionnel. Elle allégera sa charge considérablement en résolvant sa relation amoureuse.

« L'avion qui tombe »

Je sortais avec un garçon depuis plusieurs mois à l'école secondaire lorsqu'il a dû déménager en Georgie. Nous ne nous étions pas vus pendant cinq ans et, en première année d'université, j'ai découvert son adresse de courrier électronique et nous communiquons par courriel depuis huit mois maintenant. Nous allons nous revoir bientôt au cours du congé hivernal (il étudie en Floride et je fréquente l'université de Californie). Même si des milliers de kilomètres nous séparent et que nous ne nous sommes pas vus depuis très longtemps, j'ai toujours cru qu'il était « le bon » et mes sentiments n'ont pas changé.

J'ai fait deux fois le même rêve – le premier, il y a quelques semaines et le second, la nuit dernière. Je dansais avec lui et m'amusais follement. Soudain, le rêve a changé et je me suis retrouvée dans un avion en route vers lui. Toutefois, il y a eu des troubles mécaniques et le moteur s'est arrêté. L'avion s'est mis à dériver dans les airs, mais ne s'est pas écrasé. Assise dans l'avion qui tombait, je ne pensais qu'à lui. Je n'éprouvais aucune peur.

Dans le premier rêve, l'avion a atterri d'urgence et j'étais sauve. Mais dans le second, l'avion n'a jamais atterri, mais ne s'est pas écrasé.

Je me suis éveillée avant la fin, aucunement paniquée. Cela signifie-t-il quelque chose ?

– Kayla, 19 ans, célibataire, États-Unis

Le rêve de Kayla, comme celui de Lauren, est une métaphore d'un grand changement dans sa vie. Kayla est excitée, mais aussi nerveuse, à la pensée de revoir son ancien ami – qu'elle a secrètement considéré comme « le bon » depuis de nombreuses années. Parviendra-t-elle à la destination espérée – une relation sérieuse ?

Le rêve de Kayla commence en montrant son excitation et la perspective de moments agréables. Elle danse avec son ami et « s'amuse follement ». Bientôt, cependant, l'incertitude envahit son rêve. Cette romance « décollera-t-elle » ?

Le rêve change soudainement. Kayla se retrouve dans un avion, en route pour rencontrer son ancien ami. À ce stade, l'avion est une allusion littérale à son prochain voyage (elle va prendre l'avion pour aller le voir cet hiver) et symbolise en même temps ses craintes quant à la relation. Bientôt, le moteur s'arrête et l'avion tombe en vol libre. Dans les rêves, tomber symbolise l'insécurité (manque de soutien) et l'incertitude face à l'avenir. (Nous ne savons pas où nous « atterrirons ».) De manière significative, Kayla ne panique pas et son avion ne s'écrase pas. En fait, sa réaction semble celle d'une personne calme et équilibrée devant ce qui est reconnu honnêtement comme l'inconnu. Kayla n'a aucune raison de paniquer et toutes les raisons d'espérer.

« L'avion qui s'écrase »

Je fais ce rêve récurrent depuis environ quatre ans. Je suis à bord d'un avion, puis il s'écrase, mais nous réussissons toujours à atterrir dans un petit village, en pleine forêt, dans l'eau, etc.

Parfois, je ne suis pas dans l'avion. Je vois un ou plusieurs avions qui s'écrasent autour de moi. Pendant que nous perdons de l'altitude, il y a beaucoup de panique. J'ai très peur. Mais après l'écrasement ou l'atterrissage d'urgence, l'atmosphère devient plutôt amusante. Par exemple, il y a un parc, je suis dans l'eau et je fais des appels téléphoniques, je m'inscris à une rencontre de quartier, etc.

À cause de ces rêves, j'ai peur de prendre l'avion. Aidez-moi !

– Emma, 31 ans, mariée, États-Unis

EMMA EST INTRIGUÉE par la signification de ses rêves d'écrasements d'avion. Sont-ils prémonitoires ? S'agit-il d'avertissements ? Emma devrait-elle éviter de prendre l'avion ?

Les rêves d'écrasement représentent parfois la peur de voler (dans le cas présent, les rêves provoquent la peur de voler), mais ici il est plus probable qu'ils soient le reflet des angoisses quotidiennes d'Emma.

Pour comprendre ses rêves, Emma doit tenter de découvrir les événements importants qui se sont passés dans sa vie au moment où les rêves ont commencé, ce qui les a déclenché, pour ainsi dire. Ses rêves peuvent refléter l'anxiété liée à tout événement marquant et incertain de la vie : un mariage, l'achat d'une maison, un déménagement dans un quartier particulier, la maternité ou la réalisation d'un objectif professionnel.

Puisqu'Emma n'est jamais blessée dans ses rêves, il peut s'agir de doutes occasionnels concernant sa capacité d'atteindre un but plutôt que de véritables problèmes. Comme elle l'observe elle-même, après l'écrasement elle se retrouve souvent dans des situations amusantes. Elle téléphone ou s'inscrit à une rencontre tout en se tenant ou en flottant dans l'eau Ainsi, le rêve suggère qu'il ne s'agit pas de gros problèmes. Il nous dit aussi qu'Emma, malgré sa nervosité occasionnelle, règle efficacement ces préoccupations. (La vie continue.)

Il y a quatre ans, lorsque les rêves ont commencé, Emma a certainement pris de plus grandes responsabilités dans sa vie. (Peut-être est-elle devenue mère. Ne nous demandons-nous pas tous si nous allons y survivre ?) Si, quatre ans plus tard, Emma réussit à trouver ce qui a déclenché ses drames récurrents, elle aura résolu leur énigme. Entre-temps, Emma doit également reconnaître que, jusqu'à maintenant, elle est toujours arrivée à destination saine et sauve. Voilà un dossier de voyages dont n'importe qui serait fier !

« L'ami qui meurt »

> Je vis au Mexique et mon ami vit au Texas. J'ai fait le pire des cauchemars et je ne sais pourquoi. J'ai rêvé que j'étais dans un avion, que j'ai vu en train de tomber et heurter le sol par sa section arrière. Étonnamment, j'ai aperçu mon ami assis dans le fond de l'avion et j'ai tout de suite su qu'il était mort. Je ne pouvais cesser de pleurer.
>
> Puis, j'ai vu qu'il vivait encore et qu'il n'était pas blessé. C'est tout ce dont je me souviens.
>
> Ce rêve m'inquiète beaucoup parce qu'il va visiter ses parents sur la côte est à l'Action de grâce et qu'il devra prendre l'avion.
>
> S'il vous plaît, dites-moi ce que veut dire ce rêve. Je suis très inquiète.
>
> – *Destiny, 23 ans, célibataire, Mexique*

LE RÊVE DE DESTINY, comme celui de Kayla (« L'avion qui tombe »), reflète des inquiétudes littérales et symboliques. Destiny sait que son ami va bientôt voyager en avion pour se rendre chez ses parents. Comme elle s'inquiète d'être séparé de son amoureux, l'écrasement de l'avion peut représenter l'une des peurs qui occupent son esprit. Dans son rêve, elle est témoin d'un accident sinistre et sait immédiatement que son ami a été tué. Cependant, curieusement, après s'être profondément épanchée en pleurs, son ami réapparaît miraculeusement. Il est vivant et sauf.

Que signifie cet étrange rêve de résurrection ? Le rêve cède-t-il aux désirs de Destiny en lui fournissant une fin heureuse parce que son chagrin est devenu trop lourd à supporter ? Ou peut-être le rêve suggère qu'il n'a jamais vraiment été question de mort et que la fin que craint Destiny n'est que symbolique ?

Dans les rêves, la mort est une métaphore constante du changement et de la séparation et doit rarement être interprétée au premier degré. La mort que craint Destiny représente fort probablement un changement dans la relation. Son ami retourne à la maison passer des vacances en famille. Pour une raison quelconque, Destiny ne sera pas de la partie. S'inquiète-t-elle de l'influence que pourrait avoir la famille de son ami sur leur relation ? La famille acceptera-t-elle Destiny ou son ami reviendra-t-il dans de nouvelles dispositions ? Destiny reste à la maison à attendre, ses rêves sont remplis d'espoir, de peur et de suspens.

« Atterrissage sur le ventre »

Je faisais une sieste et j'ai fait le rêve le plus mémorable. Je ne me souviens pas souvent de mes rêves, mais celui-ci est très clair dans mon esprit.

J'étais chez ma mère, là où j'ai grandi. Mon frère le plus vieux (qui est atteint du SIDA et vit avec ma mère) était là. Le temps était sombre et orageux. J'étais dans un coin à ne rien faire. Cette partie me paraît un peu obscure, mais je savais que le lendemain, je tenais le rôle principal dans une pièce de théâtre et je tentais d'éviter de me préparer. J'étais censée communiquer avec quelqu'un à propos de la pièce, mais je ne l'ai pas fait.

Soudain, nous avons entendu un pilote qui communiquait par radio. Il décrivait la terrible tempête. Je suis sortie sur la galerie avant, j'ai regardé dans le ciel et j'ai vu un gros avion qui était en difficulté. Puis, il s'est écrasé dans la rue, juste devant nous. Nous courions tous les deux en direction de l'avion lorsque j'ai réalisé qu'il pouvait exploser. Il y a avait une odeur nauséabonde d'huile ou de combustible.

Mon frère et moi avons donc couru pour nous réfugier derrière la maison de ma mère, où un avion plus petit venait de s'écraser. Il y avait des gens que nous connaissions à bord, dont une personne qui avait un lien avec la pièce dans laquelle je jouais. Je me suis mise à leur parler, puis je me suis réveillée.

Je dois spécifier que je suis une avocate qui vient de passer d'une grande firme à un cabinet plus petit, dans la même ville. Deux camarades de mon ancienne firme ont fondé un cabinet et m'ont demandé de me joindre à eux. Il y a deux jours, nous avons fait une fête pour célébrer notre ouverture et de nombreuses personnes y ont assisté. Tous se sont montrés enthousiastes et parlaient de la firme en termes élogieux : « c'est une première ». Cette nouvelle entreprise m'excite beaucoup, mais me rend aussi nerveuse.

-Sierra, 31 ans, mariée, États-Unis

LA CARRIÈRE DE SIERRA prend une autre direction. Elle a placé la barre haute et a pris des risques en quittant un plus gros bureau d'avocats. Devant la perspective de bâtir une nouvelle entreprise, elle se demande si l'affaire va « prendre son envol ». Arrivera-t-elle à la nouvelle destination espérée ?

D'après le contexte que fournit Sierra, il n'est pas difficile de comprendre qu'elle sent qu'elle vient de quitter un gros avion(son ancienne firme) et d'embarquer à bord d'un plus petit (sa nouvelle entreprise). Cependant, les deux avions, qui sont dans la tempête – un symbole de turbulence émotionnelle – sont obligés d'atterrir sur le ventre. Qu'est-ce que cela signifie ? Sierra a coupé les ponts avec son ancien bureau et maintenant, selon ses dires, l'avenir de la nouvelle entreprise la rend nerveuse.

Le second thème du rêve est son désir d'éviter de se préparer pour le rôle principal d'une pièce de théâtre qu'elle doit jouer lendemain. À ce moment précis, elle va dehors et assiste à l'atterrissage sur le ventre de l'avion. Lorsqu'elle parvient aux débris du plus petit avion, (sa nouvelle entreprise), elle est consciente que la personne à qui elle doit parler de sa « prestation » se trouve à bord.

Le message est clair : Sierra a la frousse de l'entrepreneur. Elle a quitté un poste plus sûr dans une firme plus grosse (qui apparemment donnait l'impression d'un navire qui coulait) et tente de travailler au sein d'une plus petite équipe. Comme une comédienne le soir d'une première, sa prestation la rend nerveuse. Elle se demande si elle va survivre. Mais maintenant qu'elle fait partie des ligues majeures et qu'elle a décidé de réaliser de hauts objectifs professionnels, il ne lui reste qu'à endosser l'habit et jouer son rôle. La tension est perceptible et Sierra se montrera certainement « à la hauteur ».

Bague de fiançailles

Bague de fiançailles : La bague de fiançailles est un symbole d'engagement. Les sentiments à propos de la bague de fiançailles reflètent les véritables pensées du rêveur concernant un engagement ou une proposition. Une bague peu esthétique ou qui ne fait pas au doigt signale une déception envers un partenaire ou l'impression de n'être pas prêt à s'engager. Lorsque nous sommes gênés de montrer notre bague en public, peut-être croyons-nous qu'il est un peu tôt pour nous engager. Les rêves agréables où un partenaire nous demande en mariage ne sont pas prémonitoires ; ils indiquent plutôt que la personne qui rêve est prête pour le mariage sur le plan émotionnel.

Bague : Lorsque la bague est reçue en guise d'héritage, elle est liée à la famille de façon générale et spécifiquement au membre qui l'a léguée. Une bague perdue symbolise la perte de contact avec une personne ou son souvenir qui s'estompe. Une bague brisée ou qui a une pierre manquante peut être le signe d'une déception dans la relation, d'une séparation ou de la mort.

• **Truc d'interprétation :** Les bagues de fiançailles perdues, endommagées ou peu esthétiques expriment un manque de préparation pour une relation engagée. Demandez-vous si vous êtes vraiment prêt.

⁂

Les rêves à propos de bagues de fiançailles laissent libre cours dans notre cœur à des élans d'espoir ou à la peur de l'engagement. Dans le premier récit, « Bague de fiançailles », une femme rêve fréquemment que son ami la demande en mariage.

Cependant, les bagues qu'elle reçoit lui transmettent un message important. Le deuxième rêve, « La bague échappée », nous fait connaître une femme qui sent la pression de l'engagement. Est-elle prête ? « La bague brisée » raconte le rêve d'une femme en transition, prête à défendre son territoire nouvellement acquis.

Rêves à propos de bagues de fiançailles

« La bague de fiançailles »

Je rêve souvent que mon amoureux me demande en mariage. Dans chacun des rêves, la bague de fiançailles a toujours un défaut quelconque. Une fois, je la trouvais laide ; une autre fois, elle m'irritait le doigt et laissait une marque rouge. Dans tous les rêves, je montre la bague avec fierté et je fais comme si j'étais heureuse, mais au fond de moi-même, j'ai des doutes et je suis déçue.

Mon ami et moi nous fréquentons depuis quatre ans, au cours desquels il y a eu quelques ruptures. Nous nous disputons souvent et parfois nous nous demandons si nous devrions être ensemble. Ce rêve vient-il me communiquer un message ?

– Shelly, 22 ans, célibataire, États-Unis

LES BAGUES DE FIANÇAILLES sont une annonce très visible proclamant que nous nous sommes engagés envers une personne qui, selon nous, nous récompensera en nous apportant dévotion, bonheur et évolution toute notre vie durant.

Le rêve récurrent de Shelly à propos d'une bague de fiançailles montre qu'elle se questionne sur son engagement avec son ami. Est-il « celui » avec qui elle veut partager le reste de sa vie ? Doit-elle continuer à tenter de résoudre les problèmes ou devrait-elle plutôt le quitter ? Les difficultés que soulève Shelly – les ruptures, les disputes fréquentes – sont des signes avertisseurs d'une incompatibilité.

Les rêves de Shelly ne signifient pas que son ami n'a pas d'argent ni de goût (la bague laide) ou qu'il choisirait une bague qui ne va pas au doigt (la bague qui laisse une marque rouge). Ce sont plutôt les émotions que ressent Shelly dans ses rêves qui révèlent le sens véritable de la bague. La bague de fiançailles est un symbole de l'avenir de sa relation. Lorsqu'elle l'essaie et la fait voir à ses amis, Shelly a des doutes et est déçue.

Si, en elle-même, elle sait qu'elle et son ami ne forment pas un couple approprié, le mieux qu'elle puisse faire est de s'échapper doucement de la vie de son partenaire. Si cette danse est terminée, une autre commencera bientôt.

« La bague échappée »

Depuis quelque temps, ma relation amoureuse me cause du stress. J'aime beaucoup mon ami, mais présentement nous sommes étudiants et je sens de la pression car tous nos amis se séparent. Je crains que la même chose ne nous arrive. Et voilà que je fais ce rêve.

J'assiste à un mariage ; je ne connais pas la mariée, seulement le marié. Je suis très en retard ; je cours donc jusqu'à l'autel pour m'excuser. À cet instant, le marié devient mon ami (que je fréquente depuis un an et demi) et il me demande de l'épouser. La bague est très petite et paraît verte. J'accepte et la cérémonie se poursuit.

Après le mariage, il échappe les alliances et nous devons les chercher. Je trouve la mienne et je remarque que l'inscription « Je t'aime, Jessica » est écrite à l'envers, à l'intérieur. De plus, la bague est très laide. Lorsque nous nous éloignons de l'assemblée, je remarque que je porte un tout petit bébé dans mes bras. Je semble comprendre qu'il s'agit du bébé de mon nouvel époux et je me demande : « Étais-je enceinte pendant le mariage ? » Je ne le sais pas.

Je donne le bébé à mon mari et je dis à un groupe de filles qui s'est formé de ne jamais avoir un enfant à dix-huit ans. Avoir accouché à un aussi jeune âge me fait un drôle d'effet. Toutefois, lorsque je vais voir mon mari et mon bébé, je me sens bien intérieurement. Je me sens heureuse et aimée. Ce rêve m'intrigue puisqu'il contient des messages contradictoires. J'avais peur et en même temps je me sentais aimée.

– *Jessica, 18 ans, fiancée, États-Unis*

Il n'est pas étonnant que Jessica soit confuse. Elle ne sait même pas à quel mariage elle assiste. Puis, tout à coup, elle est la nouvelle mariée, avec un bébé. Quelle journée éprouvante !

Son engagement envers son ami lui cause du stress parce qu'elle est étudiante et que tous ses amis sont célibataires. Dans son rêve, la cérémonie du mariage représente son engagement. Cependant, elle est en retard. Voilà une métaphore courante d'un manque de préparation. De plus, la bague que lui a donnée son amoureux (un autre symbole d'engagement) est « petite et verte » et Jessica la trouve « laide ». Après que son ami a échappé les alliances par terre (un autre symbole du manque de préparation), Jessica remarque l'inscription à l'intérieur qui est à l'envers. (Tout va mal.)

Comme si cela ne suffisait pas, Jessica porte bientôt un nouveau-né dans ses bras. Le bébé est petit, ce qui indique que les projets d'avenir de Jessica et son ami pour ce qui est de fonder une famille sont encore à l'état embryonnaire. Les enfants ne se manifesteront pas avant longtemps. Comme pour répondre à sa propre question concernant un aussi grand engagement à un aussi jeune âge, Jessica dit à un groupe de filles de « ne jamais avoir un enfant à dix-huit ans ».

Le rêve de Jessica laisse supposer qu'elle se sent actuellement trop jeune pour s'engager avec son ami. Le bonheur qu'elle ressent lorsqu'elle lui rend visite à la fin du rêve est une expression du véritable amour qu'elle éprouve pour lui.

Ce rêve semble très confus ; cependant, son message est clair : il est temps pour Jessica de mettre de côté temporairement ses projets de mariage. (Nous avons bien remarqué qu'elle se définit comme fiancée.) Il n'y a pas lieu de se précipiter et il est trop tôt pour qu'elle se préoccupe de mariage, surtout au moment où elle doit se concentrer sur ses études. Jessica doit avertir son ami que, pour l'instant, il lui convient de simplement le fréquenter. Le mariage et les enfants viendront plus tard.

« La bague écrasée »

Je fréquente depuis cinq mois un ancien amoureux du temps de l'école secondaire. Nous ne nous étions pas vus pendant près de quinze ans, puis un jour je l'ai rencontré sur lui en sortant de mon travail. Immédiatement, il y a eu des étincelles et nous sommes redevenus amoureux. Mais il y a un problème : je suis mariée. Récemment, j'ai pris la décision de quitter mon mari (avec qui je vis depuis onze ans) afin de poursuivre cette relation avec l'homme qui, selon moi, est mon âme sœur. Voici maintenant mon rêve.

Pour une raison quelconque, pendant deux semaines, je n'arrivais pas à trouver mon ami. Je ne savais où il pouvait être ni pourquoi il avait disparu sans laisser de trace ni m'avertir. Puis, un jour il surgit avec une autre femme qui m'annonce qu'ils viennent de se marier. Je suis dévastée. Elle me montre une énorme bague de diamants que j'arrache de son doigt et que j'écrase jusqu'à ce qu'elle soit complètement détruite.

Pendant ce temps, mon ami ne dit aucun mot. Je lui demande : « Comment peux-tu me faire ça ? » Il se tient là, d'un air honteux. De plus, il a épousé l'ancienne femme de mon beau-frère. Dans la réalité, ils ne se sont jamais rencontrés.

J'ai une relation merveilleuse avec mon ami. Je n'ai jamais ressenti autant d'amour pour une personne et c'est la même chose pour lui. Je ne sais pas comment interpréter ce rêve. S'il vous plaît, dites-moi ce que vous en pensez.

– Paige, 30 ans, séparée, États-Unis

PAIGE EST NERVEUSE car elle quitte celui qui a été son mari pendant onze ans pour entreprendre une relation passionnée avec un ancien amoureux. La bague de fiançailles de son rêve constitue une représentation de ses espoirs de vivre une relation engagée avec cet homme mais, de façon éloquente, une autre femme porte l'alliance. Les espoirs de Paige sont-ils mal placés ?

Le rêve de Paige révèle que son enthousiasme du début envers son nouvel amour a été remplacé par la peur. De manière spécifique, elle se demande ce qui se produira maintenant si son amoureux, en qui elle a investi beaucoup d'espoir, ne répond pas à ses attentes. Puisqu'elle indique qu'elle est « séparée », Paige a déjà coupé les ponts avec son mari. Restera-t-elle seule ?

Les rêves de trahison sont fréquents lors de périodes de doute et d'insécurité par rapport aux relations amoureuses. La difficulté de communiquer qu'éprouve Paige dans son rêve est significative. Elle cherche son ami pendant deux semaines et elle ne comprend pas pourquoi « il a disparu sans laisser de trace ni l'avertir ». Son rêve laisse-t-il supposer qu'elle a déjà reconnu, à un niveau inconscient, des lacunes et un manque de communication dans sa relation ? Son partenaire évite-t-il de lui révéler une information importante ? Entretient-il plusieurs intérêts amoureux ?

La colère que ressent Paige face à la trahison se manifeste par sa destruction violente de la bague. Le refus de son ami de se défendre ou d'expliquer son geste constitue une seconde référence à sa difficulté d'exprimer ses émotions. Cet espace onirique où les émotions se succèdent rapidement offre un message limpide : Paige reçoit le conseil de procéder avec précaution dans sa nouvelle relation. Seul le temps pourra dire si les fissures qu'elle perçoit dans l'armure brillante de son chevalier sont réelles ou si elles ne sont que le reflet de ses propres peurs.

Bébé

Bébé : Dans les rêves, les bébés réfèrent souvent à des inquiétudes concernant le cycle de la naissance et les responsabilités parentales. Ils peuvent aussi se rapporter à de nouveaux projets, à une entreprise qui prend de l'ampleur et aux relations qu'entretient le rêveur dans sa vie. Dans le cadre des relations amoureuses, le bébé peut représenter le « produit » de la relation. Le bébé est-il en bonne santé, heureux, et fort ? Ou est-il plutôt faible et en danger de mort ? Donner naissance peut révéler une nouvelle étape de croissance et de développement personnel. Les bébés négligés sont des métaphores courantes de l'enfant intérieur du rêveur. Les bébés qui pleurent et qui sont gros peuvent faire référence à des adultes que nous connaissons, qui agissent comme des enfants et qui sont incapables de s'occuper d'eux-mêmes.

Rêves de bébé courants :

Bébé abandonné : Il s'agit d'un rêve fréquent chez les femmes qui ne sont pas prêtes à assumer les responsabilités de la maternité. Le bébé est présent, mais la rêveuse en fait peu de cas. Elle résiste aux pressions sociales qui poussent à avoir des enfants ou craint une grossesse accidentelle pour laquelle elle n'est pas prête en raison de sa carrière, de sa situation financière ou amoureuse.

Bébé qui disparaît : Voilà un rêve qui se produit souvent après un avortement, une fausse-couche ou la mort d'un enfant. Le bébé est présent , mais disparaît soudainement. La rêveuse craint peut-être d'avoir fait quelque chose qui a blessé l'enfant.

Bébé heureux : Ce rêve puissant se manifeste souvent chez les femmes qui voient avec bonheur la maternité. La mère voit et serre son nouveau-né et elle est transportée de joie.

Bébé négligé/oublié : C'est un thème courant chez les femmes qui sont mères pour la première fois. Il reflète les angoisses liées aux responsabilités continues de la maternité. Chez les mères plus expérimentées, le bébé négligé (le produit d'une relation amoureuse) peut faire allusion à la négligence dans la relation avec le partenaire ou envers soi-même. L'enfant intérieur est négligé.

Bébé qui parle : Les femmes enceintes ou qui sont mères pour la première fois font souvent ce rêve. Le nouveau-né et la mère peuvent converser. Ce rêve révèle la hâte de la mère d'entrer en relation avec son enfant. Souvent, le dialogue n'est pas très profond et peut exprimer des pensées et inquiétudes habituelles qui occupent l'esprit de la mère.

Bébé minuscule : Il s'agit d'un mécanisme onirique familier pour représenter un enfant dont l'arrivée est lointaine. Les femmes qui retardent la venue d'un enfant en raison de leur carrière, de leur situation financière ou amoureuse font souvent ce rêve.

Parent non préparé : Ces rêves se rencontrent souvent chez les couples qui essaient de concevoir un enfant ou qui ont de la difficulté à enfanter à cause de complications médicales. Ce rêve s'apparente à celui dans lequel le rêveur n'est pas préparé pour un examen scolaire. Réussira-t-elle le test et ainsi à faire la transition vers la maternité ?

• **Truc d'interprétation :** Si vous rêvez de bébés ou que vous mettez un enfant au monde, vous devez d'abord déterminer si votre rêve est littéral ou symbolique. Éprouvez-vous une certaine curiosité à propos de l'accouchement ? Avez-vous hâte de tomber enceinte ? Ou craignez-vous l'être déjà ? S'il n'y a pas de sens au premier degré, demandez-vous quel nouveau projet, entreprise ou relation amoureuse peut être en cause.

⁂

Selon le contexte de votre vie, les rêves concernant les bébés peuvent avoir un sens littéral ou symbolique. Dans « Le bébé brisé », le nouveau-né de la rêveuse arrive en morceaux, ce qui se révèle un commentaire cru sur l'état de son mariage qui se porte mal. Un autre rêve symbolique, « Le bébé blessé », illustre l'utilisation du bébé comme métaphore de projets nouveaux que nous montons de toutes pièces. Le troisième rêve, « Le nouveau bébé » fait référence à une période de croissance et de développement personnel. Enfin, « Donner naissance » a pour sujet une femme en transition qui est prête à délaisser son passé pour se lancer dans un avenir incertain mais prometteur. Ce chapitre se termine par une série de rêves à prendre au sens littéral lorsque nous pensons beaucoup aux bébés.

Rêves symboliques sur les bébés

« Le bébé brisé »

Récemment, je me suis mariée et j'ai déménagé à l'autre bout du pays. J'ai été très déprimée, malheureuse et déçue dans mon mariage et je me suis sentie emprisonnée. J'aime beaucoup mon mari – c'est l'homme le plus doux, le plus gentil et le plus honnête que j'aie connu – mais il ne m'attire plus.

Depuis quelque temps, je rêve souvent à des bébés et que j'accouche. Dans mon rêve le plus clair, j'avais mis au monde un bébé malade et chétif. Je tentais de le nourrir, mais lorsque je pressais mon sein droit, il n'en sortait que du sang et du pus. Mon enfant n'a donc pas été alimenté durant ses deux premiers jours. Lorsque finalement j'ai pu le nourrir, c'était très difficile et je n'ai réussi qu'une seule fois.

J'ai aussi rêvé que je mettais au monde une poupée en plastique qui tombait en morceaux à la naissance et que je nourrissais des enfants qui n'existaient pas. J'ai subi un

avortement il y a huit mois (avant mon mariage), mais je ne vois pas le lien avec mes rêves puisque je ne me sens pas coupable.
À cette époque, je ne voulais pas d'enfant, ni mon mari. Nous pensons avoir des enfants plus tard, mais pas maintenant.

– *Christina, 27 ans, mariée, États-Unis*

En partant du fait que les bébés dans les rêves représentent souvent les peurs et les espoirs liés à l'accouchement, de même qu'ils sont le « produit d'une relation amoureuse », il est facile d'interpréter ceux de Christina. Cette femme a récemment décidé de mettre fin à une grossesse et son mariage bat de l'aile.

Les images que renferment ses rêves sont dérangeantes. Le bébé malade et chétif qu'elle tente de nourrir évoque l'échec de son mariage. Christina nous informe qu'elle est malheureuse et déprimée et qu'elle se sont coincée dans sa nouvelle vie. Le sang et le pus qui coulent de son sein montrent qu'elle ne croit plus pouvoir apporter à sa relation la nourriture dont elle a besoin.

Les rêves à propos d'une poupée qui tombe en morceaux à la naissance et de l'allaitement de bébés inexistants surviennent souvent à la suite d'un avortement. Le premier rêve représente graphiquement l'avortement qu'elle a subi. Le second reflète la préparation physique et émotionnelle à la maternité (allaitement) et la conscience que l'enfant n'existe plus.

Christina dit que ses rêves l'étonnent parce que sa décision de mettre fin à sa grossesse a eu lieu avant son mariage et qu'elle ne se sent pas coupable. En conséquence, ses rêves signifieraient-ils qu'elle veut éviter une deuxième erreur de jugement ?

Les rêves de Christina évoque des événements difficiles de son passé et de son présent, mais sont aussi porteur d'un message pour l'avenir. Elle doit amener son mariage à la salle d'urgence (conseiller en relations) afin de voir si elle peut le remettre sur les rails avant d'y admettre d'autres membres (des bébés). L'image du bébé chétif est sinistre : Christina ne doit pas avoir d'enfants, à moins de pouvoir leur offrir un milieu familial sain dont ils ont besoin pour leur croissance.

« Le bébé blessé »

Dans mon rêve, je prenais soin du bébé d'une autre personne comme si c'était le mien. Je me trouvais dans une grande maison et sans raison apparente un homme a frappé le bébé dans le cou. J'étais horrifiée. Je crois que j'ai appelé un médecin ou une ambulance et le bébé a été sauvé.

J'ai découvert un jardin jouxtant la maison. Il regorgeait d'arbres en fleurs et la pelouse était très verte. Je voulais y aller. À ce moment, j'étais plus ou moins consciente de la mère du bébé, puisque je me demandais quoi faire avec lui.

Soudain, l'homme étrange est réapparu et a de nouveau frappé le bébé. Le jardin avait capté mon attention et je m'étais désintéressée du bébé. Cette fois, la blessure était grosse et je pouvais voir en détail un creux qui allait du cou à l'épaule. Je savais que le bébé ne survivrait pas.

J'ai appelé une ambulance, qui n'est pas arrivée assez vite. J'ai pensé que la mère allait être très fâchée contre moi. J'ai vu le bébé devenir bleu. Je savais qu'il était en train de mourir. J'ai tenté de le ramener à la vie, mais il s'est ratatiné sous mes yeux. Je l'ai accepté, en me disant toutefois que j'aurais dû être plus triste. Je semblais n'éprouver aucune émotion. Il était mort et il fallait l'accepter.

Actuellement, ma carrière est plutôt incertaine. Je travaille au même endroit depuis neuf mois, espérant avoir trouvé un emploi permanent, mais il est probable que tout se termine vers la fin de l'année. Je n'ai pas abandonné tout espoir, mais il diminue peu à peu. J'ai pensédémarrer ma propre entreprise, peut-être symbolisée par le jardin. Pouvez-vous m'aider à résoudre ce mystère ?

– Mary 30 ans, célibataire, Angleterre

MARY A RECONNU précisément le sens symbolique du jardin. Ses espoirs de conserver son emploi diminuant, Mary a naturellement commencé à chercher ailleurs – des zones de « nouveau départ ».

Le rêve de Mary montre que les bébés évoquent souvent de nouveaux projets que nous entretenons et que nous faisons grandir. Puisque l'employeur de Mary éprouve des problèmes de « survie », il est évident que le bébé représente son emploi actuel. Les agressions se rapportent aux « difficultés » et aux « pertes financières » à son lieu de travail. Dans son rêve, Mary a la volonté de prendre soin du bébé, tout en craignant une fin proche. Lorsque le bébé meurt, elle s'étonne de ne pas se sentir triste. Voilà un autre indice qui nous dit que le bébé est vraiment le symbole de « la mort de son emploi » et n'est pas du tout le reflet de véritables préoccupations concernant un enfant.

À la fin du rêve, Mary accepte la mort du bébé, mais les nouvelles opportunités que semble offrir le jardin l'intriguent toujours. Son désir de fonder sa propre entreprise est fort. Dans ses prochains rêves, le nouveau bébé qu'elle portera sera le sien. Il s'agira d'un autre « bébé » qu'un parent attentionné aidera à grandir.

« Le nouveau bébé »

Renseignements sur ma situation : J'ai vingt-quatre ans et je viens tout juste de retourner vivre avec ma mère afin de pouvoir terminer mes études. Récemment, au travail, j'ai obtenu un nouveau poste, une sorte de promotion. J'entreprends donc plusieurs choses nouvelles. De plus, ma relation amoureuse vient de se terminer sans explication. Mon ami a simplement cessé de me téléphoner et n'a pas retourné mes appels. Je travaille de longues heures et je n'ai pas beaucoup de temps pour moi.

J'ai rêvé que je me tenais au milieu de nulle part (un endroit blanc et brumeux) et qu'une personne que je ne voyais pas me remettais un bébé. C'était comme si le bébé venait d'apparaître.

Le bébé me semblait familier, mais je ne pouvais l'identifier. Soudain ma mère est arrivée et m'a dit que le bébé était moi et que j'avais reçu le plus beau cadeau : la capacité de me percevoir. Je me souviens avoir ressenti toutes les émotions possibles à cet instant et je me suis éveillée dans le même état (toutes les émotions en moi).

Ce rêve s'est produit il y a quelque temps, mais je l'ai constamment à l'esprit.

– Faith, 24 ans, célibataire, États-Unis

FAITH RÉVÈLE qu'elle « entreprend plusieurs choses nouvelles » dans sa vie. Elle a obtenu un nouveau poste au travail (une promotion) et elle a décidé de retourner vivre avec sa mère pour terminer ses études. Elle est même dans une nouvelle phase sur le plan sentimental. Un homme qu'elle fréquentait a récemment cessé de lui téléphoner, ouvrant le porte à une nouvelle aventure romantique pour l'avenir. Il n'est pas étonnant que son rêve représente cette période de nouveaux départs en la désignant comme un nouveau-né.

Le rêve de Faith reflète ses nombreuses situations inconnues tout en faisant allusion à une phase inédite sur le plan personnel et spirituel. Le blanc et les nuages dans les rêves sont associés à la spiritualité. Faith se trouve dans un lieu « blanc et brumeux » lorsqu'apparaît le bébé, un aspect spirituel est donc présent. Puis, sa mère lui explique que la capacité de « se percevoir » est un cadeau précieux. En effet, d'un point de vue spirituel, la capacité de « se voir soi-même » correspond à l'exhortation universelle « connais-toi toi-même ». Mieux nous pouvons nous percevoir, meilleurs « parents » nous sommes pour notre âme qui grandit.

Dans un moment expiatoire et d'illumination très fort, Faith éprouve « toutes les émotions possibles » dans son rêve et s'éveille profondément émue. Son souvenir du rêve, écrit-elle est « constamment dans son esprit ». Son rêve l'a rassurée. Même en plein changement, elle sait ce qu'il lui faut pour devenir une personne forte et saine. Avec de l'amour et de l'attention, le « bébé » de Faith va grandir et devenir tout ce qu'elle désire être.

« Donner naissance »

J'ai un désir très fort de mettre un enfant au monde et je me rends compte que je suis enceinte et prête à accoucher. En premier, je ne vois pas comment cela est possible, puis un bébé sort. Je dis à ma sœur, à mon mari et à une tierce personne que j'ai accouché sans douleur ni contraction. Puis, je remarque que je suis déchirée, que je saigne et que je vais devoir aller à l'hôpital. Tout en essayant de me rendre à l'hôpital, je tente désespérément de m'occuper du nouveau-né, qui a maintenant tombé dans une étendue d'eau.

Ce rêve où je donnais naissance à un enfant a précédé une période de deux semaines où je faisais chaque nuit un ou deux rêves à propos de la mort – la mienne ou celle d'autrui. Dans l'un de ces rêves, je construisais une maison en paille avec mon mari et je tentais de lui expliquer la répartition du poids du deuxième étage sur le premier lorsque j'ai soudainement réalisé que j'allais mourir avant la fin de la construction. Puis, je suis morte. Mon corps reposait lourdement sur le sol et j'ai flotté au-dessus de l'ouverture de la maison en plan. J'ai ressenti une forte sensation de légèreté. Puis j'ai regardé mon corps mort sans aucune émotion.

Je suis mariée à un homme attentionné et nous avons bâti notre vie ensemble, qui va bien et est loin d'être terminée. Mais l'amour n'est pas très fort et nous ne sommes pas liés sur un plan spirituel. À l'époque où ces rêves ont commencé à se manifester, j'étais prise par l'idée que je devais aller en Australie pour satisfaire quelque désir intuitif. Ce désir était très fort et difficile à expliquer, contrairement à ce que sont les choses pour moi habituellement. À l'état éveillé de même que dans mes rêves, tout me dit que je dois y aller.

En raison de ces rêves, j'ai décidé de faire le voyage. Je pars dans trois semaines.

– Jada, 42 ans, mariée, États-Unis

Jada « donne naissance » à un nouvel aspect d'elle-même. Puisqu'elle doit se rendre à l'hôpital par elle-même, son rêve suggère qu'elle se sent seule dans ce projet « nouveau-né ». Elle n'a pas beaucoup de soutien de sa famille ni de ses amis. Le rêve sous-entend aussi que Jada craint pour la vie de ce nouveau projet. Pendant qu'elle conduit la voiture, le bébé tombe dans l'eau et Jada tente « désespérément » et de s'en occuper. Elle n'est pas certaine que cet aspect inédit de sa personnalité survivra.

Le rêve dans lequel elle construit une maison avec son mari s'explique par son commentaire sur son mariage : « nous avons bâti notre vie ensemble, qui va bien et est loin d'être terminée ». Cependant, deux détails annoncent le côté éphémère de la relation. La maison est en paille. Ce n'est pas un matériau de construction des plus solides. Jada remarque aussi un déséquilibre dans la répartition du poids entre le premier et le deuxième étage de la maison, une allusion au déséquilibre spirituel que perçoit Jada dans sa relation. (Les étages supérieurs d'une maison représentent la conscience et les aspects spirituels du soi, tandis que les étages inférieurs font référence au corps et au quotidien. Jada aimerait que la dimension spirituelle de sa vie ait plus d'importance. En contemplant la maison, elle réalise soudain qu'elle va « mourir » (passera à autre chose) avant qu'elle soit terminée. Lorsqu'elle meurt, Jada échange son corps lourd contre une forte sensation de légèreté.

Sa réaction dépourvue d'émotion face à sa mort indique qu'elle n'a pas peur du changement symbolique qu'elle sous-entend. Au contraire, Jada attend sa renaissance et croit que lorsqu'elle surviendra, elle aura l'impression d'avoir délaissé un corps lourd. En s'appuyant sur ces rêves, Jada a courageusement décidé de faire son voyage en Australie – la première étape du voyage vers sa « nouvelle vie ».

Rêves sur les bébés à prendre au premier degré

« Les bébés abandonnés »

J'ai dix-huit ans et je ne suis pas active sexuellement. Je n'ai pas de projet de mariage et n'éprouve pas un vif désir d'avoir des enfants. Malgré tout, je rêve continuellement à des bébés ! »

Dans un rêve, j'étais à l'hôpital au service de maternité où sont placés les nouveau-nés. Je les regardais et disais comme je les trouvais mignons. J'en ai pris un ou deux et leur ai donné un baiser. Puis, j'ai dit : « j'aimerais avoir un bébé » et soudainement, je me suis retrouvée enceinte et, après une poussée en douceur qui ne m'a pas fait mal, j'ai accouché.

L'enfant, ma « fille », était extrêmement belle. Mais je n'avais pas envie de la transporter ni de l'embrasser. Je n'avais aucun instinct maternel. Un médecin est arrivé et m'a apostrophée : « Comment pouvez-vous être aussi gentille avec tous les bébés, sauf le vôtre ? » Je le regarde mais je sais quoi répondre. Les autres bébés m'attiraient simplement davantage. Je me suis levée pour prendre un bébé et le bercer dans mes bras. J'ignorais mon propre enfant qui, à ce moment-là, s'était mis à pleurer.

– Mia, 18 ans, célibataire, Mexique

Comme cela se passe typiquement dans les rêves, dès que Mia souhaite avoir un enfant, elle accouche miraculeusement ! Cependant, immédiatement des émotions contradictoires se manifestent. Même si Mia trouve sa fille « belle », elle remarque aussi qu'elle n'a « aucun instinct maternel ». Elle commence à l'ignorer et même le médecin est surpris par son insensibilité.

Ce rêve est commun chez les femmes qui ne sont pas prêtes à assumer les responsabilités de la maternité. Le sens de son rêve est clair : les bébés sont mignons vus de loin, mais Mia n'est pas prête à assumer les responsabilités de la maternité.

« Le bébé qui disparaît »

Dans mes rêves, je joue souvent avec un bébé qui disparaît soudainement et que je n'arriver pas à retrouver. Pourquoi est-ce que fais ce rêve ? J'ai perdu un enfant avant la naissance l'an passé. Je rêve aussi parfois que je suis enceinte et que je vais accoucher dans une semaine environ. Ce n'est pas le cas dans la réalité.

– Sabrina, 29 ans, mariée, États-Unis

En considérant qu'elle a fait une fausse-couche, le rêve de Sabrina est facile à interpréter. Elle s'attendait à jouer avec son bébé, maintenant. Dans le rêve, l'absence du bébé la rend confuse, tout comme elle doit l'être encore par la récente expérience de sa fausse-couche. Le second rêve reflète un désir de tomber à nouveau enceinte.

« Le bébé heureux »

Je suis actuellement enceinte de neuf mois et je dois accoucher dans deux semaines et demie. Durant les trois derniers mois, j'ai fait un rêve récurrent dans lequel le bébé était né. Je tenais le bébé et voyait son visage et la sensation était si réelle que quand je me réveillais j'étais déçue de constater que la tâche n'était pas terminée. Dans tous les rêves, j'étais heureuse et satisfaite. Que peuvent vouloir dire ces rêves ?

– Leah, 24 ans, mariée, États-Unis

LE RÊVE DE LEAH est tout à fait transparent. Leah attend avec impatience la naissance de son bébé et depuis trois mois, elle a imaginé l'événement qui se produit dans son rêve. S'agit-il d'une peur de l'accouchement (c'est probablement son premier enfant) ? Leah est déçue lorsqu'elle se réveille de constater que la « tâche » n'est pas finie. La satisfaction de Leah quand elle serre son enfant est un signe positif. Elle est bien préparée pour cette naissance et ne prévoit pas de difficultés ni de complications physiques ou émotionnelles dans le fait de devenir maman.

« Le bébé qui parle »

J'ai rêvé que mon mari donnait naissance à notre bébé. Cependant, le bébé avait déjà tous ses cheveux et parlait comme un petit enfant. Lorsque je suis entrée dans la chambre, il m'a demandé si j'étais sa maman et j'ai répondu oui ; il s'est alors agrippé à moi très fort.

C'était un beau rêve, mais je n'arrive pas à le comprendre. Je me sentais très heureuse. Je suis mariée à un homme merveilleux depuis deux ans et nous planifions fonder une famille cette année. Toutefois, mon mari doit d'abord passer par plusieurs changements (une opération, une réclamation d'indemnité de travailleur, un nouvel emploi) pour en nommer quelques-uns.

– Vanessa, 29 ans, mariée, Australie

VANESSA RÊVE D'UN BÉBÉ QUI PARLE et lui demande si elle est sa mère. Il ne le sait pas car c'est son père qui a accouché !

Le rêve de Vanessa exprime sa hâte et sa joie de devenir mère et tient compte des obstacles actuels pour atteindre ce but. Elle doit attendre que son mari règle différentes situations (une opération, une réclamation d'indemnité de travailleur, un nouvel emploi) avant de pouvoir commencer une famille. Vanessa est prête pour l'arrivée de son enfant et elle attend que son mari « livre » l'enfant.

« Le bébé minuscule »

J'ai rêvé que j'avais un bébé minuscule. En premier j'étais déçue, puis j'ai pensé que cela était plutôt pratique. Je pouvais l'amener partout ; il entrait dans une boîte d'allumettes.

J'ai eu faim. J'ai déposé le bébé dans mon assiette et me suis mise à manger. Soudain, je me suis rendu compte que j'avais accidentellement avalé le bébé. J'étais très bouleversée. J'ai commencé à cracher la nourriture que j'avais dans la bouche. Seul le squelette est ressorti, semblable à celui d'un embryon. J'étais horrifiée, puis je me suis dit : « oh, de toute façon, il était minuscule », et je me suis sentie soulagée.

Renseignements sur moi : Je dois me marier dans quelques mois. Mon futur mari et moi aimerions avoir des enfants, mais seulement dans quelques années. Je ne sais pas si cela a de l'importance, mais actuellement je prends la pilule. Qu'en pensez-vous ?

– Melissa, 31 ans, fiancée, États-Unis

LE BÉBÉ DE MELISSA est tellement petit qu'il entre dans une boîte d'allumettes ! Dans le monde onirique, il s'agit d'une métaphore courante qui nous informe que le bébé de Melissa – peut-être même sa conception – n'arrivera que dans un futur lointain.

Melissa et son mari désirent des enfants dans quelques années. Le rêve de Mellisa est-il un rappel que chaque fois qu'elle avale une pilule anticonceptionnelle, elle « avale » aussi (supprime) son désir d'avoir des enfants ? Dans ce cas, bientôt elle devra abandonner la pilule et laisser le bébé grandir.

« Parent non préparé »

Cela fait maintenant deux fois que je fais ce rêve. Je suis sur le point de mettre un enfant au monde et je suis en route pour l'hôpital. À mon arrivée, je suis dans un lit prête à accoucher et je me vois haletante. Puis, je suis chez moi et je m'apprête à aller montrer mon bébé lorsque je réalise que je n'ai pas de siège d'enfant dans l'auto. Je chercher et je cherche, mais je n'en trouve pas. À ce moment, je me réveille.

Mon mari et moi essayons de concevoir un enfant. Ce rêve est survenu avant même que je découvre que j'avais de la difficulté à tomber enceinte. Nous n'avons pas d'autres enfants.

– Madison, 27 ans, mariée, États-Unis

L'échec de Melissa à trouver une siège d'auto pour enfant révèle qu'elle est consciente qu'un obstacle nuit à son désir d'enfantement. Madison et son mari font de gros efforts pour concevoir un enfant (elle est haletante), mais l'absence du bébé et le contexte du rêve laissent entendre que le temps passe. Madison sent le regard de la famille et des amis posé sur elle. Où est le bébé ?

Madison précise que ce rêve s'est produit avant qu'elle soit au courant des difficultés. Dans ce cas, elle n'est pas le seule femme ayant des rêves qui présagent une grossesse ou des problèmes de conception.

Célébrité

Célébrité : Les rêves dans lesquels figurent des célébrités ou d'autres personnages publics importants parlent rarement d'un véritable désir d'entrer en contact avec des gens célèbres. Ces rêves fonctionnent plutôt comme un miroir servant à évaluer notre estime de soi. La personne célèbre vous reçoit-elle, vous traite-t-elle d'égal à égal ou vous trouve-t-elle attirant ? Bravo ! Vos rêves révèlent des sentiments de confiance en soi et d'une forte estime de soi. Que vous aimiez ou non cette célébrité a peu d'importance. C'est le statut qui compte et le fait qu'elle vous adresse la parole – une personne bien en vue qui reconnaît en vous l'un de ses semblables.

Ce type de rêve évoque aussi un désir de pouvoir et de reconnaissance dans notre vie personnelle. La difficulté d'entrer en contact avec une célébrité signale une frustration dans nos efforts pour atteindre un certain statut ou obtenir une approbation.

• **Truc d'interprétation** : Si vous rêvez que vous êtes en relation avec une personne célèbre, peut-être votre situation est-elle en train de s'améliorer dans votre vie personnelle ou professionnelle. Avez-vous obtenu une promotion, une augmentation de salaire ou vos talents ont-ils été reconnus ?

❊ ❊ ❊

Les rêves où apparaissent des célébrités font allusion au pouvoir, au statut social et à la considération. Cependant, ces rêves peuvent nous paraître étranges car nos motivations y sont toujours très égoïstes. Il ne faut pas croire que ces rêves concernent vraiment les célébrités. Au contraire, ils parlent du rêveur et lui disent s'il est de taille à se mesurer à de tels personnages.

Dans « Un homme puissant », le désir d'une femme d'œuvrer au sein d'un milieu dominé par des hommes se manifeste de façon éloquente. Son nouveau poste l'enivre et la transporte dans les hautes sphères, mais deviendra-t-elle une personne qu'elle ne veut pas être ? Dans « De grandes attentes », nous rencontrons une autre femme dont la carrière vient de faire un bond significatif. Dans ses rêves, le désir d'être elle-même une célébrité montre qu'elle vient d'entreprendre une nouvelle relation – pour la première fois – avec le prestige et le pouvoir. Le dernier rêve, « Remarquée par une vedette », présente une femme qui se réjouit d'avoir l'attention d'une vedette renommée du rock and roll. Elle n'aime même pas cette célébrité, mais elle apprécie certainement l'attention qu'elle reçoit. Amoureux dépourvu de romantisme, écoutez les rêves de la femme de votre vie !

Rêves à propos de célébrités

« Un homme puissant »

J'ai quarante-cinq ans, je suis célibataire et je ne suis pas active sexuellement (en d'autres mots, je n'ai ni mari ni amant). La nuit dernière, j'ai fait un rêve sexuel qui m'a semblé très réel et qui était à la fois plaisant et dérangeant.

Dans le rêve, j'ai une relation sexuelle très passionnée et agréable avec un homme. Tout au long du rêve, mes sensations sont très intenses. La relation me satisfaisait à cause de l'intimité et de l'assouvissement du désir sexuel, mais j'avais l'impression que cet homme m'absorbait, que je devenais une partie de lui. Même si certaines de ces sensations étaient très agréables (se sentir aimée, désirée, acceptée), je n'appréciais pas tellement le fait qu'il veuille me « posséder ». Il m'aimait tellement qu'il voulait me « marquer » comme l'une de ses possessions. Il y avait un véritable conflit : je me trouvais avec l'homme de mes rêves (littéralement !) – une personne qui, selon moi, me convenait parfaitement – mais je n'aimais pas ce qu'il pensait de moi.

Cet homme existe vraiment ; c'est un personnage public. Je ne le connais pas personnellement ; c'est un politicien que je ne respecte pas et que je déteste. Il s'agit de Jesse Ventura, le gouverneur du Minnesota. Je le trouve insupportable et idiot. Il m'arrive parfois d'avoir un orgasme en rêve. C'est ce qui s'est produit cette fois-ci.

Voici quelques renseignements sur ma vie. Je viens d'obtenir une promotion à mon travail ; je fais maintenant partie des « cadres » de l'entreprise, tous des hommes sauf moi. Je m'efforce de prendre ma place, de me faire entendre dans ce nouveau rôle de prise de décisions de haut niveau et d'éviter de me faire écraser par certains affamés de pouvoir. Jusqu'à maintenant, je n'ai pas réussi. En fait, je me questionne à savoir si je veux faire ce qu'il faut pour être acceptée dans ce rôle de cadre. Pouvez-vous interpréter les indices ?

– Erika, 45 ans, célibataire, États-Unis

À L'ÉTAT DE VEILLE, Erika vient de commencer une relation avec le pouvoir. Elle a été promue et elle est la seule femme cadre de son entreprise. Assumant son statut prestigieux, Erika admet apprécier l'acceptation et la reconnaissance que lui confère son nouveau poste. Cependant, elle est inquiète car certains de ses collègues lui semblent affamés de pouvoir et obsessionnels. Deviendra-t-elle bientôt comme eux ?

La « cour » que fait Erika au pouvoir est représentée dans son rêve par une rencontre sexuelle avec le gouverneur du Minnesota, Jesse Ventura. En tant que gouverneur, M. Ventura est un homme puissant. Et comme ancien lutteur professionnel, il affiche des caractéristiques masculines très fortes. Le rêve d'Erika révèle qu'elle trouve enivrante sa nouvelle relation avec le pouvoir masculin – si enivrante, en fait, qu'elle lui procure un orgasme.

Dans son rêve, Erika est dérangée par la domination de son partenaire. Le gouverneur veut la « marquer » et en faire l'une de « ses possessions ». Il est facile de déceler ce qui la préoccupe. Erika veut savoir jusqu'à quel point elle devra sacrifier sa propre identité et son indépendance afin de satisfaire son désir de pouvoir. Est-ce une coïncidence que son rêve se déroule dans un contexte politique ? Elle doit maîtriser « les politiques » de sa nouvelle fonction afin de trouver le pouvoir équilibré qu'elle désire.

« De grandes attentes »

Dans la même semaine, deux rêves m'ont énormément bouleversée. Dans le premier, j'étais une célèbre réalisatrice musicale et j'assistais à une cérémonie de remise de prix. Un artiste s'intéressait à moi. C'était bizarre car cet homme était beaucoup plus âgé que moi.

Il a commencé par se rapprocher de moi subtilement pendant que son épouse avait le dos tourné. Puis, le rêve s'est transporté vers ce qui semblait mon appartement. Il était à la porte avant. Nous nous sommes retrouvés dans ma chambre, sur mon lit, à nous embrasser. Puis, soudain, nous avons eu une relation sexuelle, au ralenti.

Pour une raison quelconque, en pleine action, je lui ai dit que c'était ma première fois. Il m'a regardée d'un air intrigué, comme s'il ne comprenait pas, et j'ai continué comme pour lui signifier que tout allait bien. Après, j'ai pris une douche. Un bout d'un moment qui m'a paru très long, il m'a rejointe sous la douche. Et nous avons eu une autre relation sexuelle.

Étrangement, la nuit suivante, j'ai rêvé que j'étais enceinte, mais pas de lui. Il s'agissait d'un autre homme qui était parti dans ce qui me semblait une ferme. Je tentais de le joindre par téléphone. Je tenais le récepteur, mais le numéro de téléphone qu'il avait écrit changeait continuellement. Je regardais le numéro sur le bout de papier qu'il m'avait remis, je commençais à le composer, mais quand je regardais de nouveau, il avait changé.

Je viens de commencer un nouveau travail dans la deuxième plus grande banque au monde. C'est un poste exigeant qui est considéré comme très respectable. Les gens tentent pendant des années d'entrer à l'emploi de cette banque ; c'est du moins ce qu'on m'a dit.

– Lillian, 21 ans, célibataire, États-Unis

LE RÊVE DE CÉLÉBRITÉ DE LILLIAN est bien particulier. Non seulement elle est courtisée par une personne de grande renommée, mais elle devient elle-même célèbre.

Dans son rêve, Lillian est une réalisatrice musicale de renom qui assiste à une cérémonie de remise de prix. (Sent-elle qu'elle vient de recevoir un prix – son nouveau poste ?) À la cérémonie, une vedette s'intéresse à elle, ce qui sous-entend une haute estime de soi. (Puisqu'une personne célèbre nous trouve attirants, nous devons donc nous-mêmes être de cette trempe.) De toute évidence, le nouveau poste de Lillian dans la deuxième plus grande banque au monde lui a donné de la confiance en elle-même.

De façon significative, la personne avec qui Lillian a des rapports sexuels n'est pas désirable physiquement. (Il est beaucoup plus vieux qu'elle.) Ainsi, sa relation sexuelle avec lui est une métaphore de son « attirance » pour les caractéristiques qu'il représente (un statut social élevé et le pouvoir) et un reflet de son besoin de sécurité. (Il est plus vieux.) Leurs ébats qui se passent au ralenti constituent un autre indice que l'acte est de nature symbolique. Lillian a-t-elle visé son poste pendant plusieurs mois ou années ?

Ce rêve suggère que Lillian est soulagée maintenant qu'elle a obtenu un poste qui lui procure un bon statut social et une sécurité financière. Toutefois, tout comme dans le rêve d'Erika avec le gouverneur, il est évident que cette rapide ascension sociale la déstabilise d'une certaine manière. Lorsqu'elle fait l'amour avec l'artiste célèbre, elle observe que c'est « la première fois ». Cette observation fait allusion à l'ampleur de la transition, de même qu'à son sentiment d'être initiée.

Le second rêve, celui dans lequel Lillian est enceinte, révèle les grandes attentes qu'elle a face à sa nouvelle situation. Il montre aussi son désir de dévoiler son nouveau statut social à un homme de rêve mystérieux. Les numéros de téléphone qui changent rapidement laissent supposer que cet homme n'est pas accessible. La ferme suggère qu'il se trouve à une distance éloignée d'elle, ou peut-être même qu'il est mort. (S'agit-il de son père ou d'un ancien amoureux qu'elle aimerait impressionner ?)

Lillian peut-elle identifier cette personne mystérieuse qui apprendrait avec grand bonheur qu'elle a une nouvelle position ? Maintenant qu'elle a enfin créé sa place à la banque, il est normal qu'elle veuille partager la bonne nouvelle avec ses proches.

« Remarquée par une vedette »

Dernièrement, je rêve souvent à des personnes réputées et je souhaite en découvrir la raison. J'ai fait un rêve dans lequel je retournais chez moi, à Cleveland en Ohio, où je rencontrais Justin, le chanteur principal du groupe 'NSync. Nous nous sommes plus et il est venu à la maison. Nous n'arrêtions pas de nous embrasser et de nous caresser.

Toute ma famille était présente, ainsi que des collègues de travail. Justin et moi avons passé la journée ensemble et nous avons pris des photos. C'était merveilleux et nous nous entendions très bien. Je sentais que je pouvais lui parler, même s'il était une sorte d'idole pour adolescentes. Il m'a invitée à le suivre en tournée ; il allait me payer un billet d'avion. J'avais l'impression qu'il était guindé d'une certaine manière, comme s'il avait été snob. Je le trouve très mignon, considérant qu'il est plus jeune que moi.

À la fin du rêve, nous nous promenons dans un parc où il m'apprend qu'il doit partir et que nous nous reverrons bientôt. Je sais, dans mon rêve, que je ne le reverrai plus jamais. J'ai vingt ans et je rêve à une vedette qui s'adresse aux adolescentes ! Que m'arrive-t-il ? Récemment, j'ai gagné des billets pour aller voir 'NSync en concert et j'ai décidé d'amener ma cousine pour son anniversaire. Cela a-t-il un rapport avec mon rêve ?

La nuit précédente, j'ai rêvé que je rencontrais les Beach Boys lors d'un de leurs spectacles. Je me suis fait photographier avec Mike Love, mon favori dans le groupe. J'étais tellement heureuse que j'en pleurais.

Au réveil de ces deux rêves, je me sentais très bien. Je n'étais pas endormie, mais comme excitée. Je crois que je veux me sentir spéciale. Mon amoureux est assez commandant et ne me donne jamais l'impression que je suis importante. Dans mon rêve, je me sentais libre, comme si rien ne pouvait m'affecter négativement.

Quand j'étais enfant, je voulais être célèbre et une partie de moi le désire encore. Je veux soit être célèbre ou devenir l'amie d'une célébrité. Il est probable que je veuille simplement que les gens sachent qui je suis. Je veux me sentir à la fois libre et désirée. Mon interprétation a-t-elle du sens ?

– Crystal, 20 ans, célibataire, États-Unis

LE FAIT QUE CRYSTAL a gagné des billets pour assister au concert de 'NSync a beaucoup à voir avec les rêves qu'elle a faits dernièrement. Gagner des prix est excitant. Nous avons l'impression d'avoir eu de la chance et d'avoir été choisis. Ce qui s'apparente en quelque sorte à… devenir une célébrité le temps d'une journée.

Comme dans tous les rêves où il y a des personnes renommées, le songe de Crystal parle davantage d'elle-même que de la vie des célébrités en question. Comme elle le dit, elle n'est pas particulièrement attirée par Justin du groupe 'NSync. Cependant, ce qu'elle apprécie dans le rêve, c'est l'attention qu'elle reçoit. Un chanteur l'aime et l'accepte. En fait, elle est intime avec lui. (Ils s'embrassent et se caressent.) Elle vit même une relation brève avec lui qui – elle le sait – ne durera pas longtemps.

L'attention qui leur est accordée constitue l'une des forces qui rend séduisantes les célébrités. La plupart d'entre nous luttons toute notre vie durant pour obtenir de l'attention, d'abord de nos parents, de nos amis et de nos amours, puis de nos pairs au travail et en société. Nous avons tous en commun un besoin d'être reconnus. Le rêve de Crystal est heureux et excitant parce qu'il satisfait ce désir.

Crystal nous apprend qu'actuellement, elle ne se sent pas très importante avec son amoureux. Ainsi, est-il possible que son rêve lui transmette le message qu'elle souhaite être davantage appréciée – par une personne qui lui tient à cœur ? En lui faisant goûter au plaisir de recevoir de l'attention, son rêve lui révèle une caractéristique absente de sa vie. Le temps est-il venu pour elle de remplacer son ami par quelqu'un qui lui fera sentir qu'elle est spéciale et désirée ?

Chat

Chat : Ce symbole féminin est fortement associé aux bébés, aux désirs d'avoir des enfants et à la sexualité des femmes. Au cours de leur grossesse, les femmes qui sont enceintes pour la première fois rêvent souvent qu'elles donnent naissance à un chat. Si le chat est agressif, vous griffe ou saute sur vous, cela peut être un signe de difficultés sur le plan sexuel ou qu'une incertitude règne quant à votre désir d'avoir des enfants. Un chat perdu peut révéler une crainte qu'il soit trop tard pour entreprendre une famille. Les chats peuvent représenter les côtés féminins d'un homme ou d'une femme. Dans les cultures égyptienne, perse, scandinave, grecque et japonaise, les chats sont des animaux sacrés.

Chez les propriétaires de chat, les rêves reflétant des préoccupations à propos de leur animal (alimentation, sécurité, peur qu'il se perde ou se fasse attaquer) sont fréquents.

• **Truc d'interprétation :** Si vous rêvez que vous avez perdu un chat ou que vous prenez soin d'un chaton, il est possible que votre rêve indique un désir d'élever des enfants.

⁂

Pourquoi le chat est-il si fortement lié à l'univers féminin et aux bébés ? Est-ce à cause de son caractère élégant et sophistiqué, qui s'oppose à la masculinité évidente du chien ? Les rêves qui suivent montrent de façon manifeste que le chat représente les bébés et la sexualité féminine.

Dans « Un chat qui m'attaque », une jeune femme rêve à maintes reprises qu'elle se fait attaquer. De façon significative, ces rêves commencent lorsqu'elle se met à penser à des noms possibles pour un bébé. Dans « J'ai avalé mon chat », une adolescente de quinze ans veut connaître le sens d'un rêve récent qu'a fait sa mère. « Qu'est-ce que cela signifie, demande-t-elle, si ma mère a rêvé que j'ai avalé un chat ? » Le rêve suivant, « En vacances sans mon chat », raconte l'histoire d'une femme qui rêve plusieurs fois qu'elle est en vacances mais ne fait que se préoccuper de son chat. Le dernier rêve, « Un chaton ressuscité », explore la relation entre les chats et la créativité. Notre rêveuse doit-elle secouer la poussière et laisser libre cours à sa créativité ?

Rêves de chats

« Un chat qui m'attaque »

Je suis une femme de vingt-sept ans, heureuse en mariage, qui travaille comme infirmière. Depuis quelques mois, je fais des rêves plutôt désagréables dans lesquels des chats m'attaquent. (En réalité, je n'ai jamais été agressée.)

J'ai fait ce rêve environ dix fois et chaque fois, le scénario varie un peu, c'est-à-dire le temps et le lieu. Chaque fois, le chat tente malicieusement de me mordre et de me griffer et moi j'essaie de l'étrangler ou de l'écraser pour qu'il cesse. Il n'y a pas moyen de l'arrêter ; il continue de m'attaquer.

Dans tous ces rêves, je suis entourée de gens qui ne se préoccupent pas de moi et qui poursuivent leurs activités comme si de rien n'était.

Voici quelques renseignements sur moi. Mon mari et moi n'avons pas d'enfant et au fil de nos trois ans de mariage, nous n'avons jamais abordé cette question sérieusement. Nous apprécions la liberté que nous procurent un bon revenu et l'absence d'enfants. Je n'ai jamais ressenti l'instinct maternel, mais au cours des derniers mois, j'y ai songé de plus en plus. Je pense aux noms que j'aimerais donner à mes enfants, à la couleur dont je peindrais leur chambre. Cela ne me ressemble pas du tout ! Mes hormones semblent vouloir dire oui, tandis que ma tête dit non. (En fait, mon mari dit non.)

L'accouchement m'a toujours effrayée et je ne peux m'imaginer souffrir autant. En fait, au cours de ma formation en soins infirmiers, j'étais incapable de voir un enfant naître et j'ai refusé d'assister à un stage de trois semaines en obstétrique.

Dans mon rêve le plus récent, l'attaque est survenue pendant que je me trouvais derrière une immense vitrine dans une galerie marchande. Les gens qui passaient me regardaient. Pas nécessairement des personnes que je connaissais, mais je suis certaine que mon mari se trouvait parmi elles. Notre relation se porte bien et il se soucie toujours de mes problèmes et de mes inquiétudes. Il viendrait vite me défendre si jamais j'étais agressée ou menacée. Cependant, dans le rêve, il n'intervient pas. Tout comme les passants, il ne se rend pas compte de ma détresse.

Mes rêves ne semblent pas avoir de conclusion. Je n'arrive pas à me rappeler si je réussis à m'échapper ni ce qui arrive par la suite. Le rêve s'arrête à l'attaque. Je suppose qu'elle est encore en train d'avoir lieu ?

– *Maggie, 27 ans, mariée, Royaume-Uni*

EN ÉTUDIANT LE RÉCIT DE MAGGIE attentivement, nous remarquons que ses rêves ont commencé au moment où elle s'est mise à penser à la maternité. De plus, il semble étrange qu'elle admette que comme infirmière elle a toujours refusé d'assister à des accouchements, et qu'elle s'est même retirée d'un stage de trois semaines en obstétrique ! Ces réactions devant la procréation sont inhabituelles chez une femme, surtout chez une infirmière.

Si Maggie a raison lorsqu'elle affirme que son horloge biologique – ses hormones – commencent à la rattraper, son rêve laisse alors entendre que des bébés cognent à la porte, mais que ni elle ni son mari ne sont prêts à les laisser entrer. Les détails que fournit Maggie confirment une phobie de l'accouchement chez elle, qui nourrit son angoisse quand vient le temps de penser à la venue d'enfants. Voilà comment s'expliquent les attaques qu'elle subit de la part de chats dans ses rêves.

Dans les rêves des femmes, les chats sont associés aux bébés pour plusieurs raisons. Ils sont à peu près de la même taille et du même poids qu'un nouveau-né. Nous les transportons généralement dans nos bras et nous éduquons les bébés chatons jusqu'à ce qu'ils deviennent matures. Nous sommes aussi responsables d'eux : nous les nourrissons, les faisons entrer et sortir de la maison, et nous assurons qu'ils ne se perdent pas ni ne se fassent blesser.

Malgré ces similitudes, la question reste : pourquoi les chats ? En d'autres mots, pourquoi le rêve de Maggie ne montrerait-il pas simplement une confrontation entre elle et des bébés ? Parce que, à ce stade, la question d'avoir ou non des enfants est encore très chargée d'émotions pour elle. À cause de son angoisse face à l'accouchement, ses émotions envers les enfants s'expriment indirectement dans ses rêves. Et les chats, pour les raisons énumérées ci-dessus, sont souvent le meilleur symbole neutre auquel nous puissions penser.

Il est significatif que le mari de Maggie soit toujours présent dans ses rêves et qu'il ne remarque pas sa détresse. Cette caractéristique indique que, jusqu'à maintenant, sa lutte est interne.

Le rêve où elle se trouve dans la vitrine d'une galerie marchande suggère que Maggie sent des pressions sociales – les gens la regardent – pour entreprendre une famille. En trois ans de mariage, ce sujet n'a jamais été abordé.

La phobie de l'accouchement de Maggie l'amène à résister (elle lutte contre les chats) aux pressions sociales et biologiques. Le temps est-il venu pour elle de briser la glace et d'avouer à son mari son désir d'enfanter ? Puisqu'elle travaille dans un hôpital, cela devrait être facile pour elle de trouver des conseils sur la maternité, ce qui diminuerait grandement ses craintes face à l'accouchement et la préparerait à devenir mère.

« J'ai avalé mon chat »

La nuit dernière, ma mère a fait un rêve qui me concernait. Je me demande comment l'interpréter car c'est vraiment un rêve bizarre.

Elle m'a raconté que j'étais dans une pièce avec elle et que je tenais mon chat dans mes bras. Soudain, il a sauté dans ma bouche. C'est un chat adulte et il est un peu gros, donc normalement il ne pourrait entrer dans la bouche d'une personne. Ma mère a dit que le chat est descendu dans ma gorge jusqu'à ce que seul le bout de sa queue dépasse de ma bouche. J'étouffais, incapable de respirer.

Ma mère a dit qu'elle pouvait sentir le corps du chat en touchant mon ventre. Elle m'a fait pencher et elle a poussé sur mon ventre pour faire sortir le chat. Elle craignait que les griffes du chat déchirent mes organes internes. Elle savait que dès qu'elle sortirait les pattes, le reste suivrait facilement. D'après ses dires, on aurait dit un bébé sortant du ventre maternel lorsqu'elle a réussi à retirer les pattes. Puis, elle a finalement sorti le chat. Je me portais bien, comme si rien n'était arrivé, mais mon chat était visqueux et couvert de salive.

J'ai demandé à ma mère ce que signifiait ce rêve et tout ce qu'elle m'a dit c'est que les chats sont un signe de changement, de bonheur ou de malchance et que je traversais une sorte de transition dans ma vie. Pouvez-vous me donner votre interprétation ? Merci beaucoup !

– Julie, 15 ans,
fréquente un garçon depuis 10 mois, États-Unis

IL EST ÉVIDENT QUE LA MÈRE DE JULIE associe le chat à un bébé. Lorsqu'elle touche le ventre de sa fille, elle sent un corps, comme si Julie était enceinte. Lorsqu'elle retire le chat du corps de Julie, il est visqueux et mouillé – comme un nouveau-né. La mère de Julie a aussi l'impression que son rêve reflète unchangement chez sa fille. Pouvons-nous voir le lien entre le chat de Julie et le rêve de sa mère ?

Julie fréquente un garçon depuis dix mois. Si cette relation devient sexuelle, il peut s'agir du changement que perçoit sa mère dans son rêve. Elle s'inquiète du fait que sa fille puisse accidentellement tomber enceinte (avaler un chat).

La mère de Julie est-elle suffisamment bonne pour interpréter les rêves et reconnaître les signes de son rêve ? Amorcera-t-elle une discussion avec sa fille sur la sexualité, comme son rêve le lui suggère ? Sa fille a besoin de son aide.

« En vacances sans mon chat »

Je suis divorcée depuis six ans et je suis actuellement en relation avec un homme beaucoup plus jeune. Je vis seule et je suis indépendante financièrement ; j'ai une forte personnalité. J'ai un chat auquel je suis très attachée – probablement parce que je ne suis pas très proche de ma famille.

Je fais des rêves qui ont tous le même thème. En voici le récit. Je suis en vacances et je me souviens soudainement que j'ai oublié de demander à quelqu'un de s'occuper de mon chat. Je crains que quelque chose ne lui soit arrivé. Je panique. Je me démène pour obtenir un vol de retour, mais il n'y en a pas avant une semaine. J'essaie de louer une voiture, mais c'est trop cher et je ne peux me le permettre.

Quand je m'éveille, je suis toujours très troublée et émotive. Je fais ce rêve au moins une fois par semaine, mais je ne le comprends pas. Est-ce parce que je suis très attachée à mon chat ou s'agit-il d'autre chose ? J'aimerais que ce rêve cesse. Merci à vous.

– Elizabeth, 32 ans, divorcée, États-Unis

VOILÀ UN CHAT HEUREUX ! Il a une « mère » qui se réveille la nuit parce qu'elle s'inquiète de lui.

Si Elizabeth aime les chats de façon si particulière, peut-être que son rêve récurrent n'est qu'un simple reflet des angoisses qu'elle ressent lorsque parfois elle doit s'absenter à l'extérieur et laisser son animal. Puisque les rêves surviennent quand elle n'est pas en vacances et puisqu'elle est « très troublée et émotive » au réveil, Elizabeth suspecte qu'il y a autre chose. Ses rêves cachent-ils un sens plus profond ?

Ses rêves contiennent des références précises concernant le temps et une sensation d'urgence. Si effectivement son chat est lié à son désir d'avoir une famille, son rêve pourrait vouloir dire qu'elle sent fuir le temps. De plus, elle fréquente « un homme beaucoup plus jeune ». Tandis que son horloge biologique fait entendre son tic-tac en sourdine, Elizabeth a-t-elle l'impression que lorsqu'elle passe du temps avec cet homme, c'est comme « si elle était en vacances » – un peu trop loin des responsabilités de la vraie vie ? Si Elizabeth a pris congé de son désir de fonder une famille (ce qui est normal à la suite d'un divorce), son rêve récurrent l'amène à reconnaître la valeur qu'elle accorde à cet objectif. Si elle sait que l'homme qu'elle fréquente n'est pas un partenaire réaliste avec qui fonder une famille, son rêve l'avertit avec délicatesse d'abandonner cette relation. Ainsi, une personne plus appropriée, qui désire aussi une famille, pourra entrer dans sa vie.

« Un chaton ressuscité »

Je travaille dans un grand entrepôt d'un musée d'art, où les œuvres récemment acquises sont traitées. Elles sont soit restaurées ou entreposées en vue d'une exposition future. Après m'être occupée de quelques peintures devant être restaurées, d'un artiste très célèbre, je remarque qu'on apporte trois de mes dessins (que j'ai faits il y a longtemps, au collège) dans l'aire d'entreposage.

Quand je reviens pour voir ce qui se passe, je découvre une boîte remplie de choses de mon passé. À l'intérieur se trouve le corps d'un chat mort. Dans le rêve, je crois qu'il s'agit du chat que je possédais quand je vivais avec des amis et qui est mort à cette époque (il y a plus de dix ans). En moi-même, je pense : « Je ne peux croire que nous ayons conservé cela ! »

Lorsque je prends le chat, il commence à trembler et je me rends compte qu'il revient à la vie. Je le pose par terre et après quelques pas mal assurés, il se met à jouer avec une ficelle. Puisqu'il est en vie, je décide de le nourrir et de l'amener chez mes parents. Je trouve de la nourriture, puis je le conduis à la salle de bains. Je ferme la porte et je lui donne de la nourriture et de l'eau. Le chat mange et boit avec appétit.

Maintenant, voici quelques renseignements sur moi. Je suis une artiste et je viens de me remettre à mon art récemment, après une pause de quinze ans. Dernièrement, j'ai eu de nombreux problèmes de santé et je suis en train d'essayer de remettre ma vie sur les rails.

– Skylar, 38 ans, célibataire, États-Unis

DANS LES RÊVES, les chats représentent souvent des nouveau-nés mais, plus largement, ils sont aussi des symboles de la créativité féminine. Dans le songe de Skylar, le chat qu'elle nourrit désigne son art et sa passion pour le dessin.

À un niveau, son rêve reflète son engagement à « redonner la vie » à ses dessins. Dans le rêve, elle les aperçoit dans l'aire d'entreposage du musée, un signe évident qu'après une longue pause (quinze ans), Skylar est maintenant prête à se remettre à son art. Le fait que ses œuvres sont sur le point d'être exposées dans un musée prestigieux – rien de moins – dénote une évaluation personnelle positive de ses efforts passés sur le plan artistique.

Lorsque Skylar remarque que le chat est vivant, elle le conduit chez ses parents pour lui donner à boire et à manger et lui permettre de récupérer. S'agit-il d'un autre indice qui vient renforcer notre compréhension de la véritable identité du chat ? Skylar nourrit ses objectifs artistiques, mais à l'instar du chat, elle récupère aussi ses forces après avoir connu de nombreux problèmes de santé. Skylar a-t-elle été soutenue par ses parents pendant qu'elle cherchait à « remettre sa vie sur les rails »

Si Skylar choisit de dessiner le chat qui a figuré dans son rêve, cette illustration sera animée d'une énergie merveilleuse – mystérieuse, féminine et renouvelée. La métaphore de la seconde vie s'applique tant à la rêveuse qu'à son art. Skylar se sent mieux – elle est à l'abri de la maladie. Vive l'esprit créatif !

Cheveux

Cheveux : Les cheveux sont un symbole du style et de la présentation personnels. Les cheveux coupés (particulièrement se faire couper les cheveux) font référence à la créativité brimée et à l'obligation de se conformer, souvent dans le contexte du travail. Les cheveux rouges représentent la colère ou la passion. Les cheveux teints indiquent soit la créativité, soit la conformité. Les cheveux longs évoquent aussi la créativité et, s'il s'agit d'une femme, peuvent être un symbole de séduction. Les cheveux gris, qui tombent, ou la calvitie témoignent de soucis reliés au vieillissement, à la santé déclinante et à la beauté éphémère. Ces rêves se produisent souvent lors d'anniversaires qui nous rappellent notre âge. Avez-vous récemment célébré votre trentième, quarantième ou cinquantième anniversaire ? Les longues barbes et les cheveux blancs illustrent la sagesse. Les cheveux qui poussent suggèrent une créativité accrue et une volonté d'essayer une nouvelle approche – un changement de style.

• **Truc d'interprétation :** Qui ou qu'est-ce qui vous a fait changer la coiffure qui vous caractérise ?

Les cheveux sont un symbole onirique étrange. En plus d'être associés à la beauté (les hommes et les femmes qui se préoccupent de leur apparence et du vieillissement rêvent souvent qu'ils perdent leurs cheveux – ou leurs dents), les cheveux sont un puissant symbole d'expression personnelle. Le style que nous choisissons pour nos cheveux dans la réalité – longs, courts, afro, tressés, relevés, tombants, colorés, décolorés, frisés, avec des mèches, permanentés, rasés – nous permet de nous exprimer personnellement, socialement et même politiquement dans certains cas.

Dans « Les cheveux coupés » est exprimé le lien très fort qui nous lie à notre chevelure. La rêveuse s'inquiète-t-elle vraiment que ses cheveux soient mal coupés ou y a-t-il une autre explication ? « Les cheveux teints » présente une femme qui semble incapable de changer son style. Dans « La perte de cheveux », une femme craint de devenir chauve. Est-elle vraiment en train de « perdre sa vie » ?

Rêves de cheveux

« Les cheveux coupés »

Voici d'abord quelques renseignements sur moi-même. Je déteste mon travail, mais le salaire est bon. Nous sommes présentement en train de renégocier les contrats et il est probable que je me retrouve en grève. Bientôt je partirai seule en Écosse et en Irlande. Je n'ai pas d'amoureux.

Mes cheveux sont très longs. La nuit dernière, j'ai rêvé que j'allais dans un salon de beauté et que j'étais témoin de la scène suivante. J'ai vu une femme sortir en criant ; elle venait de se faire couper les cheveux accidentellement par une styliste inexpérimentée. J'étais la cliente suivante. Je me suis donc assise et j'ai demandé à la fille de couper seulement les pointes. Je ne voyais pas le miroir. Quand elle a eu terminé, mes cheveux arrivaient au-dessus de mes épaules.

J'étais tellement en colère que je me suis réveillée en criant et en pleurant (je parle dans mes rêves). Lorsque je me suis rendormie, le rêve s'est poursuivi. Je menaçais d'entreprendre une action en justice tout en criant et en pleurant. Puis, je me suis de nouveau réveillée, encore très fâchée.

– Bridget, 28 ans, célibataire, Royaume-Uni

D'APRÈS LES RENSEIGNEMENTS QUE FOURNIT BRIDGET, il est facile de discerner le lien entre ses rêves et le stress qu'elle a récemment vécu au travail. Le travail devient frustrant dans un contexte où une grêve est imminente. Sa visite au salon de beauté a aussi été frustrante et des menaces d'actions en justice ont été prononcées. Le lien est évident, n'est-ce pas ?

Bridget nous apprend qu'elle déteste son travail mais qu'elle apprécie son salaire et qu'il est possible qu'elle se retrouve en grève très bientôt à cause d'un conflit. En conséquence, son rêve est un message qui l'encourage à réévaluer les avantages que lui apporte son emploi par rapport à d'autres situations plus stimulantes sur le plan créatif. De façon révélatrice, sa position de témoin dans le rêve montre qu'elle sait que ses cheveux seront mal coupés (elle voit une femme qui vient de se faire couper les cheveux accidentellement, sortir en criant) mais elle s'assoit et se fait tout de même couper les pointes. Son rêve est-il un avertissement qu'elle doit sérieusement chercher un autre travail ? Après tout, Bridget ne veut certainement pas que cette coupe ratée soit « permanente ».

« Les cheveux teints »

Dans mon rêve, j'essayais de teindre mes cheveux auburn. J'ai bien suivi les directives mais quand j'eus terminé, mes cheveux n'avaient pas changé de couleur. (Ils étaient encore bruns.) Cela m'a tellement fâchée que je me suis mise à pleurer. En larmes, j'ai vu par la fenêtre que toutes les femmes avaient les cheveux de la couleur que je n'avais pas réussi à obtenir. Puis, je me suis retournée pour me regarder dans le miroir. Mes cheveux avaient pris une certaine teinte d'auburn, mais mon visage avait disparu. Je n'avais plus de yeux, ni de bouche, ni de nez. Pouvez-vous m'aider à comprendre ce rêve ?

– Priscilla, 13 ans, célibataire, États-Unis

Le rêve de Priscilla reflète son désir d'être acceptée. Curieusement, tout en s'efforçant de faire partie du groupe, il est évident qu'elle est consciente du prix à payer : elle va perdre son identité.

Sa tentative de se teindre les cheveux représente, jusqu'à un certain point, son désir de prendre une nouvelle identité. Même si se teindre les cheveux n'est pas une grosse affaire (comme changer de coiffure), le rêve de Priscilla suggère de ne pas trop investir dans une nouvelle couleur de cheveux et, par extension, dans l'apparence. Lorsque Priscilla parviendra à avoir les cheveux auburn – comme « toutes les femmes » qu'elle voit par la fenêtre – elle perdra son individualité (ses yeux, sa bouche et son nez manquants).

Quel message transmet ce rêve ? Priscilla doit apprécier son nouveau style sans oublier ses « racines ».

« La perte de cheveux »

Je planifie présentement un déménagement. Je pars de l'Angleterre où j'ai travaillé pendant cinq ans et je retourne chez moi, en Irlande, parce que ma mère est malade. C'est la première fois que je fais ce rêve et il m'a beaucoup perturbée.

Mes cheveux tombaient par grosses touffes et disparaissaient dans le drain de la douche. Je devenais chauve ! Pouvez-vous m'expliquer ce rêve ?

– Ella, 27 ans, célibataire, Royaume-Uni

À un jeune âge, Ella s'inquiète de vieillir. Le rêve où elle devient chauve représente communément une peur du vieillissement et s'apparente aux rêves dans lesquels nous découvrons des poils gris sur notre corps. Cependant, elle sera peut-être étonnée d'apprendre pourquoi elle a fait ce rêve.

Ella mentionne un événement révélateur qui est presque certainement la cause de ce songe qu'elle n'a jamais fait auparavant. Sa mère est malade. Pendant qu'elle prépare son retour en Irlande, son esprit est préoccupé par la santé déclinante de sa mère. Mais curieusement, Ella se perçoit elle-même plutôt que de voir sa mère malade.

Chez nos parents, nous retrouvons souvent notre reflet le plus authentique. Ella assiste au déclin de la santé de sa mère et, du même coup, elle a un avant-goût de sa propre vieillesse qui est inévitable – sur les traces de sa mère. Selon la même logique, Freud a affirmé que la mort des parents est l'événement le plus traumatisant de la vie. Quand nous voyons nos parents mourir, notre illusion d'immortalité (du moins dans ce monde) disparaît d'un seul coup. Si nous sommes honnêtes au plus profond de notre âme, la mort de nos parents nous oblige à reconnaître notre propre disparition éventuelle. Et la mort, toujours selon Freud, est l'une de nos plus grandes peurs.

Ainsi, le rêve d'Ella n'est qu'un bref contact en douceur avec sa condition d'être mortel. La Faucheuse a frappé à la porte de la maison familiale d'Ella. Son rêve montre qu'elle est consciente qu'un jour, c'est elle qu'Elle viendra chercher.

Chute

Chute : En rêve, les chutes symbolisent un manque de soutien affectif et la précarité face à l'avenir. Ce type de rêve se produit souvent lors de périodes d'incertitude et de problème sur le plan émotionnel : une séparation, un divorce, des difficultés scolaires, une perte ou un changement d'emploi soudains, des épreuves personnelles ou la mort d'un partenaire de vie. La peur de l'atterrissage (heurter le sol) suppose une incertitude face à l'avenir (nous ne savons pas où nous atterrirons) et la peur de ne pas survivre. La chute peut être interminable, sur des objets pointus, dans l'eau ou à travers la terre. Dans tous les cas, le sol (le soutien) a été retiré.

La plupart des gens se réveillent juste avant d'atteindre le sol. C'est l'origine du mythe populaire selon lequel « heurter le sol est un signe de mort ». Les récits dans lesquels le rêveur a touché le sol, y a rebondi, l'a traversé ou est mort sur le coup (le rêveur est témoin de sa propre mort et le rêve se poursuit), sont courants. La croyance est donc fausse.

Hallucinations hypnagogiques : Les rêves de chute qui surviennent juste au moment où nous nous endormons sont appelés hallucinations hypnagogiques et n'ont pas de signification particulière sur le plan psychologique. Il s'agit d'une réaction involontaire à la relaxation de l'appareil vestibulaire l'oreille interne, qui survient de façon naturelle au début du sommeil.

• **Truc d'interprétation :** Si vous faites une chute en rêve, demandez-vous quel événement récent a provoqué chez vous la « perte d'un sentiment de soutien ». L'avenir vous inquiète-t-il ?

⁂

Les rêves où nous tombons nous avertissent que nous sommes en chute libre sur le plan émotionnel ou en période d'insécurité matérielle. Dans « Une chute dans l'eau », une femme commence à trouver horripilant le rêve récurrent qu'elle fait et dans lequel elle tombe. Doit-elle éviter la piscine pendant tout l'été ou existe-t-il une autre solution ? « Une chute d'un précipice » raconte le rêve d'une femme responsable qui se demande comment gérer ses responsabilités de plus en plus grandes. Apprendra-t-elle à réduire ses obligations afin de reprendre pied.

Rêves de chute

« Une chute dans l'eau »

Le rêve n'est pas toujours pareil, mais le thème demeure. Je tombe dans l'océan ou dans de profondes étendues d'eau.

Chaque fois, avant la chute, je sais que je vais tomber. Tout en rêvant, je joue la scène plusieurs fois dans mon esprit pour tenter d'éviter la chute, mais je tombe quand même. En général, je suis en automobile, mais il m'est aussi arrivé de me retrouver soudainement en pleine eau profonde. À cause de ces rêves, j'ai maintenant très peur de l'eau. Je n'aime plus aller à la plage et je vais rarement à la piscine. Par contre, les animaux marins me fascinent.

Aussi loin que je me souvienne, ce rêve m'a habitée (depuis l'enfance), mais au cours des dernières années, il a laissé des traces. Je crois qu'il y a plusieurs pistes d'explications. D'abord, une expérience de vie antérieure. Ou encore, la peur de l'échec ou un sentiment inconscient d'avoir échoué. Ou peut-être s'agit-il de ma façon personnelle de prendre conscience de mes baisses d'humeur.

Je ne souffre pas de dépression ou autre. S'il vous plaît, aidez-moi. J'aimerais encore m'amuser à la plage, nager et conduire près de l'eau.

– Ruth, 27 ans, séparée, États-Unis

RUTH NOUS INFORME qu'elle est séparée. Ainsi, sa vie comprend certainement un lot d'incertitudes pouvant expliquer ses rêves de chute sans que nous ayons besoin d'aller fouiller dans une vie antérieure.

Ruth n'est pas heureuse en mariage mais n'est pas encore arrivée au divorce, qui mettrait un point final à la situation. Quel est le résultat ? Sa vie personnelle est en suspens et elle ne sait plus où elle en est. Le manque de soutien physique et affectif qu'elle ressent dans sa vie et ses doutes quant à l'avenir prennent la forme d'une « chute libre » dans ses rêves.

L'eau, symbole des émotions, est toujours présente dans ses rêves. Ainsi, lorsqu'elle est prise dans une voiture et qu'elle coule dans l'eau, cette métaphore éloquente montre une femme submergée par des émotions envahissantes alors qu'elle tente d'atteindre une destination dans la vie. Puisqu'elle prend ses rêves au sens propre plutôt que comme des métaphores, Ruth a développé une véritable phobie de l'eau et, maintenant, elle n'aime plus nager ni conduire près d'une plage.

Ruth a perçu un lien entre la fréquence de ses rêves et les périodes d'instabilité dans sa vie (occasionnellement au cours de l'enfance et plus récemment, en période de séparation). Ces rêves l'avertissent de façon claire qu'elle vit un trop-plein d'émotions. Si elle ne consulte pas déjà un conseiller matrimonial, ses rêves l'invitent à le faire. Plus elle se sentira maître de son avenir, plus vite ses rêves de chute disparaîtront. À ce moment, elle pourra s'accorder une baignade relaxante et bien méritée à la plage.

« Une chute d'un précipice »

Voici d'abord quelques renseignements sur moi. J'ai un nouvel emploi depuis environ sept mois. J'aime mon travail et tout va bien. Le mois prochain, je vais fêter mon premier anniversaire de mariage. Les cartes de crédit constituent ma principale source de soucis.

> Par le passé, j'ai parfois rêvé que je tombais de montagnes russes ou d'ascenseurs. Par contre, dans mon rêve de chute le plus récent, j'étais suspendue au flanc d'une montagne. Je m'agrippe de toutes mes forces et je pleure tandis que j'attends que quelqu'un vienne m'aider. En même temps, je regarde vers le bas et je me demande si la chute provoquera ma mort.
>
> – *Danielle, 27 ans, nouvellement mariée, États-Unis*

EN TANT QUE NOUVELLE MARIÉE, Danielle a certainement passé une année trépidante. (Le mariage est toujours une promenade en « montagnes russes » remplie d'émotions.) Elle a également commencé un nouvel emploi, qu'elle aime.

Les montagnes russes sont un symbole courant reflétant des changements soudains sur le plan émotionnel. (Nous sommes en haut, puis nous voilà en bas.) Les ascenseurs font aussi allusion à des hauts et des bas émotionnels, plus souvent dans un contexte professionnel. Puisque la vie de Danielle comporte de multiples montagnes russes et ascenseurs, il est probable qu'elle ait vécu de nombreux « hauts et bas » dernièrement. Et puisqu'elle tombe de ces engins ou qu'elle est suspendue à un flanc de montagne, nous savons qu'elle craint de se retrouver « en suspens » au cours d'une période frénétique momentanée.

Il est significatif que le plus récent rêve de chute de Danielle se passe dans un lieu différent. À mesure qu'elle s'installe dans la vie, ses peurs de tomber ne sont plus liées à des montagnes russes (sa relation amoureuse) ou à un ascenseur (sa carrière). Maintenant, elle semble davantage préoccupée par une « montagne » de dettes. Elle est suspendue au flanc d'une montagne, mais elle pleure et espère être sauvée. Sa crainte de mourir lorsqu'elle regarde vers le bas représente ses doutes quant à sa survie. Arrivera-t-elle à rembourser ses dettes et à obtenir une sécurité financière ?

Danielle s'est agrippée à sa relation amoureuse et à sa carrière avec succès. En faisant preuve de la même ténacité pour payer ses dettes, elle et son mari toucheront bientôt la terre ferme.

Communication

Communication : Lorsque dans nos rêves, nous tentons de communiquer avec des amis, des amoureux, des parents ou des morts, cela signifie que nous voulons prendre contact ou clarifier un point avec ces personnes. Une communication qui réussit dénote la confiance en l'avenir de ces relations et laisse parfois une certaine émotion chez le rêveur. Des tentatives de communiquer qui échouent reflètent la difficulté d'entrer en contact à l'état de veille ou une incapacité de nous exprimer comme nous le souhaiterions.

L'incapacité de communiquer se répercute dans des métaphores courantes incluant les téléphones défectueux, les interruptions continuelles, l'impossibilité de repérer une personne dans une foule, les véritables barrières empêchant la communication (un mur de verre) ou une série d'obstacles récurrents. Si le rêveur est incapable de parler à cause d'un objet dans sa bouche (de la gomme à mâcher ou des dents qui tombent), il y a difficulté à exprimer des sentiments. Les métaphores dramatiques illustrant une incapacité de parler (absence de langue, gorge tranchée) évoquent des sentiments ou des souvenirs que nous ne réussissons pas à exprimer. La communication dans une langue étrangère fait allusion à un problème de compréhension avec un partenaire ou un associé.

Téléphone : Le téléphone est un symbole de communication. Les appareils défectueux, les mauvais numéros et les appels interrompus indiquent tous une difficulté à communiquer. Les appels sans réponse renvoient à des communications évitées ou manquées. Composer le 911 est un appel à l'aide et reflète une crise émotionnelle ; le rêveur recherche des conseils et une assistance auprès d'une figure d'autorité représentée dans le rêve par la police ou des sauveteurs. Un appel pour demander de l'aide sans réponse symbolise des sentiments de détresse et un manque de soutien de la part d'amis, de membres de la famille ou de collègues de travail.

• **Truc d'interprétation** : Pouvez-vous dire dans quel domaine de votre vie la communication ne passe pas ?

* * *

Les problèmes de communication en rêve annoncent une difficulté de communiquer dans la vie. Le premier rêve, « Communication impossible », montre une femme qui essaie de joindre un ancien amoureux par téléphone. Le lien est-il perdu à jamais ? Dans « Incapacité de parler », un homme perd sa mâchoire et se demande s'il retrouvera la voix. Dans « Langues étrangères », la complexité des relations internationales est explorée : deux rêveurs ne parlent pas la même langue. Le dernier rêve, « Perdue dans une foule », présente un homme qui cherche sa compagne. Arriveront-ils à se rejoindre ?

Rêves à propos de communication

« Communication impossible »

J'ai vingt-quatre ans et j'ai fait un rêve à propos d'un garçon que j'ai déjà fréquenté. Les choses semblaient bien se passer, lorsqu'il m'a soudainement quittée à cause d'un problème personnel dans sa vie. Nous sommes restés bons amis, mais j'éprouve encore des sentiments pour lui. Récemment, il a déménagé dans une autre ville.

Dans mon rêve, je me trouvais dans la maison de mon enfance. Je tentais de le joindre par téléphone mais plusieurs choses m'en empêchaient. D'abord, ma mère m'a appelée puis, quand j'ai essayé de recomposer le numéro, une collègue de travail est entrée. Cela me paraissait bizarre car j'étais dans le Delaware et je vis maintenant en

Arizona. Nous avons entrepris une conversation. Je ne voulais pas téléphoner pendant qu'elle était là car je me sentais jalouse d'elle.

Finalement elle est partie et , tout juste comme j'ai réessayé de téléphoner, quelqu'un a frappé à ma fenêtre, au deuxième étage. J'ai levé la tête et j'ai aperçu un homme suspendu dans les airs, une hélice d'hélicoptère attachée dans le dos. Il m'a demandé si je voulais une barbotine. J'ai regardé par la fenêtre et j'ai vu plusieurs personnes qui en préparaient. Je ne suis jamais parvenue à téléphoner. Ce rêve m'a paru très réel et je crois qu'il est la preuve que j'éprouve encore des sentiments pour ce garçon. Par contre, je ne sais comment l'interpréter.

– Carol, 24 ans, célibataire, États-Unis

LE RÊVE DE CAROL montre qu'elle aime encore son ancien amoureux. Malheureusement, lorsqu'elle tente de le joindre par téléphone, de nombreux obstacles l'en empêchent.

Il est significatif que son rêve ait lieu dans la maison de son enfance. Lorsque les rêves nous renvoient dans le passé, ils nous encouragent à rechercher les domaines de notre vie où nous n'agissons pas en adultes. Quand nous sommes confrontés à la complexité d'une nouvelle situation, souvent nous régressons vers des comportements et des stratégies qui ont fonctionné lorsque nous étions plus jeunes. La stratégie est logique, mais ce n'est habituellement pas la meilleure réaction dont nous pouvons faire preuve.

L'appel de Carol est interrompu par sa mère, puis par une collègue de travail – de qui elle avoue être jalouse. La première interruption laisse supposer que Carol se sent de nouveau comme une jeune fille – maladroite – lorsqu'elle veut rencontrer un homme en présence de sa mère. La seconde interruption laisse penser qu'elle s'inquiète de la présence d'autres femmes dans la vie de son ami et qu'elle n'est pas sûre de son charme.

Toutefois, la dernière scène est la plus révélatrice. Carol retourne vers le téléphone, mais cette fois, elle est interrompue par un homme en suspens à l'extérieur de sa fenêtre, portant une hélice dans le dos. Il lui offre une barbotine. Cette scène rappelle un parc d'amusement. À ce stade dans le rêve, Carol accepte-t-elle que la situation avec son ancien ami soit devenue quelque peu ridicule et même caricaturale ? En fait, cette atmosphère de bande dessinée est une autre allusion à l'enfance.

La frustration que Carol ressent concernant son ex est très instructive car elle révèle les qualités qu'elle recherche dans une relation. Elle désire un partenaire avec qui elle pourra communiquer librement et facilement, en adulte, sans jalousie ni insécurité. (Sans s'inquiéter des autres femmes ni se sentir comme une petite fille.) D'après le récit de son rêve, Carol n'a pas trouvé ces qualités chez son ex-amoureux. Quel est donc le message ? Si Carol désire une relation amoureuse, elle doit choisir un lien clair et facile !

« Incapacité de parler »

Je rêve souvent que je perds mes dents et, la dernière fois, je perdais la mâchoire au complet. Ma voix est donc devenue inaudible et les autres ne pouvaient me comprendre.

C'est toujours la même histoire, qui fait partie d'une situation beaucoup plus large. Généralement, cela ne m'angoisse pas et je n'y repense pas, sauf dans le cas de mon rêve le plus récent. Je cherchais quelqu'un dans la rue qui pouvait remettre ma mâchoire en place, mais sans succès.

Pour moi, c'est surtout une question de curiosité. Je suis spécialisé en langue anglaise et j'aspire à devenir poète et écrivain. Toutefois, dernièrement, je n'ai pas écrit beaucoup car j'ai été très pris par mes cours et mon travail.

Je sais que je veux commencer à écrire, mais je n'en ai pas trouvé le temps.

Pour tenter une interprétation (je ne suis pas un expert), je dirais qu'il s'agit d'un message qui me dit que lorsque je n'écris pas régulièrement, je perds ma voix en tant qu'écrivain. Qu'en pensez-vous ?

– Sergio, 21 ans, célibataire, États-Unis

CONTRAIREMENT AUX RÊVES HABITUELS de dents qui tombent – qui évoquent une insécurité concernant notre présentation sur le plan social (l'aspect ou l'image que nous offrons nous inquiète) – plusieurs indices dans le récit de Sergio suggèrent qu'il est ici question de sa « voix » artistique. Dans tous ses rêves, il est incapable de parler clairement aux autres. Et à l'opposé de la plupart des rêves sur les dents qui tombent, dans lesquels nous ressentons de l'embarras et cherchons à cacher notre situation aux autres (une autre référence à l'apparence), Sergio quant à lui recherche de l'aide. Le thème principal n'est pas l'embarras, mais plutôt la difficulté de communiquer et la frustration qui en résulte.

En partant du contexte du rêve de Sergio – les aspirations créatrices d'un artiste freinées par les responsabilités de la vie quotidienne – la référence à la voix est facile à comprendre. Sergio n'a pas pu écrire depuis quelque temps et il craint de perdre le lien avec son auditoire. En tant qu'écrivain, il comprend que sa voix, même inaudible, s'entend dans l'esprit de ses lecteurs.

Le rêve de Sergio aurait pu emprunter plusieurs métaphores pour parler du temps passé à l'écart de son art. Il aurait pu rêver qu'il cherchait un crayon, qu'il ne pouvait atteindre un ordinateur, ou que des mots s'évaporaient lentement d'une page de texte. Dans tous les cas, le message aurait été le même : il est temps de reprendre un rythme de création régulier. La muse de Sergio l'appelle et l'incite à prendre la parole.

« Langues étrangères »

Dans mon rêve, je rencontrais un homme avec qui j'ai déjà travaillé. Dans la réalité, il m'a invitée à prendre un verre avec lui et j'ai accepté, mais il n'a jamais concrétisé son offre. J'ai travaillé avec lui encore quelques jours, puis je suis partie une semaine. Lorsque je suis revenue, j'ai appris qu'il avait déménagé en Afrique pour un an. Je ne l'ai jamais revu.

Dans le rêve, je l'ai aperçu dans une rue. Je lui ai parlé, mais il m'a répondu en espagnol. En premier, j'ai cru que je m'étais trompée de personne, mais un sentiment persistant me disait qu'il s'agissait bien de lui. Il m'a finalement parlé en anglais, mais à mon réveil je ne me rappelais pas ce qu'il m'avait dit. Tout ce dont je me souvenais, c'était de l'avoir injurié parce qu'il avait trompé une de mes amies. C'est étrange, n'est-ce pas ?

– Joanna, 21 ans, célibataire, Angleterre

IL Y A TELLEMENT DE LANGUES PARLÉES dans le rêve de Joanna qu'il n'est pas surprenant qu'elle soit confuse. D'abord l'espagnol, puis l'anglais, et tout au long, le langage onirique.

Au milieu de toutes ces traductions, Joanna a-t-elle confondu l'identité de l'amie qui a été trompée ? Après tout, c'est bien elle-même qui avait été invitée ! Ils devaient sortir prendre un verre ensemble ; cela n'est jamais arrivé et voilà qu'elle apprend qu'il est parti… en Afrique !

Le collègue de Joanna parle espagnol dans le rêve car elle sait qu'il se trouve actuellement dans un autre pays. La langue étrangère fait aussi allusion à un échec dans la communication. Joanna s'attendait au moins à ce qu'il lui dise au revoir avant son départ, même si elle n'avait pas eu la sortie promise.

Son rêve révèle qu'elle attendait cette sortie avec impatience. Puisque son ami a dû quitter à la hâte, peut-être peut-elle lui pardonner ce rendez-vous manqué. Cependant, à l'avenir, si Joanna se rend compte qu'ils parlent encore des langues étrangères, elle devra se rappeler que ce n'est sûrement pas une coïncidence.

« Perdue dans une foule »

J'ai une amie qui habite à environ deux cent cinquante kilomètres. Je ne l'ai vue qu'une seule fois et je sais qu'elle encourage son équipe de football locale. Nous communiquons par courrier électronique de temps en temps.

J'ai rêvé que j'allais voir son équipe de football locale. Je savais qu'elle se trouverait dans la foule. Toutefois, les sièges étaient disposés d'une façon telle qu'il était difficile de voir qui que ce soit. Je croyais la voir, mais je n'en étais pas certain.

Soudainement, je voyage dans le même train qu'elle. Puis, je me suis réveillé. Je ne comprends rien à ce rêve même s'il était très clair. Il m'a paru très réel.

– Tim, 26 ans, célibataire, Angleterre

TIM A FAIT UN TYPE DE RÊVE fréquent sur l'impossibilité de communiquer. Il va rencontrer une femme à une joute de football, mais il ne la voit pas en raison de la « disposition des sièges ». Puis, il croit l'apercevoir dans la foule, mais il ne réussit pas à la rejoindre. Soudain, ils sont dans le même train, mais une fois de plus, la rencontre n'a pas lieu.

Dans la première partie du rêve, Tim est déçu de la « disposition des sièges » dans le stade. S'agit-il d'une référence à la distance physique qui sépare ce couple potentiel dans la réalité ? Il observe que la « disposition » rend « difficile de voir qui que ce soit ». Plus tard, Tim se retrouve dans un train. À l'instar des automobiles, dans les rêves, les trains représentent la direction que nous prenons dans la vie. Son incapacité de communiquer reflète sa difficulté de diriger son intérêt sentimental dans la même voie que son amie.

La distance qui sépare Tim de cette femme constitue un véritable obstacle à la naissance d'une relation. Si Tim désire se rapprocher d'elle, son rêve lui dicte le message qu'il doit communiquer plus souvent avec elle par courriel et par téléphone. S'il sent que la chimie fonctionne, il doit planifier des gestes plus concrets que l'espoir de la rencontrer à une joute de football. Tim est-il prêt à fixer une date de rencontre ? Son rêve montre qu'il aimerait concrétiser ce lien.

Défunt

Défunt : Les rêves où figurent des personnes décédées sont fréquents et ne doivent pas être perçus comme des signes d'un phénomène paranormal ou de contacts surnaturels. Lorsque des morts nous rendent visite, cela signifie souvent que nous désirons entrer en contact avec eux ou résoudre un problème émotif. L'incapacité de toucher un défunt ou de lui parler peut refléter de la frustration ou de la colère causée par le départ de cette personne ; nous ne pouvons plus communiquer avec elle.

Généralement, en rêve les défunts nous apparaissent en bonne forme, en santé et plus jeunes qu'au moment de leur mort. Souvent, ils viennent rassurer le rêveur que tout va bien pour eux ou expliquer certaines circonstances de leur décès. Parfois, ils donnent des conseils. Bien des gens croient que les morts communiquent réellement avec les vivants par l'entremise des rêves et que le rêveur peut régler des problèmes d'ordre émotionnel, surtout avec une personne qui est morte subitement. De nombreux récits de rêves, s'ils ont été rapportés avec exactitude, ne laissent aucun doute qu'un contact a effectivement eu lieu.

• **Truc d'interprétation :** Il ne faut pas avoir peur lorsque nous rêvons à des personnes défuntes. Si vous avez réussi à régler un conflit émotif dans un rêve, appréciez-en le mystère.

⁂

Les rêves à propos de défunts nous amènent toujours à nous poser la question suivante : sommes-nous vraiment entrés en contact ? Dans « Une rencontre surnaturelle », le rêve insolite d'une femme la pousse à agir dans sa vie. Vient-elle tout juste de se frotter au monde surnaturel ? Dans « Dire au revoir », la rêveuse attend que son téléphone sonne, bien longtemps après la mort d'un membre de sa famille. En rêve, elle reçoit l'appel promis. « La confirmation » présente une femme qui se débat encore dans la tristesse causée par la mort de son mari. Ce rêve réconfortant devrait la convaincre de son amour.

Rêves où apparaissent des défunts

« Une rencontre surnaturelle »

Ce rêve s'est produit il y a longtemps – deux ans après mon divorce, à un moment où j'avais déjà épousé mon mari actuel. Il m'a toujours hantée et rendue perplexe.

Mon premier beau-père (qui est décédé durant le mois où le divorce a été conclu) insistait pour que j'aille visiter sa mère (la grand-mère de mon ex) de qui j'avais été très proche. Il disait qu'elle aimerait me voir et que nous partagerions un repas. C'était très important que je la voie.

Le rêve ne m'a pas réveillée, mais je m'en souvenais parfaitement le matin. Je me suis rendue au travail et j'ai téléphoné à la grand-mère de mon ancien mari à neuf heures. Je ne lui avais pas parlé et ne l'avais pas vue depuis très longtemps. Elle était très contente d'avoir de mes nouvelles et je lui ai raconté le rêve. Elle m'a invitée à dîner le vendredi suivant et elle m'a demandé d'apporter les photos de mon mariage. (J'avais fait ce rêve le lundi soir.) En guise de présent, je lui ai offert un bouquet de fleurs et notre rencontre s'est passée agréablement.

Quand elle a entendu le récit de mon rêve, elle n'a pas du tout été surprise, simplement heureuse qu'il nous ait rapprochées. Deux semaines plus tard, j'ai reçu un coup de téléphone de ma belle-sœur qui m'annonçait que la grand-mère de mon ex-mari avait eu un accident cérébrovasculaire. Environ quinze jours après, elle mourait. Cela m'a toujours intriguée, mais je suis contente que nous ayons pu partager ce moment ensemble. Pouvez-vous me dire s'il s'agit d'un phénomène paranormal ?

– Jessica, 41 ans, mariée, États-Unis

SI LE RÊVE DE JESSICA n'est pas un phénomène paranormal, la seule autre explication est tout bonnement le hasard. Et quelles sont les chances qu'il s'agisse d'un hasard ? Cependant, avant que Jessica ne prenne peur, elle doit savoir que plus de cinquante pour cent des Américains croient avoir déjà fait un rêve prémonitoire. Ce genre de rêves n'est pas la règle, mais ils sont plus courants que nous le croyons.

Lorsque nous rêvons, notre corps se trouve dans un état particulier. Nos muscles sont très relâchés – beaucoup plus que lors d'un sommeil sans rêve – contrairement à notre cerveau qui, curieusement, est aussi actif qu'à l'état de veille. Puisque de nombreuses personnes font état d'expériences parapsychiques survenues dans leurs rêves, le fonctionnement du sommeil paradoxal joue peut-être un rôle. Après tout, un cerveau actif dans un corps au repos constitue l'objectif de la plupart des types de méditation. Serions-nous particulièrement sensibles à une énergie subtile durant nos rêves ?

Parce que son rêve était insolite, Jessica a écouté sa voix intérieure et a décidé de répondre à l'invitation qui lui a été faite. Même si elle est contente d'avoir agi ainsi, cette expérience a soulevé des hypothèses qui la perturbent. Se peut-il que nous ayons des contacts avec les défunts ? Les morts savent-ils quand les vivants vont mourir ? Les personnes décédées attendent-elles que les rejoignent les êtres qu'elles aiment ? Et, où se trouve exactement « l'autre côté » ?

Il est normal de perdre l'équilibre momentanément lorsqu'une vision ancienne du monde est remplacée par une nouvelle. Jessica ne devrait pas se sentir déstabilisée par son rêve (ce qui n'est sûrement pas l'intention du défunt). Cette rencontre surnaturelle l'initie simplement à une meilleure compréhension des véritables mystères de la vie. Un jour, nous connaîtrons tous les réponses à ce genre de questions.

« Dire au revoir »

Je me trouvais dans un véhicule de type Range Rover avec mon amoureux et quelques-uns de ses amis avec qui nous passons nos vendredis soirs – au restaurant et au cinéma. Je me souviens d'un moment de tension entre les gens et j'ai demandé à sortir du véhicule. Lorsque j'en suis descendue, je suis entrée dans une maison et, au-delà du couloir de l'entrée, j'ai aperçu ma mère, ma tante, ma grand-mère (qui est décédée) et mon grand-père (qui est aussi décédé). Une autre personne a disparu à mon arrivée.

Ma mère a dit : « Oh, nous ne nous attendions pas à te voir ici. » Elle était très contente de me voir et tous les gens dans la pièce m'ont bien accueillie. Je me rappelle m'être avancée dans la pièce qui, à ce moment, est devenue très claire. Chaque mur comportait une porte-fenêtre qui s'élevait jusqu'au plafond. Je baignais dans cette lumière fantastique. À l'extérieur, le ciel était d'un bleu magnifique. Chaque fenêtre était ornée de rideaux rouge et orange flottant au gré de la brise qui entrait dans la pièce. Toutes ces images – les rideaux, le ciel, la lumière – étaient d'une riche couleur irréelle. La brise était chaude et je respirais son odeur. J'étais très bien.

Dès que je suis entrée dans la pièce, j'ai serré mon père dans mes bras ; en fait, je m'accrochais à lui. Je sanglotais en l'implorant de ne pas nous quitter : « Ne t'en va pas. Pourquoi dois-tu partir ? » Il me serrait dans ses bras et je sentais qu'il m'aimait beaucoup. Généralement, dans mes rêves je ne ressens jamais le toucher, il se vit plutôt par la pensée. Mais dans ce rêve, je sentais que mon père m'étreignait et me consolait.

J'ai demandé à mon père s'il allait revenir. Il a regardé dans la pièce et m'a répondu : « Non Margot, je ne crois pas que je vais revenir ici. » Il a continué de me serrer contre lui durant ce qui m'a paru une éternité, jusqu'à ce que je reprenne mon calme et cesse de pleurer. Je ne me rappelle pas avoir quitté la pièce, mais je me suis retrouvée tout à coup avec les personnes du début. Je marchais avec mon amoureux. Je voulais lui raconter ce qui était arrivé, que je venais de parler avec mon père et que j'étais triste car je ne le reverrais peut-être plus jamais.

Avant que je puisse lui dire quoi que ce soit, mon ami m'a signifié que nous partions et que je devais entrer dans la voiture (la même qu'au début). Je suis montée sur la banquette arrière. Je me souviens d'avoir pensé qu'il viendrait s'asseoir près de moi, mais le véhicule s'est plutôt empli de gens que je ne pouvais identifier. Mon ami est monté dans une autre voiture du même type avec d'autres personnes inconnues, puis il est parti.

Voici des renseignements sur moi. Mon père était l'un de mes meilleurs amis et confidents. Même si nous vivions dans des villes différentes, je communiquais avec lui presque toutes les semaines juste pour le saluer ou pour lui demander conseil. Cette année, il est mort subitement dans sa voiture, le lendemain de mon anniversaire de naissance. La veille de son décès, je lui ai parlé au téléphone. Voici la dernière phrase qu'il m'a dite : « Je vais t'appeler demain. » Cela fait maintenant huit mois, mais de manière enfantine et illogique, j'attends encore cet appel. Évidemment, il n'y aura pas d'appel.

Lorsque je me suis éveillée après ce rêve, j'étais complètement désorientée. J'avais vraiment l'impression d'avoir parlé à mon père, de l'avoir embrassé et de m'être accrochée à lui. Je sentais sa présence près de moi. Tout ce que j'avais vécu dans ce rêve (du début à la fin) m'accompagnait au réveil. Mon ami m'a demandé à quoi j'avais rêvé, mais l'angoisse m'empêchait de lui raconter mon rêve.

Ce rêve s'est produit il y a une semaine, mais tous les détails sont encore très présents. C'est le rêve le plus réel que j'aie fait (ou dont je me souvienne) de toute ma vie.

– *Margot, 22 ans, célibataire, États-Unis*

LORSQU'UNE PERSONNE qui nous est chère meurt subitement, nous ressentons une perte bien particulière. Puisque nous n'étions pas préparés à cette mort, nous n'avons pas eu la chance de dire au revoir à la personne, de régler les incompréhensions ou de clarifier les idées fausses qui subsistaient entre elle et nous. Nous n'avons pas pu nous étreindre une dernière fois.

D'après la description que fait Margot, son rêve lui a permis de ressentir d'une manière puissante l'amour qu'elle voue à son père. Cet amour lui est rendu. Ils sont ensemble et son père l'étreint durant ce qui lui paraît « une éternité ». Dans le rêve, il est évident qu'une grande distance les sépare. Margot demande à son père s'il va revenir et il lui répond par la négative. Il est passé à autre chose et « il ne reviendra pas ici ».

Les rêves où nous entrons en contact avec des personnes récemment décédées nous laissent souvent l'impression qu'elles demeurent avec les vivants pendant un certain temps – pour s'assurer que la famille et les amis vont bien, ou s'occuper de quelque question non résolue. Lorsqu'elles savent que tout est sous contrôle, elles semblent s'en aller tout doucement. Si le père de Margot s'apprêtait à passer à une autre étape du voyage de sa vie (qui, dit-on, ne finit jamais), il semble qu'il lui ait rendu visite pour lui assurer son amour, lui offrir la force et le bien-être et lui dire au revoir.

Au début et à la fin de cette rencontre surnaturelle survenue en rêve, l'amoureux actuel de Margot apparaît de façon prédominante. Au début, il y a un malaise dans la voiture et c'est pourquoi Margot demande de descendre. Après avoir rencontré son père, elle rejoint le groupe, mais les difficultés de communication reprennent. Margot veut parler de sa rencontre avec son ami, mais avant qu'elle puisse prononcer un mot, il la fait entrer dans une voiture. Elle attend qu'il la rejoigne, mais comme le rêve se termine, ils se retrouvent passagers à bord de deux véhicules différents.

Dans les rêves, les voitures représentent le soi et la direction que prend notre vie. Les difficultés de communication, quant à elles, reflètent celles que nous éprouvons dans notre vie. Il est possible que son ami ne prête pas toujours attention aux émotions qu'elle ressent à la suite de la mort de son père ou même qu'il évite le sujet. (Il se trouve dans un autre véhicule.) Margot doit donc reconnaître que pour bien des gens la mort est un sujet délicat. La mort de son père l'a profondément affectée et l'a aidée à comprendre ce phénomène à un jeune âge, de façon intellectuelle et émotive. C'est peut-être ce qui cause maintenant la distance entre elle et son ami.

La mort offre un cadeau aux êtres vivants : la conscience que nos heures passées sous le soleil s'écoulent. L'ombre de la mort nous apprend qu'il faut chaque jour sentir l'odeur des roses, accomplir une bonne action, prendre contact avec un vieil ami, respirer la vie profondément. Par contraste, la mort aiguise notre vision du miracle de la vie.

Il semble que le père de Margot ait tenu sa promesse de lui téléphoner. De plus, sa visite a ouvert une porte qui ne se fermera plus – un accès à une appréciation plus profonde des véritables mystères de la vie.

« La confirmation »

Durant le deuil qui a suivi le décès de mon mari, je me demandais sans cesse s'il m'avait vraiment aimée. Dans mon rêve, je suis assise dans le siège du milieu d'une longue rangée traversant une rue et bloquant la circulation des deux côtés. Mon mari est occupé à distribuer des dépliants à tous les chauffeurs des voitures bloquées. Quand je lui demande sur quoi porte le dépliant, il m'en remet un et j'y vois une liste de dix caractéristiques qu'il apprécie chez moi. Je me mets à pleurer et quand je me réveille, il est parti et je ne suis plus dans la rue.

S'agit-il d'une réponse à mes doutes concernant son amour ? Il a succombé à un cancer du poumon. J'étais très en colère qu'il meure et me quitte ainsi que sa famille, au lieu d'avoir renoncé à la cigarette.

J'ai aussi rêvé qu'il venait m'avertir que la serrure de ma porte avant était brisée. Il me disait fermement de la faire réparer. Quand j'ai vérifié, j'ai constaté qu'elle était réellement brisée. J'ai encore beaucoup de difficulté à abandonner mes sentiments de culpabilité et de colère, même si sa mort date de quatre ans.

– Vanessa, 64 ans, veuve, États-Unis

LE DÉCÈS PRÉMATURÉ du mari de Vanessa nous rappelle un vieux diction : « La mort fait souffrir davantage ceux qui restent. »

Vanessa nous rapporte un exemple de l'une des plus puissantes preuves d'amour en rêve. Un homme aime tellement son épouse qu'il dispose des sièges en travers d'une rue passante, bloque la circulation et, sous le regard de sa femme, distribue des dépliants où sont énumérées les dix caractéristiques qu'il apprécie le plus d'elle. Il est peut-être fou, mais Vanessa sait qu'il a le cœur à la bonne place.

Il est temps pour elle de lâcher prise. Son mari l'aimait vraiment et d'après son autre rêve, il continue de veiller sur elle. Lorsqu'ils se retrouveront dans l'au-delà, Vanessa pourra le réprimander s'il fume toujours. Entre-temps, elle doit lui pardonner et apprécier la chaleur qui émane d'un cœur aimé.

Dents

Dents : Les dents sont un symbole universel reflétant des préoccupations liées à l'apparence physique, la présentation sociale et l'efficacité dans un environnement compétitif. Les dents concernent l'apparence parce qu'elles font partie intégrante de notre présentation. Les gens qui nous rencontrent voient d'abord notre sourire. Le sourire (l'exposition des dents) est aussi un indicateur de l'attirance sexuelle et du caractère désirable. Les dents ont aussi un lien avec le sentiment de pouvoir et l'affirmation de soi parce qu'elles servent à mordre dans les aliments. En signe d'agressivité, les animaux montrent les dents. Certaines expressions populaires comme « avoir les dents longues » et « se faire les dents » expriment, respectivement, la détermination et la ténacité.

Les rêves dans lesquels nous nous brossons les dents à répétition évoquent peut-être une tentative de nous « nettoyer », un peu comme les mains lavées à plusieurs reprises quand apparaît un sentiment de culpabilité. Les dents pourries peuvent traduire des préoccupations à propos du vieillissement et de la santé qui se détériore. Dans un rêve d'enfant, la perte de dents peut être un signe de progrès et d'évolution – les dents d'adultes pousseront bientôt. Les fiches dentaires concernent l'identité. Dans le cas de réelles inquiétudes, les rêves à propos de dents peuvent exprimer des pensées sur l'état de la dentition ou la pratique dentaire.

Dents qui tombent : Ce genre de rêve est très courant et traduit un souci relativement à l'apparence et une diminution de la confiance en soi et de l'efficacité. Les personnes qui viennent de rompre ou de divorcer sont plus susceptibles de remettre en question leur caractère désirable et leur aspect esthétique et rêvent souvent qu'elles perdent leurs dents. Ces rêves se produisent aussi lorsque nous sommes mal à l'aise dans un contexte social ou professionnel, ou dans le cadre d'une profession où nous sommes très exposés et où l'apparence a beaucoup d'importance. Au cours de périodes de dépression ou d'efficacité diminuée, les rêves de dents qui tombent peuvent dénoter la peur de « perdre notre mordant ». Ces rêves peuvent aussi être associés à des préoccupations concernant le fait de vieillir et la dégradation du corps.

Il existe une fausse croyance populaire selon laquelle si nous rêvons d'une dent qui tombe, une personne près de nous va mourir.

Gomme à mâcher : Les rêves dans lesquels de la gomme à mâcher dans la bouche du rêveur l'empêche de parler ou rend son élocution difficile reflètent une incapacité de s'exprimer clairement ou une réticence à dire ses opinions. Devez-vous « retenir votre langue » au travail ? Aimeriez-vous être capable d'exprimer vos sentiments à une personne ?

• **Truc d'interprétation :** Votre apparence ou votre performance vous angoissent-elles ? Avez-vous toujours été à la hauteur en toutes circonstances, récemment ?

* * *

N'est-il pas étonnant que les dents soient liées d'aussi près aux préoccupations sur l'apparence ? « Des dents dans ma main » est le rêve d'une femme qui se fait du souci parce qu'elle vieillit. Son rêve signifie-t-il qu'elle « tombe en ruines » ? Dans « Les dents cassées », une rêveuse a le cœur brisé à cause d'un rejet. Maintenant, elle se demande si cette relation vaut la peine ? Dans le rêve suivant, « Perdre son mordant », une femme perd ses dents par rangées. Était-elle un requin dans une vie antérieure ?

Rêves à propos de dents

« Des dents dans ma main »

J'étais assise au restaurant avec la sœur et la cousine du garçon que je fréquentais à l'école secondaire. (Je ne les ai pas vues depuis douze ans.) Nous étions en train de passer notre commande et mes dents se sont mises à tomber dans ma main. Mes dents étaient beaucoup plus nombreuses qu'en réalité et j'en ai perdu la moitié.

Dans un miroir, j'ai vu que de nouvelles rangées de dents allaient repousser, mais il y avait aussi beaucoup de trous laissés par les dents qui avaient tombé. Quand j'ai regardé ma main, elle contenait un gros tas de dents. À la fin du rêve, j'essayais de me rendre chez le dentiste.

Voici maintenant un aperçu de ce qui se passe dans ma vie actuellement. J'ai récemment quitté un homme que je voyais depuis six ans. L'autre jour, je disais à ma meilleure amie (aussi de l'école secondaire) que cela me paraîtrait étrange si jamais j'apprenais qu'il s'est marié. Je ne pense pas à lui très souvent et je ne ressens plus rien pour lui, mais je crois que c'était une bonne personne, que j'ai beaucoup aimée à l'époque.

De plus, j'ai eu trente ans il y a un mois et j'ai commencé à me poser des questions : devrais-je me marier, qu'est-ce que je fais de ma carrière, est-ce que je veux m'installer à New York pour toujours, etc. ? Probablement le genre de pensées qui préoccupent les femmes célibataires de trente ans. Je ne sais pas.

Toutefois, je pense souvent que ma vie m'échappe, et de plus en plus vite, semble-t-il. Ai-je un but ? Je travaille beaucoup et je suis très concentrée – pas sur les bonnes choses, paraît-il. Je veux me marier et fonder une famille, mais je consacre tout mon temps à ma carrière. J'ai commencé à fréquenter un homme que j'aime bien, mais il a vingt-cinq ans et je me demande si c'est un problème – pour de nombreuses raisons évidentes. Je pense aussi que j'ai maintenant l'air plus vieille (comme si j'avais vraiment commencé à vieillir le jour de mon anniversaire) et cela me dérange. C'est tout.

– Chandra, 30 ans, célibataire, États-Unis

À LA SUITE DE SA RUPTURE avec l'homme qu'elle fréquentait depuis six et de son trentième anniversaire, le sablier semble avoir capté l'attention de Chandra. Manque-t-elle de temps pour réaliser ses objectifs : le mariage et une famille ? Même si son ami plus jeune la rassure temporairement sur sa beauté et son sex-appeal, Chandra s'inquiète. Cet homme plus jeune est-il un partenaire réaliste ? Spécifiquement, leur emploi du temps est-il compatible ?

La conversation récente que Chandra a eue avec son amie à propos du mariage éventuel de son ex est un écho à peine voilé de ses angoisses. Ainsi, ce n'est pas une coïncidence si, dans son rêve, elle se retrouve avec une autre amie de l'école secondaire, qui en plus est apparentée à l'un de ses anciens amoureux. Une fois cette mise en scène parfaitement orchestrée, ses dents se mettent à tomber par poignées.

À la lumière de son inquiétude qu'elle commence à perdre de son charme, la perte de ses dents devient une métaphore non seulement du vieillissement (une période où les dents tombent vraiment), mais aussi de sa peur de perdre sa beauté et son sex-appeal. Lorsque Chandra inspecte sa bouche dans un miroir, elle aperçoit des endroits où elle sait que les dents repousseront et des trous qui selon elle sont permanents. Effectivement, le temps passe.

Le rêve de Chandra l'invite à prendre des moyens concrets pour mettre en place ce qu'elle désire pour l'avenir. Pour créer cet avenir, Chandra devra quitter sa jeunesse (et son jeune ami) et elle a toutes les raisons de vouloir une relation amoureuse réaliste avec un partenaire disponible et de s'enthousiasmer à ce sujet.

« Les dents cassées »

Je suis amoureuse d'un homme plus jeune qui refuse que nous ayons des relations sexuelles. La nuit dernière, j'ai rêvé à lui pour la première fois. Il m'accompagnait dans une boutique d'antiquités et me questionnait sur l'usage d'une pièce d'argenterie (un petit plat). Je me sentais mal à l'aise. Je ne connaissais pas la réponse et, le cœur brisé, je me suis rendu compte de son « caractère froid ».

Plus tard, en me regardant dans le miroir, je me suis aperçue que toutes mes dents étaient cassées. J'étais étonnée de ne pas l'avoir remarqué plus tôt.

Ce rêve a semé une certaine crainte en moi. Cela peut sembler cruel, mais après ce rêve j'ai demandé à cet homme de ne plus me téléphoner pendant un mois. Je n'ai plus rêvé à lui depuis.

- Sigrid, 43 ans, célibataire, Allemagne

Les rêves dans lesquels nos dents tombent reflètent presque toujours des soucis liés à notre apparence. Même si les rêves se concentrent souvent sur notre aspect physique, il est important de reconnaître qu'ils signalent peut-être aussi une angoisse ayant rapport à notre présentation sur les plans social, intellectuel et émotionnel. Le rêve de Sigrid inclut toutes ses préoccupations.

D'après son récit, nous savons que Sigrid a toutes les raisons, actuellement, de s'interroger sur sa beauté physique. Elle raconte qu'elle est amoureuse d'un « homme plus jeune qui refuse les relations sexuelles ». Naturellement, ce scénario déplairait à n'importe qui. Et cette situation nous amènerait à effectuer l'inventaire de tous nos défauts potentiels. « Qu'est-ce qui ne va pas chez moi ? » nous demanderions-nous peut-être devant le miroir, tout comme Sigrid dans son rêve. « Pourquoi ne me désire-t-il pas ? Suis-je trop vieille ? Ai-je perdu ma capacité de séduire, mon sex-appeal ?

La beauté physique de Sigrid est remise en question, mais aussi ses habiletés dans les domaines social et intellectuel. Elle se sent mal à l'aise quand cet homme s'enquiert auprès d'elle de l'utilité d'une petite pièce d'argenterie dans une boutique d'antiquités. À ce stade du rêve, Sigrid se rend compte de son « caractère froid ». Le choix de représenter sa sensation d'imperfection dans une boutique d'antiquités est très frappant. De façon générale, ce sont les aristocrates qui collectionnent et utilisent les antiquités. De plus, l'argenterie est souvent offerte en cadeau de mariage. Cet homme vient-il d'une classe sociale supérieure à celle de Sigrid et refuse-t-il son amour (une relation engagée) pour cette raison ? Si c'est le cas, voilà peut-être le « caractère froid » qu'elle perçoit chez lui.

La décision de Sigrid de prendre ses distances de cet homme à la suite de son rêve est la preuve d'une grande estime de soi et de confiance en soi. Elle semble avoir décelé chez lui des obstacles à la réussite de la relation. Sigrid serait sage de chercher l'amour dans une relation égalitaire où les deux partenaires s'aiment et s'acceptent de tout cœur.

« Perdre son mordant »

La nuit passée, j'ai rêvé que je perdais mes dents, en particulier celles du haut. En fait, trois rangées (comme les dents d'un requin) sont tombées. J'ai tenté de remettre en place la dernière rangée, mais ma bouche était très douloureuse et remplie de sang et je n'y arrivais pas. Les dents se sont retrouvées sur mes cuisses.

Entre-temps, je parlais avec un mécanicien qui devait réparer ma voiture. J'ai lu quelque part que les rêves à propos de dents avaient souvent à voir avec des soucis liés à l'apparence. Je ne crois pas être très préoccupée par mon apparence présentement. Je viens de m'installer sur la côte ouest. J'ai quitté ma famille, qui vit dans l'Est et à laquelle je suis très attachée. Hier après-midi, j'ai parlé à des membres de ma famille au téléphone. Je ne vois pas de lien entre le rêve et ma vie. Avez-vous des idées à me suggérer ?

– Lisa, 31 ans, célibataire, États-Unis

CE NE SONT PAS DES DENTS ORDINAIRES que Lisa perd. Elles se présentent en rangées « comme les dents d'un requin ». L'agression et la prédation sont deux caractéristiques communément associées aux requins. En conséquence, le rêve de Lisa signifie-t-il qu'elle a l'impression d'avoir perdu son « mordant » – son esprit de décision, son agressivité et son instinct meurtrier ?

Dans le rêve, le fait que son automobile soit en réparation tandis qu'elle se dépatouille avec ses dents n'est pas une coïncidence. Les automobiles étant un symbole du soi, de la direction que prend notre vie et de notre confiance d'arriver à destination, le rêve de Lisa laisse fortement croire qu'elle se sent épuisée et impuissante.

Il est normal que Lisa ait la sensation d'être dépassée – et même un peu déprimée – à cause du défi que représente son déménagement dans un lieu nouveau et lointain. Elle a délaissé la sécurité que lui offraient sa famille et ses amis. Elle doit maintenant se créer de nouvelles racines dans un environnement qu'elle ne connaît pas, sans l'aide de ses soutiens habituels. Le rêve livre un second message : Lisa est aussi épuisée physiquement. Elle devrait penser à s'accorder du temps libre afin de permettre à son corps de se reposer et de se remettre en forme. Si Lisa arrive à bien se nourrir, à bien dormir et à inclure des exercices physiques dans sa routine quotidienne, elle retrouvera sa dentition de requin sous peu.

« Mâcher de la gomme »

Dans mon rêve de la nuit dernière, j'étais dans une école et j'observais une enseignante en français. J'étais impressionnée par sa façon de maintenir les enfants tranquilles. J'ai décidé de lui parler après la classe, mais elle semblait très pressée et devait se rendre à son autre travail. Elle m'a dit qu'elle n'enseignait que quelques heures ici et qu'elle avait donc dû accepter un second emploi. Soudain, pendant qu'elle me parlait, j'ai senti un morceau de gomme à mâcher collé à ma dent. Je ne pouvais m'en débarrasser et je n'arrivais plus à parler. Cela me tapait vraiment sur les nerfs.

Je vais vous parler un peu de moi maintenant. J'enseigne le français et dernièrement, j'ai beaucoup réfléchi à ma carrière. Tout comme la femme de mon rêve, je donne seulement quelques heures de cours, ce qui ne comble pas mes besoins financiers. Cet automne, je pensais même faire autre chose, mais je ne savais trop quoi dire à la direction de l'école. Qu'en pensez-vous ? Cette enseignante est-elle moi-même ?

– Valerie, 31 ans, fiancée, États-Unis

LE RÊVE DE VALERIE montre qu'elle aimerait « cracher le morceau » mais qu'elle ne trouve pas les bons mots.

Les rêves où de la gomme ou autre chose (du verre cassé, des billes, de menus objets, des glaçons) emplit notre bouche et nous empêche de parler sont communs. Comme le rêve le Valerie l'illustre bien, nous voulons nous exprimer et nous faire entendre, mais un blocage émotionnel nous en empêche.

Puisqu'il reflète sa situation difficile sur le plan professionnel, il ne fait pas de doute que le rêve porte sur sa propre voix et son dilemme au travail. Son travail d'enseignante ne lui permet pas d'arriver financièrement et maintenant et elle craint de devoir le quitter à l'automne, probablement pour trouver un emploi à temps plein. Le rêve montre que Valerie trouve difficile de prendre cette décision et qu'elle a peur d'annoncer la nouvelle de son départ à la direction de l'école. Quelle est la meilleure façon de dire au revoir ?

En nous appuyant sur les renseignements qu'elle fournit, le sens du rêve nous apparaît clairement. Dès que Valerie décidera ce qu'elle fera au trimestre d'automne et qu'elle rassemblera le courage d'en parler avec la direction de son école, elle retrouvera la voix.

Eau

Eau : L'eau est un symbole universel des émotions. La façon dont les eaux se comportent en rêve est toujours révélatrice. L'eau qui monte indique des émotions qui s'amplifient. Des eaux tumultueuses qui menacent d'engloutir le rêveur sont le signe d'une surcharge d'émotions. Les raz de marée représentent une menace de nature émotionnelle qu'entrevoit le rêveur. Un courant vif dans lequel nous sommes pris suggère que nous sommes confus ou transportés par nos émotions. Des eaux troubles évoquent un manque d'émotions. Des eaux limpides et propres dénotent une clarté sur le plan émotionnel. Patauger ou nager à notre aise traduit une aisance à nous imprégner de nos émotions. La faculté de respirer sous l'eau est un signe de conscience et d'accès à des sentiments inconscients.

Sous l'eau : La faculté de respirer sous l'eau reflète un accès facile à la conscience ou à des sentiments inconscients, ainsi qu'un bien-être dans notre vie émotionnelle. Attention ! Les rêves récurrents dans lesquels nous nous trouvons à bout de souffle sous l'eau et incapables de remonter à la surface se déclenchent pour nous avertir que nous éprouvons de la difficulté à respirer pendant le sommeil – un état appelé syndrome d'apnée du sommeil. Si vous faites souvent ce genre de rêve, vous devriez consulter un spécialiste du sommeil sans tarder.

Pluie : La pluie exprime un relâchement des tensions. L'eau (les émotions) qui se trouvait emmagasinée (dans un nuage) est libérée. La pluie peut aussi être annonciatrice d'une épuration des émotions ou d'une période de fertilité créatrice. La pluie se manifeste fréquemment dans les rêves lorsque nous venons de réussir une percée dans un domaine, de réaliser soudain que nous nous lançons sur une voie inconnue, que nous entreprenons un nouveau défi ou que nous avons accédé à un autre niveau de compréhension.

• **Truc d'interprétation :** Vos émotions vous élèvent-elles, vous écrasent-elles ou vous dominent-elles ? Sont-elles claires ou confuses ? Prêtez attention à l'eau dans vos rêves pour connaître votre état émotif.

* * *

Dans les rêves, l'eau est un miroir fidèle de notre état émotif. Dans « Chute d'eau », une femme craint de perdre son pouvoir en parcourant une rivière à contre-courant. « Entraîné sous l'eau » est le récit d'un jeune homme transporté par les eaux d'un dilemme amoureux. « Naufrage » présente une femme qui lutte pour s'échapper d'une vague d'émotions croissantes. Dans « Une promenade sous l'eau », une femme se promène dans le jardin de son inconscient. Si elle désire connaître la réponse à sa question, elle n'a qu'à prêter attention. « Un courant vif » raconte le rêve d'une femme qui a sous-estimé la force d'une rivière. Est-elle en train de perdre sa foi ?

Rêves d'eau

« Chute d'eau »

Je suis mariée depuis longtemps et j'ai souvent subi de la violence verbale et psychologique de la part de mon mari. Je vois un thérapeute qui semble m'aider beaucoup. Mon mari a entrepris une thérapie il y a longtemps, puis il a vite laissé tomber. Maintenant, il se documente sur la violence. Mais, comme vous pouvez l'imaginer, après tout ce temps, cette violence a laissé des marques profondes chez moi (faible estime de soi, angoisse, manque de confiance en moi, peur de devenir folle, colère et dépression). Mon thérapeute me dit que tant que je choisis de rester avec lui, je ne peux que continuer à faire mes devoirs, à me concentrer sur moi-même et à établir mes limites.

Je souffre d'apathie et d'un manque de motivation général. Bien sûr, j'aborde mes devoirs (en thérapie) avec passion et j'ai l'impression que toutes mes pensées sont centrées sur ce sujet. J'ai peur de l'eau car je ne sais pas nager. De plus, dans mes rêves, la plupart du temps c'est mon mari qui conduit l'auto.

Voici mon rêve. Je conduis ma voiture et je suis seule. J'appuie à fond sur l'accélérateur, mais j'ai l'impression que je n'avance pas. Je n'arrive pas à bouger. Puis, soudain, je me retrouve ailleurs.

D'abord, je ne vois que d'immenses chutes d'eau partout. Elles coulent à l'unisson dans un vaste univers d'eau. Je m'aperçois que je suis sur un petit radeau dans une rivière agitée par des rapides. J'approche d'une chute qui se déverse dans l'univers d'eau. Toutes les chutes qui m'entourent se jettent à cet endroit. J'avance toujours vers la chute ; je suis terrifiée car je vais y plonger. C'est alors que je me réveille, effrayée, triste et paniquée.

– Margaret, 45 ans, mariée, États-Unis

DANS LE RÊVE DE MARGARET, son passage du siège du passager à celui du conducteur est significatif. Cela prouve qu'elle assume le contrôle de sa destinée. Cependant, même si elle appuie très fort sur l'accélérateur, sa voiture n'avance pas. Le message est limpide : Margaret fait encore des efforts pour reprendre le pouvoir dans sa vie.

Le rêve change abruptement et Margaret flotte sur un radeau (un véhicule dépourvu de moteur) au milieu d'une rivière tumultueuse. En rêve, les eaux agitées sont une référence familière à une période de perturbation émotionnelle. Lorsque nous sommes transportés par un courant vif, cela indique que nous avons l'impression d'être menés par nos émotions. La cascade est un symbole alliant l'eau et la chute pour représenter l'instabilité émotive et la peur d'être englouti par les émotions (noyade).

Le rêve de Margaret exprime l'inquiétude et la peur de « partir à la dérive » vers un abysse d'émotions. Puisque Margaret est seule dans son rêve, cela suggère qu'elle a évolué et qu'elle ne perçoit plus son mari comme un obstacle à sa croissance. Elle se concentre maintenant sur les étapes qu'elle doit franchir pour compléter sa métamorphose. Il n'est pas étonnant que sa première promenade derrière le volant (prise en charge de sa vie représentée par l'automobile et le radeau) soit éprouvante. Maintenant qu'elle a connu le plaisir d'être au volant, elle ira de l'avant.

« Entraîné sous l'eau »

Je vais vous raconter deux rêves apparentés que j'ai faits en deux nuits consécutives.

Dans le premier rêve, je me souviens d'avoir eu la sensation de dormir et que, soudain, quelque chose tombait sur moi. Quand j'ai ouvert les yeux, une de mes amies, Susan, était étendue sur moi, soûle. À ma grande surprise, elle s'est mise à me caresser et m'a demandé si je voulais que nous ayons une relation sexuelle. J'ai refusé en lui faisant comprendre qu'elle était soûle et que je n'avais pas de condom. Elle a répondu que cela ne la dérangeait pas, avant de s'évanouir sur moi. Je l'ai donc installée à côté de moi et je me suis rendormi.

Dans le second rêve, je me trouvais dans un espace vaste, à côté d'un ruisseau. Mon amie Susan était près d'un pont, sur l'autre rive. Elle m'a salué d'un signe de la main et a souri, comme si elle voulait que je la rejoigne. J'ai alors remarqué qu'elle tenait un panier pour pique-nique. J'ai donc traversé le pont au pas de course mais, soit j'ai glissé ou soit un grand coup de vent m'a fait tomber, et je me suis retrouvé dans les eaux peu profondes du ruisseau. Je me suis relevé, j'ai fait quelques pas et j'ai dérapé vers une partie plus creuse. Puis, le courant m'a attiré sous le pont. J'ai réussi à nager jusqu'à la rive. En sortant de l'eau, j'ai remarqué que, sous le pont, tout paraissait plus sombre et l'eau semblait glauque. En levant la tête, j'ai vu que Susan riait. Ce n'était pas un rire amusé, mais plutôt cruel. C'est à ce moment que le courant m'a saisi et m'a entraîné sous l'eau. Je me suis éveillé en sursaut.

– *Bill, 21 ans, célibataire, États-Unis*

Le premier rêve de Bill est un simple cas d'intégration, c'est-à-dire qu'un événement qui se produit dans la réalité s'intègre dans l'histoire du rêve. Bill dormait lorsque Susan s'est couchée sur lui et ainsi il a rêvé que quelque chose de lourd était tombé sur lui. Il avait raison. Quelque chose de lourd était effectivement tombé sur lui : Susan.

Son second rêve illustre ses émotions confuses à la suite de la proposition que lui a faite Susan la veille. Le panier pour pique-nique qu'elle tient, puisqu'il contient de la nourriture, est un symbole de satisfaction sensuelle et émotionnelle. Bill est heureux de la rejoindre pour pique-niquer, mais de nombreux obstacles se trouvent sur son chemin. Il perd l'équilibre en traversant le pont, autrement dit, il perd son équilibre psychologique en amorçant une relation avec Susan. Ensuite, il tombe dans le ruisseau. Le courant symbolise le tiraillement de ses émotions qui, encore une fois, le déséquilibre. Bill remarque alors distinctement l'état de l'eau sous le pont, là où il semble dériver. L'eau est glauque et tout est sombre. Voilà une symbolique qui évoque des émotions diffuses et incertaines et la peur d'être contaminé. À la fin du rêve, Susan se moque de lui cruellement juste avant qu'il soit englouti sous l'eau (peur de se noyer dans ses émotions).

L'un des grands avantages des rêves, c'est qu'ils nous permettent de reconnaître ce que nous avons déjà perçu à un niveau inconscient. Le rêve de Bill montre qu'il a pu, en une journée, se rendre compte de la quantité d'obstacles qu'il rencontrerait en amorçant une relation amoureuse avec Susan. Susan souhaitait que Bill s'emballe pour elle jusqu'à en « perdre pied », mais le manque de soutien qu'elle manifeste à la fin du rêve – son rire cruel – met Bill en garde : une relation avec elle comporterait des difficultés et se vivrait à sens unique. Son rêve est clair : Bill doit attendre une autre femme dont le pique-nique est beaucoup plus accessible et qui ne se moquera pas de lui quand il aura besoin d'aide.

« Naufrage »

Ma vie est horrible. Quand j'étais enceinte de mon deuxième enfant et que ma fille n'avait qu'un an, mon mari a vécu une aventure extraconjugale. Je ne veux pas divorcer parce que je l'aime encore tellement et que je veux une famille, quoi qu'il advienne.

Depuis cet incident survenu il y a trois ans, il vit à l'étranger. Même s'il téléphone et nous rend visite très rarement, il paye les comptes et nous donne de l'argent. Récemment, il m'a annoncé qu'il voulait divorcer. Je ne veux pas. Je l'aime encore.

Voici mon rêve. L'océan submerge tout. Je suis avec une personne et nous grimpons au sommet d'un édifice. L'eau continue de monter. Je vois des gens qui se disent au revoir en s'enlaçant. Il y en a qui ont déjà coulé. Certains pleurent, d'autres sourient. Je m'agrippe à un objet flottant, mais je n'ai pas la chance d'en profiter avant de m'éveiller.

– Helen, 27 ans, mariée, États-Unis

Le rêve d'Helen fait penser à un bateau qui fait naufrage en mer. À la fin, elle est forcée d'abandonner le navire et ne dispose que d'un objet flottant pour tenter de rester en vie.

L'océan qui se soulève dans le rêve d'Helen symbolise une période de grandes émotions. Elle escalade un édifice élevé pour échapper à la marée montante, mais une fois au sommet, elle est témoin d'une scène de séparation et de transition. Certaines personnes ont déjà été englouties dans l'eau. D'autres font leurs adieux. Juste avant qu'Helen se réveille, elle prend conscience qu'elle aussi doit sauter de l'édifice et tenter de demeurer à flot.

Le mariage malheureux d'Helen a provoqué son rêve. Malgré le manque de communication et de contact avec son mari, Helen préfère rester mariée et maintenir ensemble les membres de sa famille. Toutefois, la requête de divorce que lui a récemment faite son mari a sonné l'alarme chez elle. Son rêve laisse penser qu'elle est de plus en plus convaincue que, bientôt, elle sombrera dans un océan d'incertitude, menaçant sa survie même. Le soutien auquel elle se raccroche (son mariage représenté dans le rêve par l'édifice) pourrait très bien « sombrer ».

Si elle ne l'a pas déjà fait, elle devrait consulter un conseiller matrimonial pour se renseigner sur ses droits légaux et commencer à se préparer en vue d'un changement de cap. Plus tôt elle réglera ces questions compliquées, plus vite la vague d'émotions se retirera.

« Une promenade sous l'eau »

Ma relation avec mon amoureux date de un an. Il n'a jamais été marié et n'a pas d'enfant. J'ai deux enfants d'un mariage précédent. Il y a environ quatre mois, nous avons commencé à nous disputer à propos de mes enfants. Il n'a jamais voulu fonder une famille et il remet en question son engagement avec moi à cause de mes enfants. Même s'il fait des efforts pour éviter cela, mon ancien mari le contrarie et parfois il est jaloux de l'attention que j'accorde aux enfants.

J'ai rêvé que je marchais sous l'eau. Je respirais et je parlais, mais des bulles sortaient de la bouche des autres personnes. J'examinais des sculptures de pierre très complexes sur mon chemin. Je rencontrais des gens que je connaissais et chacun me disait : « Si tu veux voir la vérité, tu n'as qu'à regarder. » Sur ce message, je me suis réveillée.

Je crois que cela signifie que je connais déjà la réponse à mes questions. Je n'ai qu'à faire face à la réalité.

– Melanie, 30 ans, divorcée, États-Unis

LA FACULTÉ DE RESPIRER SOUS L'EAU est plutôt rare. Dans le cas de Melanie, cela lui épargne bien des souffrances.

Le rêve de Melanie suppose une aisance dans ses émotions. Non seulement peut-elle marcher sous l'eau, mais elle respire sans peine. Tout au long du chemin sous-marin, elle s'arrête pour comprendre le sens de sculptures de pierre détaillées. Ainsi, elle cherche une solution ou une réponse à une question. Ayant perçu son désir tacite, son rêve lui répond directement : « Si tu veux voir la vérité, disent ses amis, tu n'as qu'à regarder. »

D'après le contexte que fournit Melanie, nous pouvons affirmer que les sculptures de pierre représentent les questions qu'elle se pose à propos de sa relation amoureuse. Les idées de son ami sur les enfants semblent rigides et inflexibles (comme de la pierre ?). Comme Melanie le suggère elle-même, peut-être a-t-elle déjà réalisé dans son cœur qu'il n'est pas un bon élément à inclure dans la famille.

La tête et le cœur ne sont pas toujours en accord lorsqu'il est question d'amour. Généralement la tête tente de nous convaincre de maintenir une relation (il va changer) qui ne nous convient pas, d'après ce que nous dicte notre cœur. Dans le cas de Melanie, la métaphore de la « promenade sous l'eau » – qui met en relation sa raison et ses émotions – montre que sa tête a effectivement rattrapé son cœur. Melanie est prête à lâcher prise et sait que c'est la bonne décision.

« Un courant vif »

Dans mon rêve, je me rendais à l'université pour m'inscrire à des cours. J'ai garé ma Jeep rouge dans l'aire de stationnement sans remarquer qu'il y avait une rivière à proximité.

Plus tard, quand je suis sortie de l'édifice, il y avait une grosse rivière vaseuse devant moi. J'ai d'abord cru que j'avais pris la mauvaise sortie. J'ai alors vu une mini-fourgonnette vert foncé flottant sur l'eau. Ensuite, il y a eu une fourgonnette rouge, puis ma Jeep est apparue à la surface, avant de dériver au loin.

Je suis retournée dans l'édifice pour chercher de l'aide. Je ne savais pas quoi faire. Il y avait foule dans l'escalier, qui était tout petit et en colimaçon, comme un toboggan pour enfants. Quand j'ai voulu sortir, une Tzigane et ses enfants étaient couchés juste devant la porte, bloquant ainsi la sortie. Je me suis réveillée en pleurant parce que j'avais perdu mon automobile.

Je suis originaire des États-Unis, mais je vis en Allemagne. J'étais mariée et j'élevais mes deux fils qui me comblaient de joie lorsque le Mur est tombé. À cette époque, nous avons découvert l'enfer des orphelins roumains et j'ai décidé d'adopter deux petites filles.

Je suis peinée d'avouer que cela a été la plus grande erreur de ma vie. Ces enfants ne sont pas normales. Elles détruisent tout, elles mentent et elles volent. L'une d'elle se gave de nourriture et n'a pas encore fait l'apprentissage de la propreté à onze ans. Mon mari est parti peu après l'adoption. Mon fils aîné a quitté il y a sept ans, dès qu'il a terminé ses études secondaires, et n'est jamais revenu me rendre visite. Je vais le voir, mais il ne veut pas venir à la maison tant que les filles y seront. Les thérapies et les services de consultations familiales n'ont rien donné.

Je dois travailler pour subvenir à mes besoins et à ceux des enfants. La plupart du temps, je me sens débordée. Le lien ne s'est pas créé entre les filles et ma famille. Mes espoirs de connaître une véritable relation mère et filles ne se sont pas réalisés.

P.S. : Ma fille de onze ans vient d'une famille tzigane.

– Patricia, 51 ans, séparée, Allemagne

DANS LES RÊVES, les automobiles sont une représentation de nous-mêmes et de la direction que nous prenons dans la vie. La perte d'une voiture – celle de Patricia est transportée à la dérive par le courant vif d'une grosse rivière – est le signe que nous ne savons pas comment nous parviendrons à une destination voulue. En prenant connaissance de l'histoire de Patricia, nous ne sommes pas étonnés de constater qu'elle soit dépassée par les événements difficiles qu'elle vit.

Lorsque Patricia se gare dans l'aire de stationnement de l'université où elle va s'inscrire à des cours, elle ne remarque pas la rivière qui coule à proximité. À son retour, elle découvre le cours d'eau, qui a soudainement pris de l'ampleur et où flotte son automobile à la dérive parmi d'autres voitures. L'eau qui a monté indique une période de grandes émotions, qu'elle n'arrive pas à maîtriser (courant vif).

Son inscription à des cours est probablement une allusion à l'esprit dans lequel elle a décidé d'adopter les orphelines roumaines. À l'époque, peut-être souhaitait-elle « apprendre quelque chose de nouveau » et enrichir sa vie, même si son rêve suggère qu'elle a sous-estimé l'ampleur de son geste sur le plan émotionnel. (Patricia n'a pas vu la rivière.)

L'intérieur du pavillon universitaire fait aussi allusion aux enfants. L'escalier est petit et encombré et lui fait penser à un toboggan pour enfants. Quand elle quitte le pavillon, une Tzigane couchée avec ses enfants bloque la sortie. L'identité de cette femme qui dort ne fait aucun doute. Dans les rêves, le sommeil est une métaphore courante de la mort et de l'inconscience. La Tzigane est certainement l'une des mères absentes. Patricia a l'impression que cette femme nuit à son évolution.

En représentant son automobile entraînée par un courant rapide, le rêve de Patricia nous informe qu'en tant que chef de famille monoparentale, elle a l'impression que la situation lui échappe de plus en plus et elle se sent envahie par toutes sortes d'émotions. Sa source première de frustrations vient de son incapacité à guérir complètement les blessures psychologiques des enfants qu'elle a adoptées. Elles ont subi des traumatismes à un très jeune âge et il est impossible d'effacer tout à fait ces cicatrices. Si Patricia arrive à accepter ses limites, elle cessera de se blâmer de ne pas réussir à rendre ses enfants meilleures. Elle pourra même commencer à mieux s'apprécier elle-même ainsi que la décision altruiste qu'elle a prise il y a plusieurs années. Dans un monde souvent rempli de noirceur et de malheurs, Patricia est une lumière vive et une âme héroïque.

Escalier

Escalier : L'escalier est un symbole du progrès des objectifs personnels et professionnels. Monter rapidement un escalier (plusieurs marches à la fois) peut refléter une progression facile vers un but – ou l'inquiétude de « sauter des étapes ». Escalader un escalier très haut jusqu'à craindre de perdre l'équilibre évoque des objectifs de carrière qui paraissent impossibles à atteindre. Une chute dans un escalier représente la peur de ne pas réaliser un but. Descendre un escalier peut évoquer une impression de régresser sur le plan économique ou social. Descendre dans une cave ou un sous-sol signale un accès à des sentiments inconscients ou à une prise de conscience.

Les marches d'un escalier réfèrent aux étapes que nous devons franchir sur la voie du succès. Un escalier où il manque des marches indique des obstacles. Un escalier qui a besoin de réparations fait allusion aux doutes du rêveur quant à ses capacités d'atteindre un but, ou à l'idée que sa stratégie est inadéquate et doit être revue. Un escalier sans fin laisse supposer que le parcours vers la prochaine étape est très long et n'en vaut peut-être pas la peine. Un escalier incomplet est le signe d'un projet – par exemple, un projet de mariage – interrompu ou abandonné. Freud a observé avec justesse que l'escalier a souvent une connotation sexuelle à cause du mouvement répétitif et de l'angle ascendant qui s'apparente à un pénis en érection.

• **Truc d'interprétation** : Grimpez-vous l'escalier du succès ? Essayez de déterminer les étapes que vous devez franchir pour parvenir au sommet.

⁂

Que nous montions ou descendions, dans les rêves, les escaliers peuvent entraîner des conséquences funestes. Dans « L'escalier du succès », une femme accède à un niveau supérieur dans sa carrière. Son ascension peut-elle être interrompue ? Dans « Descendre un escalier », la rêveuse descend dans son subconscient pour guérir un souvenir d'enfance pénible. Se souviendra-t-elle du chemin du retour ? « L'escalier de la cave » présente une mère qui doit passer plusieurs étapes avant de reprendre contact avec ses sentiments pour que puisse s'amorcer la guérison.

Rêves d'escaliers

« L'escalier du succès »

Je suis d'origine africaine et je vis aux États-Unis depuis plus de dix-huit ans. Je travaille comme contrôleuse dans une grosse entreprise. Je fais beaucoup de bénévolat à mon église et je me donne constamment de nouveaux défis. Je viens juste d'acheter ma première maison, sans aucune aide.

Samedi dernier, j'ai rêvé que j'étais à la maison (une immense maison à demi-niveaux) où je recevais de nombreux invités. Chaque fois que je voulais me rendre à l'étage, je voyais des serpents dans le coin de l'escalier ou sur les marches. Alors, je changeais d'idée et j'attendais une autre occasion. Lorsque j'essayais d'expliquer cette situation à un groupe de personnes, soit elles se moquaient de moi parce que j'avais peur, soit elles me disaient de continuer à monter les marches. Que pensez-vous de ce rêve ?

– Prindi, 34 ans, célibataire, États-Unis

Prindi a escaladé l'escalier du succès. Maintenant qu'elle est propriétaire de sa maison et contrôleuse dans une entreprise, se demande-t-elle parfois si elle peut monter encore plus haut ?

Ce rêve qui se déroule dans une immense demeure à demi-niveaux montre que l'achat récent de sa maison occupe encore son esprit. Le groupe de personnes réuni dans la maison (Prindi est l'hôtesse même s'il ne s'agit pas de sa véritable maison) évoque la reconnaissance publique et l'approbation à la suite de son dernier accomplissement.

Les tentatives de monter un escalier en rêve évoquent fortement les efforts effectués en vue « d'accéder à d'autres niveaux » dans notre carrière ou notre vie sociale. Les serpents, quant à eux, sont des symboles de changement et de croissance. Si le rêve de Prindi est une métaphore de l'ascension vers une autre réussite dans sa vie, il est possible que les serpents représentent ses peurs quant à sa capacité de demeurer à de telles hauteurs enivrantes.

Puisque les serpents du changement et de la métamorphose se trouvent dans l'escalier menant à « l'autre niveau », son rêve est un reflet de sa peur du succès. Immédiatement après avoir acheté toute seule sa première maison, Prindi est peut-être parfois déstabilisée en constatant la hauteur à laquelle elle est parvenue. Dans ce cas, ses amis du rêve – qui font fi des dangers que représentent les serpents et l'encouragent à continuer de monter – semblent lui offrir un bon conseil. Prindi a déjà beaucoup accompli dans ce monde et il n'y a aucune raison pour que cesse son ascension. Elle n'a qu'à procéder étape par étape.

« Descendre un escalier »

J'ai été agressée sexuellement lorsque j'étais enfant. Je suis en thérapie et sur la voie de la guérison depuis plusieurs années.

Voici mon rêve. Je me trouve dans le quartier de mon enfance et je suis maintenant une jeune femme. Je suis perdue et je demande à un homme quelle direction je dois prendre pour traverser un pont. Je n'écoute pas ses directives et je suis mon propre chemin. Je me retrouve dans une école – un lieu qui revient souvent dans mes rêves.

Je vois deux femmes qui descendent un escalier. Je les suis en espérant trouver une sortie. Elles sont loin devant moi. La cage d'escalier devient de plus en plus étroite. Soudain, j'entends deux hommes. Ils descendent aussi l'escalier, derrière moi.

J'aperçois les lumières de la rue. Je descends toujours. Maintenant, je dois me frayer un chemin. Je ne peux revenir en arrière. Je dois avancer, mais c'est difficile parce que parfois je reste coincée. J'arrive à un palier donnant sur la rue. Les femmes devant moi sortent dans la rue, qui est située dans un quartier dangereux.

Je suis maintenant coincée dans la sortie. Ma tête est bloquée et je ne peux même pas la bouger. Je suis piégée. Une moitié de mon corps se trouve dans la rue du quartier dangereux et l'autre partie est immobilisée dans la sortie. Les hommes approchent. D'une façon ou d'une autre, je suis en danger.

Ce rêve m'a beaucoup bouleversée. Quand je fais des cauchemars, je suis toujours dans le sous-sol d'une école ou d'une église. Je rêve souvent que je suis agressée sexuellement. Je travaille ce point en thérapie depuis longtemps. Je sens que ce rêve veut me dire quelque chose. Suis-je trop craintive pour avancer dans la vie ? Y a-t-il des dangers dans mon présent comme dans mon passé ?

– Olivia, 42 ans, mariée, États-Unis

LE RÊVE D'OLIVIA illustre les sensations difficiles qui émergent lorsqu'en thérapie elle explore le souvenir des agressions qu'elle a subies dans son enfance. Au début du rêve, Olivia cherche le chemin pour traverser un pont. Puisque les ponts en rêve sont un symbole de transition (ils nous font passer d'un lieu à un autre), il est logique de croire que le rêve d'Olivia met en scène ses efforts pour quitter ce territoire douloureux.

Un homme lui donne le chemin pour se rendre au pont, mais à la place elle choisit de suivre deux femmes qui descendent un escalier dans une école. Dans les rêves, les mouvements vers le bas (escaliers, ascenseurs, ou descentes dans une cave) sont une métaphore de l'exploration du subconscient et de la prise de conscience. De plus, les escaliers sont souvent associés à l'activité sexuelle en raison du mouvement généré dans la montée. Puisque l'escalier est situé dans une école, un symbole récurrent dans les rêves d'Olivia, peut-être les agressions de son enfance ont-elles eu lieu à un tel endroit ou dans une église.

À mesure qu'Olivia avance sur cette voie, les murs de la cage d'escalier se referment sur elle. Elle entend deux hommes qui la suivent.(A-t-elle été agressée par deux hommes dans son passé ?) Vers la fin du rêve, Olivia est coincée dans une sortie, incapable de se rendre dans une rue qui lui semble dangereuse et de se sauver des deux hommes qui approchent. Si, comme elle le suggère; son rêve est une métaphore de son évolution en thérapie, nous pouvons voir clairement qu'actuellement, elle est « coincée ». Les hommes du passé comme ceux du présent paraissent menaçants et Olivia reste figée de peur entre les deux.

Olivia nous informe qu'elle est mariée. Si sa relation avec son mari est solide et lui apporte du soutien, Olivia a déjà franchi un bon pas sur le pont de la transition – où tous les hommes ne sont pas perçus comme des agresseurs potentiels mais plutôt en tant qu'individus ayant de bons et de mauvais côtés. En tant que survivante d'agressions survenues durant l'enfance, Olivia doit établir des relations de confiance avec tous les membres de son environnement social : ses amis, sa famille et les êtres qui lui sont chers. Avec leur soutien constant, Olivia pourra bientôt monter l'escalier menant de la trahison à la confiance et ouvrir la porte sur un avenir sans peurs.

« L'escalier de la cave »

Il y a un an, j'ai perdu un fils. Évidemment, j'ai eu si mal que j'ai cru que je n'allais pas survivre. Environ deux semaines après sa mort, j'ai rêvé que j'étais dans un château.

Ma sœur, qui m'a toujours soutenue, m'a réveillée pour m'annoncer que quelqu'un voulait me voir. Elle a descendu deux volées d'escaliers avec moi et à un certain point, elle m'a dit : « Je ne peux aller plus loin. » J'ai continué et je suis arrivée à un endroit où était assis son mari. Il est comme un père pour moi. Il m'a dit : « Passe cette porte ; je ne peux t'accompagner. »

Je me suis retrouvée dans la cave. Je ne voyais que des murs de brique et un autre escalier. J'avais peur. J'ai passé la porte et j'ai aperçu mon fils qui dormait dans son lit, dans ses vêtements habituels. Il s'est levé. J'avais très peur et j'ai remonté l'escalier en courant. Je ne pouvais que penser : « Oh, mon Dieu, il est mort. Que fait-il ici ? »

Lorsque j'ai retrouvé ma sœur, elle m'a dit : « C'est ton fils. Rejoins-le et dis-lui que tout ira bien. » Je suis donc redescendue. Je l'ai serré contre moi en lui disant que tout se passerait bien. Je me sentais tellement mieux. Puis, je me suis réveillée. Que peut bien signifier ce rêve ?

– Megan, 28 ans, mariée, États-Unis

DANS LE MONDE DES RÊVES, les maisons représentent le soi. Les étages supérieurs reflètent généralement des facultés mentales plus élevées comme la pensée et la spiritualité, tandis que la cave et le sous-sol recèlent les sentiments inconscients et les prises de conscience. La maison de Megan étant un château, elle prend du coup un sens particulier. En rêve, les châteaux sont associés à la richesse spirituelle, au soi le plus élevé, ainsi qu'à la sagesse mythique.

Le rêve de Megan utilise une image familière : elle descend très profondément dans son subconscient. C'est le territoire où se cachent les peurs et les blessures – parce qu'elles sont douloureuses. Avec le soutien des personnes qu'elle aime, Megan vainc peu à peu ses peurs et retrouve éventuellement son fils. Dans ce lieu magique au plus profond du château mythique, la séparation de la mort est vaincue et un lien est restauré entre mère et fils.

Lorsque nous vivons des événements traumatisants, souvent notre esprit enterre nos émotions afin de nous protéger du choc et nous permettre de poursuivre notre vie de tous les jours. Cependant, notre capacité de réprimer nos sentiments n'est qu'un pansement sur une blessure qui doit être traitée consciemment afin de guérir complètement. Ainsi, le rêve de Megan illustre le courage. Une femme forte entreprend le merveilleux voyage vers la guérison et le renouveau.

Examen

Examen : Les rêves à propos d'examens reflètent une tension face à un « test que nous devons passer » ou à un « autre niveau auquel nous devons accéder » dans notre vie ou notre carrière. Le stress que nous ressentons à l'état de veille nous rappelle notre situation lorsque nous devions passer un examen à l'école. Les rêves où il est question de mathématique, d'algèbre ou de calcul infinitésimal (des matières associées aux chiffres) évoquent des inquiétudes liées à l'argent. Les examens portant sur deux matières peuvent signaler le besoin de faire un choix de carrière.

Obtention d'un diplôme : Les rêves dans lesquels nous réussissons à décrocher un diplôme symbolisent une transition positive vers le « prochain niveau » d'accomplissement sur le plan personnel ou professionnel. Nous éprouvons un sentiment de réalisation, de réussite ; nos pairs nous admirent et nous respectent. L'échec à obtenir un diplôme indique que nous n'accédons pas au « niveau suivant ».

École : Lorsque nous rêvons que nous sommes à l'école, peut-être avons-nous l'impression que nous « apprenons une nouvelle matière » dans le cadre d'une nouvelle phase de notre carrière. Les rêves d'adolescents se déroulent souvent en milieu scolaire et peuvent être liés à l'angoisse sociale et à la pression à l'uniformité, ainsi qu'à des inquiétudes concernant la performance. L'école est aussi une référence à l'obéissance, aux règles et la hiérarchie auxquelles nous adhérons, de même qu'aux autorités que nous devons respecter.

Vestiaire : Puisque les vestiaires contiennent nos effets personnels à l'école ou au gymnase, ils sont associés à des préoccupations concernant l'identité. Si nous sommes incapables de repérer notre vestiaire ou si nous avons de la difficulté à nous souvenir de la combinaison du cadenas, il est possible que nous ayons des doutes à propos de notre identité ou de notre rôle parmi nos amis ou nos camarades de classe.

Directeur : Les directeurs sont des figures d'autorité, tout comme les parents et la police. Il est plus probable qu'ils apparaissent dans un contexte scolaire.

• **Truc d'interprétation :** Si vous rêvez que vous retournez à l'école et que vous passez un examen, essayez de découvrir dans quel domaine de votre vie vous vous faites du souci à propos de votre performance.

⁂

Étrangement, les rêves où nous retournons à l'école ne sont pas des souvenirs d'une ancienne époque insouciante de notre vie. Au contraire, ils sont toujours porteurs de tension et d'angoisse. Nous ne pouvons croire que nous avons oublié ce devoir !

Dans « J'ai peur de ne pas obtenir mon diplôme », une femme regrette de ne pas avoir été plus attentive à l'école, ce qui lui permettrait maintenant d'être plus confiante dans sa préparation en vue d'atteindre « le prochain niveau ». Dans « En retard dans ma révision », un homme s'inquiète encore de terminer un travail, treize ans après l'avoir fait. « Je n'ai pas les prérequis » présente un homme de vingt-neuf ans qui fait des rêves décevants où il doit retourner à l'école secondaire. Comme dans tous les rêves de ce type, il n'est pas question du passé mais du présent.

Rêves à propos d'examens

« J'ai peur de ne pas obtenir mon diplôme »

Depuis plusieurs années, je fais un rêve récurrent dans lequel je suis à mon école secondaire et j'essaie de me rendre à mon cours. Je ne trouve pas la classe et je sais que si je n'y arrive pas et que si je ne fais pas mon travail, je n'obtiendrai pas mon diplôme.

Quand je me réveille, mon cœur bat très fort. Je m'assois dans mon lit et je me demande si j'ai effectivement reçu mon diplôme (c'est le cas). Pourquoi ce rêve revient-il si souvent ?

Je pense que c'est parce que je regrette de n'avoir pas fourni plus d'efforts et d'avoir fait l'école buissonnière pendant mes deux dernières années d'études.

J'ai l'impression de ne pas être assez intelligente pour aller à l'université. D'ailleurs, si j'échouais, les gens pourraient voir à quel point je suis stupide. Peut-être que je ne suis pas satisfaite de ma vie. Qu'en pensez-vous ?

– Andrea, 45 ans, mariée, États-Unis

LES PERSONNES TRÈS OCCUPÉES rêvent souvent qu'elles retournent à l'école – des cadres stressés devant une « montagne de tâches à accomplir, aux mères qui se demandent comment elles parviendront à coordonner leurs activités et celles de leurs enfants. Dans chaque cas, le rêveur sent le poids du défi qui l'attend. L'angoisse nous rappelle des sensations que nous avons connues à l'école lorsque nous nous préparions à un examen final. Réussirons-nous le test ?

En plus de représenter des tâches immédiates que nous devons accomplir, les rêves de retour à l'école peuvent également refléter des problèmes de plus grande envergure. La fin des études constitue une étape importante de la vie. Nous nous attendons alors à un nouveau tournant : un bon emploi satisfaisant, une certaine aisance financière, etc. Si nous avons l'impression de ne pas avoir accompli ce que nous aurions dû faire, que nous ne sommes pas parvenus à un statut que nous envisagions (le mariage, des enfants, la réussite professionnelle), il est probable que nous nous sentions comme un enfant qui doit réussir un examen afin de passer au niveau suivant. Réaliserons-nous nos attentes ?

Le rêve récurrent d'Andrea porte sur l'obtention du diplôme. Il ne traduit pas un stress du passé, mais suggère plutôt des doutes sur sa capacité de passer à l'étape suivante qu'elle avait prévue. Peut-être désire-t-elle un meilleur emploi, un certain statut social ou – d'après ce que suppose son récit – un niveau d'éducation à la hauteur de ses aptitudes.

Ses rêves sont un appel à l'action. Ils lui rappellent les objectifs qu'elle s'est fixés et les doutes qui, de façon normale, accompagnent tout nouveau projet ou défi. Si Andrea s'inscrit au cours universitaire qu'elle considère prendre, elle sera bientôt doublement récompensée. Ses rêves angoissants disparaîtront (elle réalisera son but) et elle apprendra que comme adulte, elle est une bien meilleure étudiante qu'elle ne le pense.

« En retard dans ma révision »

Je fais un rêve dont souvent je ne me rappelle pas le contenu exact. Quand je m'éveille, j'ai l'impression d'avoir pris du retard dans ma révision et que la période d'examens arrive à grands pas. Alors, je panique. Parfois, cela prend quelques secondes avant que je me rende compte que je n'ai pas fait d'examens depuis treize ans et que je n'ai aucun test à passer.

Ces rêves m'angoissent car je crois qu'ils ont commencé depuis que j'ai subi les épreuves finales à l'université. Mon moi intérieur tente-t-il de me dire de cesser de remettre mes projets au lendemain et d'aller de l'avant, puisque j'ai l'impression de ne pas avoir accompli beaucoup de choses depuis que j'ai quitté l'université ? Ou s'agit-il d'un trauma persistant qui date de l'époque où je devais passer mes épreuves finales alors que je n'avais pas encore terminé mon mémoire ? Comment faire cesser ce rêve ? Cela fait treize ans que je cherche à comprendre ce rêve.

– James, 37 ans, célibataire, Royaume-Uni

LE RÊVE DE JAMES n'est pas un trauma qui date de treize ans causé par ses travaux universitaires et ses épreuves finales. Il reflète plutôt un stress issu de circonstances actuelles, qui lui rappelle la tension et le doute qu'il a connus lorsqu'il fréquentait l'université.

James reconnaît qu'il éprouve des doutes et un manque d'assurance face à l'évolution de sa carrière. En conséquence, son rêve récurrent dans lequel il craint de ne pas obtenir son diplôme est un reflet de sa peur de ne pas réaliser ses attentes. Le rêve porte aussi une colère venant d'une période de stagnation prolongée et de remise au lendemain. James sait qu'il doit aller de l'avant et changer sa vie, mais il n'a pas encore effectué les premiers pas.

Si James a l'impression d'être un raté, son rêve l'encourage à cerner les objectifs qu'il s'est fixés et à entreprendre une démarche concrète au quotidien pour les réaliser. Il serait rassurant et pratique pour lui de chercher conseil auprès d'un orienteur professionnel afin de connaître ses possibilités. Les longs voyages s'amorcent par un premier pas et le rêve de James manifeste clairement son désir d'avancer.

« Je n'ai pas les prérequis »

> Je rêve très souvent que je dois retourner à l'école pour qu'on m'accorde quelque prérequis que je n'ai pas obtenu. C'est généralement l'école secondaire que je dois fréquenter, parfois l'université. Quelquefois, certaines connaissances doivent aussi retourner à l'école, mais ce ne sont pas des amis très proches. Ce rêve m'apporte habituellement de la déception et je m'éveille avec une sensation de recul et d'insatisfaction.
>
> – *Christian, 29 ans, célibataire, Canada*

CE RÊVE ILLUSTRE BIEN LA FRUSTRATION et la déception qui caractérisent les rêves de retour à l'école. Christian a-t-il l'impression de ne pas atteindre ses objectifs professionnels, d'être coincé dans un emploi frustrant, ou d'être malheureux dans sa vie amoureuse ? Si les rêves se produisent durant des périodes de stress au travail, il est possible qu'il s'inquiète de sa capacité « d'accomplir une tâche » ou « de passer le test » aux yeux de ses collègues. Ce type de rêve envoie toujours le même message : il est temps de saisir l'occasion et de nous concentrer sur nos buts. Plus tôt nous agirons, mieux nous nous sentirons.

Feu

Feu : En rêve, le feu est souvent un symbole de transition parce qu'il détruit les objets et les fait passer d'un état à un autre. Le feu fonctionne aussi comme un signe d'avertissement ou d'urgence. Par exemple, lorsqu'une mère rêve que son enfant est captif d'un incendie, peut-être se fait-elle du souci en raison d'une nouvelle période de croissance (transition) qui nécessite son attention urgente. Le feu peut aussi exprimer la passion et la création (un « feu couvant » ou un « désir ardent »). Dans le contexte de la maison, sous la forme d'un foyer par exemple, il évoque la chaleur familiale. Les rêves où il y a du feu ne présagent pas d'un incendie.

Voyez aussi : « Maison »; « Défendre sa maison ».

Camion d'incendie : Le camion d'incendie est un symbole de crise, d'urgence et d'un besoin d'aide. Le rêveur nécessite fort probablement une assistance. Quelle est la situation urgente ?

• **Truc d'interprétation :** Le lieu où brûle le feu fournit des indices sur la signification du rêve. Si le rêve s'accompagne de sentiments d'urgence, demandez-vous quelle situation exige votre attention immédiate.

❊ ❊ ❊

Lorsque dans un rêve un objet se consume, il est clair que nous devons prêter attention. Dans « Une automobile qui brûle », une femme veut atteindre une destination. La situation est urgente ! « Un désir qui couve » a pour sujet l'émergence d'une passion chez une femme. Pourra-t-elle saisir sur sa tablette à croquis une vision qui se consume, afin de la conserver en mémoire avant d'être obligée de la cacher ?

Rêves de feu

« Une automobile qui brûle »

La nuit dernière, j'ai rêvé que j'étais prisonnière de ma voiture qui brûlait. J'étais sur la banquette arrière et je tenais mon bébé (en réalité, je n'ai pas d'enfant). Le feu envahissait presque complètement l'auto, sauf moi et le bébé.

Je me suis tournée à l'opposé du feu et j'ai senti mon dos qui brûlait. Mon premier souci était de protéger le bébé. Je n'arrivais pas à ouvrir les portes et juste comme nous allions brûler, je me suis souvenu que la fenêtre arrière pouvait être défoncée au besoin. Je l'ai donc brisée et j'ai fait sortir le bébé, mais je me suis réveillée (en sueur) avant de pouvoir moi-même m'échapper.

Je ne vois vraiment pas ce que peut vouloir dire ce rêve. Voici ce que j'ai vécu dernièrement. Le week-end dernier, j'ai été une fois de plus demoiselle d'honneur et depuis quelques jours, je me sens déprimée à cause de mon vingt-septième anniversaire qui aura lieu cette semaine. Je n'ai pas l'habitude de me faire du souci à propos de ce genre de chose et je suis déçue de m'être laissée atteindre. Je suis célibataire et toutes mes amies se marient. Hier, j'ai décidé de poursuivre mes études au niveau de la maîtrise.

– Esther, 27 ans, célibataire, États-Unis

D'APRÈS LE RÊVE D'ESTHER, nous pouvons nous demander s'il n'y a pas de « l'échauffement » dans l'air. Toutes ses amies se marient et il semble que leurs mariages placent Esther « sur le gril ».

Dans son rêve, le feu est une représentation de la pression qu'elle subit pour rattraper ses amies qui se marient toute tandis qu'elle reste célibataire. Ce qui n'arrange rien, son anniversaire approche, un rappel du temps qui s'écoule et qu'elle ne rajeunit pas. Après avoir été demoiselle d'honneur (une fois de plus), la pression est tellement forte qu'Esther gère la situation comme s'il s'agissait d'un grave incendie.

Le bébé symbolise ses espoirs de fonder une famille et son désir de s'occuper d'elle-même et de sa carrière. L'automobile représente la direction que prend sa vie. De façon significative, cette voiture n'a pas de conducteur. L'endroit où elle est coincée (la banquette arrière) suggère aussi l'impuissance. Attend-elle la venue d'une personne qui lui montrera sa voie ?

Juste au moment où les flammes deviennent insupportables, Esther se souvient qu'il existe une sortie. Si Esther ne se marie pas au cours des prochaines années, il semble qu'elle ait décidé de tirer le meilleur parti du temps dont elle dispose en s'inscrivant à un programme de maîtrise.

Le rêve d'Esther exprime l'urgence de rattraper ses amies et de faire partie du groupe de nouvelles mariées, mais sa fuite de l'automobile qui brûle montre que ses désirs pour l'avenir se portent bien.

« Un désir qui couve »

J'ai rêvé que j'étais parvenue à un certain âge et que j'étais mariée. Cependant, je ne désirais plus mon mari. Je le voyais nu ; il avait une érection qui se transformait en une longue perche.

Dans la scène suivante, je suis avec une femme et nous décidons de devenir amantes. Vêtues de peignoirs, nous nous faufilons dans le sous-sol de ma maison. Un vieux tapis peluche couvre le plancher. Il n'y a pas de placards, ni de photos sur les murs, ni de meubles.

Puis, je l'aperçois nue. J'ai la poitrine découverte. Soudain elle se consume tout doucement, comme de la braise. Il y a un peu de fumée, mais surtout, je la vois en train de brûler comme une feuille de papier. Le feu court de sa tête à ses épaules.

Elle se tient immobile, comme si elle posait. C'est tellement beau que je cours ramasser ma tablette à croquis et un crayon par terre et je me mets à la dessiner. Je dessine tandis qu'elle se consume lentement.

Mon mari arrive dans le sous-sol et je laisse tomber ma tablette. Je revêts ma blouse et je fais comme si rien ne s'était passé. Je m'éveille.

– *Helen, 20 ans, célibataire, États-Unis*

Ce rêve d'exploration sexuelle est significatif pour plusieurs raisons. D'abord, il révèle la curiosité de Helen de vivre une relation amoureuse avec une femme. Puis, il montre que son attirance, en plus d'être sexuelle, est de nature esthétique. Quand Helen va au sous-sol avec cette femme de rêve, probablement en vue d'un rapport sexuel, cette dernière commence à se consumer. Sa beauté est si grande que Helen veut tout de suite la dessiner ; elle devient une artiste qui désire capter une vision qui « se consume » littéralement. Son rêve indique qu'elle sait certainement apprécier la beauté féminine.

Dans l'univers du rêve, le feu évoque couramment une transformation. (Lorsqu'un objet brûle, il devient autre chose.) C'est aussi un symbole de passion. Ainsi, est-il possible que le rêve de Helen la renvoie à ses pensées qui changent et à des désirs qui couvent en ce qui a trait à ses sentiments envers les femmes ? Il est aussi probable que la femme en transition (celle qu'elle dessine) soit un reflet d'elle-même.

Juste au moment où elle commence à se sentir à l'aise nue (sentiments exposés), les bonnes vieilles normes sociales (sous la forme de son mari) se manifestent et gâchent l'atmosphère. Dans ce cas précis, le mariage représente un choix conventionnel de relation. Cette vision du futur, du moins à ce moment-ci, n'intéresse pas Helen.

Même si son rêve traduit une curiosité envers les relations homosexuelles, il ne signifie pas qu'elle est lesbienne, ni même bisexuelle. Il reflète simplement un désir naturel d'explorer sa sexualité. Helen devrait conserver un œil enjoué et sophistiqué sur ce feu et le laisser brûler.

Guérison

Guérison : Les rêves de guérison reflètent un sentiment de renouveau après une période de difficultés émotionnelles. Les thèmes courants de guérison incluent « récupérer après une chirurgie » et « suivre un traitement et se rétablir après qu'une maladie a été diagnostiquée ». Les instruments médicaux, les rayons X, les opérations chirurgicales et l'ablation d'un organe infecté sont aussi des thèmes fréquents.

Après l'opération, le rêveur porte un plâtre, est assis dans un fauteuil roulant ou se retrouve dans un environnement médical avec d'autres personnes en convalescence. Les rêves de guérison sont positifs. Le rêveur récupère après une période d'émotions bouleversantes (divorce, rupture amoureuse, perte d'un être cher).

• **Truc d'interprétation** : Si vous rêvez que vous vous remettez d'une blessure ou d'une chirurgie, demandez-vous de quel choc émotif vous êtes en train de guérir.

Peu de rêves possèdent une aussi grande charge symbolique que ceux dont le thème est la guérison. Une page a été tournée, un jour nouveau se lève. Dans « Ma thérapeute m'opère », une femme explore son expérience en thérapie par la métaphore de la chirurgie. Elle veut savoir : cela doit-il être aussi souffrant ? Dans « Le jardin de jouvence », une rêveuse trouve l'espoir et la force au bout d'un long chemin épuisant. C'est un rêve d'espoir pour toutes les âmes sur la voie du renouveau spirituel.

Rêves de guérison

« Ma thérapeute m'opère »

Je suis couchée dans mon lit et ma thérapeute (une femme en qui j'ai une entière confiance) est en train de m'opérer. Elle m'ouvre du sternum au nombril. Elle sort tous mes organes.

Je m'assois, complètement vide. Je me lève. Puisque je saigne, elle m'ordonne de me coucher. Une fois allongée, je repose à côté d'une femme à la peau foncée qui dort. Elle aussi a été ouverte. La thérapeute a pris ses organes et les a placés en moi.

Plus tard, je suis étendue sur un lit et je raconte l'opération à mon mari. Je pleure parce que la blessure me fait souffrir. Je regarde la coupure et je vois que tout est bien refermé, même s'il n'y a pas de points de suture. Cela m'inquiète mais mon mari me rassure en me disant que ma thérapeute sait ce qu'elle fait et que tout ira bien. La blessure me fait très mal.

Je dois spécifier que j'ai décidé de m'accorder un congé et que je n'ai pas vu ma thérapeute depuis un mois.

– Victoria, 35 ans, mariée, Canada

NOUS SAVONS que les thérapeutes nous aident à « voir en nous-mêmes ». Heureusement, puisque le processus thérapeutique concerne les pensées, les sentiments et les souvenirs (et non les reins, le foie et les intestins), les thérapeutes n'ont pas besoin de nous ouvrir chaque fois que nous leur rendons visite. Toutefois, comme le montre clairement le rêve de Victoria, même si les thérapeutes n'utilisent pas de bistouri, cela ne signifie pas que la guérison s'effectue sans douleur.

La thérapeute de Victoria lui enlève ses organes internes pour les remplacer par ceux d'une femme à la peau foncée qui dort à côté d'elle. Selon une analyse populaire chez les adeptes de Jung, la femme à la peau plus sombre représenterait

« l'ombre » de Victoria – les aspects de sa personnalité qu'elle n'a jamais voulu regarder en face et qu'elle s'est efforcée de tenir cachés. La femme dort à côté de Victoria parce que ces sentiments, même s'ils sont tout près d'elle, sont encore inconscients.

En gros, le but d'une thérapie est de parvenir à nous comprendre de la façon la plus réaliste et la plus honnête possible et de nous amener à prendre les décisions les plus saines, à partir de cette connaissance. Ainsi, elle exige que nous nous penchions sur les éléments que nous avons toujours évités et que nous les fassions émerger à la lumière du jour pour deux raisons. Premièrement, si nous prenons l'habitude d'éviter la réalité, nous obtenons une vision fausse du monde. Par conséquent, nous perdons notre faculté de réagir de manière réaliste et efficace. Deuxièmement, il n'est pas sain d'éviter de reconnaître des sentiments parce que cela signifie que nous ne sommes pas à l'écoute de nous-mêmes. La principale règle de l'estime de soi est de toujours écouter et valider nos sentiments.

De façon éloquente, le rêve de Victoria ne précise aucun problème qu'elle tente de résoudre en thérapie. Le rêve semble plutôt axé sur le processus thérapeutique comme tel. À la lumière de sa décision récente de prendre un congé, nous pouvons nous demander si Victoria est en train de réévaluer les bienfaits du traitement. La douleur qu'occasionne le traitement vaut-elle la promesse d'une meilleure qualité de vie pour l'avenir ? De façon similaire, malgré la confiance qu'elle accorde à sa thérapeute, dans son rêve Victoria se questionne à haute voix sur les méthodes qu'elle emploie. C'est son mari qui la rassure que sa thérapeute sait ce qu'elle fait.

Son rêve peut aussi être interprété différemment. Peut-être sent-elle que sa thérapeute a fait un mauvais diagnostic. Dans le rêve, la thérapeute attribue à Victoria les « organes plus sombres » d'une autre personne. Ce geste suggère que Victoria a l'impression que sa thérapeute essaie de lui apposer une étiquette (une personne aux intentions et motivations sombres) qui, selon elle, n'est pas juste. Victoria croit-elle vraiment que sa thérapeute la perçoit et la comprend clairement ?

Si Victoria éprouve des doutes envers sa thérapeute, elle devrait en discuter ouvertement avec ses amis et ses connaissances qui ont déjà été en thérapie afin de pouvoir faire des comparaisons. La souffrance fait partie du processus thérapeutique qui, en retour, accroît l'estime de soi et la confiance en soi. De plus, les thérapeutes recourent à des techniques diverses. Victoria ne doit pas tuer le messager qui lui apporte des nouvelles difficiles, mais elle a le droit d'obtenir plusieurs opinions.

« Le jardin de jouvence »

À l'époque où j'ai fait ce rêve, mes enfants étaient âgés de cinq et neuf ans. Mon mari avait quatre emplois (son choix) et je retournais à l'école de sciences infirmières. En fait, je planifiais être capable de me soutenir financièrement car j'étais très malheureuse avec mon mari. Lorsque nous nous sommes mariés, j'étais enceinte. Je vivais une situation de violence. Je voulais demeurer à la maison avec mes enfants, mais je sentais que je devais être en mesure de travailler.

Dans mon rêve, je me sentais accablée d'un fardeau et j'étais gonflée par l'embonpoint. Je marchais péniblement le long d'une route par une journée très chaude. Je me sentais très mal, au désespoir.

Je suis arrivée à un mur de pierres qui entourait un magnifique jardin. Je voyais des arbres et entendais des oiseaux ; je respirais l'air frais. Je me suis traînée jusqu'à la barrière. Dans le jardin, il y avait de jolis arbustes, des fleurs, des arbres et une pelouse luxuriante. J'ai avancé lentement (j'étais attirée) vers un coin du jardin où poussait un gros arbre vert, comme un chêne solide. Je me suis effondrée devant l'arbre. Mon corps s'est ouvert et a laissé sortir du pus et des déchets empestant l'air.

J'ai ressenti un grand soulagement et j'ai levé la tête pour regarder l'arbre, qui semblait être la source de mon apaisement. En levant la tête, mon corps a guéri et je me suis transformée en papillon, survolant le jardin en toute liberté et émerveillée. Le mouvement de l'arbre me paraissait comme un signe d'approbation. Je volais légèrement d'une fleur à l'autre, me nourrissant de beauté et de joie.

À la suite de ce rêve, je me suis sentie confiante et autonome. J'avais l'impression d'être libérée de la culpabilité et des « déchets ». J'ai terminé mon cours et, trois ans plus tard, j'ai demandé le divorce. Je me sentais comme une nouvelle personne qui avait été pardonnée.

J'avais « déposé mon fardeau » au pied de cet arbre. Je suis devenue une nouvelle création. Je croyais que Dieu se manifestait dans cet arbre et qu'Il me libérait de mes peurs et de la culpabilité qui m'envahissaient depuis des années. Le jardin, tout comme le papillon, représentait une nouvelle vie. Il régnait tant de paix, d'harmonie, de beauté et de luxuriance – comme je n'en avais jamais connu. Je n'ai jamais oublié ce rêve et pour moi, il est un symbole de changement, de puissance, d'espoir et de paix.

– Elizabeth, 49 ans, remariée, États-Unis

NOUS NE FAISONS pas souvent des rêves aussi puissants et régénérateur que celui d'Elizabeth, mais lorsqu'ils arrivent, ils nous apportent la force et la confiance nécessaires pour vaincre l'adversité la plus grande. Les conseils que nous recevons intérieurement alimentent notre vision pour la vie.

À un moment difficile de sa vie, lorsqu'elle est accablée de responsabilités – et qu'elle a le cœur lourd – son rêve lui laisse voir un avenir qui est à sa portée, si elle y met de la détermination et y consacre des efforts. Dans son rêve, la voie du changement est mise en évidence. Elizabeth doit abandonner la culpabilité (se pardonner à elle-même) qui l'assaille pour les décisions qu'elle a prises par le passé et se permettre de devenir une nouvelle personne – symbolisée par sa métamorphose en papillon. Cette expression du renouveau par un papillon est très habile. Les papillons sont des chenilles qui réussissent à sortir de leur cocon.

Le rêve d'Elizabeth est une guérison en soi, mais il est évident, d'après son récit, qu'il ne s'agit que du commencement. L'arbre de vie qu'elle perçoit comme Dieu lui enseigne que le renouveau est possible, mais c'est sa forte volonté qui a créé son bonheur actuel. Après trois années d'évolution constante (dans un cocon ?), à partir du moment où elle fait ce rêve, Elizabeth a réussi à se libérer d'une relation insatisfaisante et à assurer la subsistance de ses enfants. Aujourd'hui, elle est le papillon qu'hier elle rêvait de devenir.

À chaque personne qui se trouve dans une situation de désespoir semblable, le rêve d'Elizabeth vient rappeler qu'il est toujours possible de changer. Lorsque l'espoir, les efforts, le pardon et la grâce spirituelle convergent, les miracles se produisent.

Maison

Maison : Dans les rêves, les maisons sont souvent des métaphores du soi, les étages supérieurs reflétant les processus mentaux plus élevés – la pensée, la conscience et la spiritualité – et les niveaux inférieurs (la cave et le sous-sol) représentant des sentiments inconscients et la prise de conscience. Les pièces spécifiques sont associées à des aspects divers du soi : la chambre à coucher (sexualité et intimité), la cuisine ou la salle à manger (nourriture et appétit), le séjour (mode de vie). Le toit est un lieu offrant une perspective – la possibilité de voir à une distance éloignée – et pouvant aussi marquer la transition entre le monde vivant et l'univers spirituel. Une maison en mauvais état évoque des soucis de santé sur le plan physique ou psychique. Les nouveaux chez-soi et les résidences en construction représentent respectivement des transitions et des projets en chantier. Les grandes habitations comprenant plusieurs pièces peuvent être le symbole de la famille étendue. Les murs manquants peuvent exprimer le manque de limites dans les liens familiaux et l'absence d'intimité.

La découverte de pièces inconnues – habituellement un rêve agréable – exprime la révélation d'aspects du soi cachés ou oubliés, souvent à la suite d'une période où nos objectifs personnels ont été sacrifiés. Par exemple, une femme qui redécouvre sa passion pour l'art ou les affaires une fois que ses enfants ont quitté le foyer peut rêver qu'elle trouve une nouvelle pièce vide dans sa maison, qu'elle décore avec enthousiasme.

Les hôtels sont des symboles communs du caractère transitoire à cause de leur association aux voyages. Ils représentent souvent des relations en transition ou des liens peu fréquents avec des amis ou des membres de notre famille.

Ils font également allusion aux liaisons amoureuses illicites, souvent consommées en ces lieux.

Les châteaux sont associés à la richesse et à la sagesse mythique. Ils servent souvent de cadre lorsqu'il est question du soi le plus élevé et de croissance spirituelle. Voyez aussi « Escalier » ; « Dans la cave ».

• **Truc d'interprétation :** Si vous rêvez que vous vivez dans une nouvelle maison, demandez-vous quelle transition de votre vie spirituelle ou affective est représentée. Si vous rêvez d'une maison où vous avez déjà habité, peut-être nagez-vous encore dans des émotions qui datent de cette époque.

* * *

Les maisons des rêves de ce chapitre reflètent différents états émotifs. Dans « Obstacles dans la cave », une jeune femme s'étonne de trouver une si grande quantité de pacotilles dans sa cave. Est-il temps de faire un ménage du printemps ? Dans « Défendre ma maison », un homme s'inquiète de sa longévité – et de sa capacité de survivre à une attaque. « Une pièce supplémentaire » est le rêve d'une découverte excitante : de nouvelles pièces dans la maison. « Une pièce secrète » présente une femme qui recherche la consolation. Certains endroits se visitent mieux dans la solitude.

Rêves de maisons

« Obstacles dans la cave »

Un garçon que j'aime bien est apparu dans mon rêve. Je me trouvais dans une maison qui était censée m'appartenir. Étrangement, la partie inférieure était transparente. J'étais à l'intérieur et lui, à l'extérieur. Il regardait à travers la partie transparente de la maison et me faisait signe de le rejoindre à la porte principale.

Tout en courant vers la porte, je devais enlever divers objets de mon chemin. Autre curiosité : à l'endroit où aurait dû se trouver la salle de séjour, il y avait une pièce avec un plancher en ciment, comme dans une cave, où s'empilaient des boîtes et d'autres rebuts. Encore une fois, il a fallu que je déplace des objets ; je me dépêtrais parmi les boîtes pour atteindre la porte. Quand j'y suis enfin arrivée, je l'ai vu partir dans une Jeep. Qu'est-ce que cela signifie ?

– *Safina, 21 ans, célibataire, États-Unis*

DANS LES RÊVES, les caves et les sous-sols sont une référence aux sentiments inconscients et aux prises de conscience. De façon significative, dans le rêve de Safina, sa maison est transparente. Le garçon qu'elle aime peut voir dans sa maison et l'invite à le rejoindre à la porte principale. Malheureusement, Safina doit se dépêtrer parmi des boîtes de rebuts lorsqu'elle traverse la salle de séjour qui ressemble soudainement à une cave. Lorsqu'elle parvient à la porte, son ami, qui s'est probablement impatienté, est parti.

Les obstacles que Safina rencontre dans son rêve peuvent s'appliquer spécifiquement à sa relation avec cet homme. De façon plus générale, il peut aussi être question de sa disposition à une relation amoureuse sur le plan émotionnel. La cave et les boîtes de rebuts sont des symboles très forts qui présagent d'émotions non résolues – peut-être d'une ancienne relation. La transparence renvoie peut-être à son attirance flagrante pour cet homme, mais peut aussi refléter une sensation d'exhibition. Peut-être Safina n'a-t-elle pas encore fait le ménage de ses anciennes relations, ce qui l'empêche d'entrer en contact avec cet homme. La métaphore exprimée dans son rêve est évidente : elle doit « faire le ménage » de sa maison (remettre de l'ordre dans ses émotions) si elle veut s'engager avec un nouvel homme.

« Défendre ma maison »

Je suis marié depuis dix-sept ans et je suis facteur depuis quinze ans. La veille de ce rêve, je me suis disputé avec mon épouse à propos de son travail. Elle conduit un autobus d'écoliers et cela la rend anxieuse car elle tient à être à la maison avec nos adolescents avant et après l'école. Je m'inquiète des difficultés financières qui pourraient surgir si jamais elle décidait de cesser de travailler. En fait, j'ai tendance à me faire du souci à propos de l'argent.

Dans le rêve, je me tenais au milieu d'une prairie. Je ne voyais rien d'autre que ma maison, que j'admirais. C'était une assez grosse cabane en bois rond superbement bâtie avec des rondins parfaits et bien calfeutrés. Soudain, je m'aperçois que plusieurs personnes approchent dans l'intention de détruire ma maison. Je me rends à l'intérieur pour la défendre. Je ne me souviens plus des détails de l'intérieur de la maison ni de la méthode que j'emploie pour la défendre, mais tout au long du rêve j'ai confiance que je peux repousser l'assaut et en sortir victorieux même si je suis seul contre un grand nombre d'assaillants. (Il me semble qu'il y en avait au moins une vingtaine.)

Pour défendre ma maison, il devient nécessaire que je monte au grenier. Encore une fois, je ne me rappelle plus comment je procède. Je me souviens seulement que j'étais là-haut, confiant de ma victoire. Je remarque les détails du grenier. Même s'il est rustique, je le trouve bien construit, tout comme l'extérieur. Le plafond n'est fait que de rondins, mais eux aussi sont parfaits et bien calfeutrés. Le sol est en planchettes symétriques finies qui s'ajustent parfaitement. Assis dans le grenier, je regarde en bas et je vois que les attaquants ont complètement démoli les murs du niveau inférieur. Le grenier ne tient donc que par les poutres d'appui.

Ils sont tous intacts, mais quelques hommes y mettent le feu et me crient que lorsqu'ils m'attraperont, ils vont me violer avant de me tuer. C'est à ce moment que je me réveille.

Je crois que ce rêve a été provoqué par mes doutes quant à ma capacité de poursuivre ma carrière à la poste. Je me sens aussi troublé et honteux d'avoir engraissé de cinq kilos depuis environ un an. Je n'arrive pas à les perdre quoi que je fasse. J'ai de l'arthrite dans un genou et une tendinite au bras gauche qui me préoccupe beaucoup car j'ai un second emploi comme pianiste.

Voici comment j'interprète mon rêve. J'ai l'impression que mon corps est attaqué de toutes parts. Actuellement, les choses sont stables (les supports d'appui sont solides) mais commencent à se détériorer (les murs démolis) et la plupart du temps j'ai confiance que je vais pouvoir continuer ma carrière. Je sens que mon esprit (le grenier) est intact, mais je crains qu'un changement ne survienne et m'empêche de gagner ma vie (le feu aux supports d'appui) après quoi je vais perdre le contrôle (être violé). Il est fort probable que ce rêve ait été provoqué par la discussion avec ma femme ; cela a réveillé mes angoisses.

– Dylan, 54 ans, marié, États-Unis

SI SEULEMENT la femme de Dylan savait quels tourments elle éveille chez lui ! À l'avenir, peut-être devraient-ils parler d'argent le matin ?

Dylan a raison de croire que son rêve provient de sa dispute avec son épouse. Lorsqu'elle a exprimé son désir de demeurer à la maison avec leurs adolescents, Dylan s'est inquiété de la diminution de leur revenu. Il est évident que Dylan a trouvé la discussion alarmante (« Au feu! ») et provocante (« À l'attaque ! »). Les assaillants qui attaquent sa maison représentent probablement sa peur d'avoir affaire à des agents de recouvrement et à des banquiers. Après tous les efforts qu'il a faits pour avoir une maison, s'il la perdait maintenant, il aurait vraiment l'impression de subir une violation (un viol).

Les peurs de Dylan englobent ses inquiétudes à propos de sa santé physique. En tant que facteur et pianiste à temps partiel, il craint d'avoir une maladie qui l'empêcherait d'exercer l'un ou l'autre de ces emplois. Même s'il a confiance que le grenier (son esprit) est en bon état, il a commencé à remarquer que les sections inférieures (associées au corps dans les rêves) de sa maison se détériorent. Les supports principaux sont solides, mais Dylan observe que les murs sont démolis (son gain de poids, son arthrite et sa tendinite).

Heureusement que son grenier tient bon. En fait, si Dylan et son épouse unissent leur « grenier », ils découvriront à coup sûr un moyen de réaliser leurs objectifs respectifs.

« Une pièce supplémentaire »

Dans mon rêve, je suis dans mon appartement. Je me rends dans une pièce à la fois familière et étrange. J'ai l'impression qu'il s'agit d'une pièce supplémentaire au fond de l'appartement, que je ne connaissais pas ou que j'avais oubliée. C'est un lieu agréable, mais plutôt vide.

La pièce contient un coffre dont les tiroirs sont vides et une grande armoire, également vide. Je remarque que la pièce mène à un balcon. Je sors sur le balcon et un homme voit que je ne porte que ma chemise de nuit. Je reviens donc vite dans la pièce. (Là où je vis en réalité, il n'y a pas de balcon.)

Depuis quelques années, ce thème de la découverte d'une pièce supplémentaire revient souvent dans mes rêves. Parfois, il y a un ou deux pianos dans la pièce. C'est toujours un lieu plaisant et presque vide.

De nombreux changements sont survenus dans ma vie au cours des dix dernières années. Je suis partie de la maison où j'ai grandi et celle-ci a été vendue. J'ai appris que j'avais une maladie cardiaque, que j'ai vaincue. Ma mère est aussi tombée malade et est morte en 1996. L'automne dernier, j'ai commencé un nouvel emploi comme secrétaire juridique, après avoir passé quatorze ans dans un autre bureau d'avocats.

Je vis pratiquement une nouvelle vie. J'ai l'impression de me redécouvrir. Je crois que cela se produit plus d'une fois au cours d'une vie. Pendant la maladie de ma mère, j'ai mis de côté mes propres sentiments et désirs afin d'être disponible pour elle. Je commence à peine à en prendre conscience à nouveau. Ma vie me satisfait, mais je veux quelque chose d'autre sans savoir quoi exactement.

Durant mon enfance, j'ai suivi des cours de piano, selon mon propre désir. Au début du secondaire, j'ai abandonné le piano pour la flûte. Cet instrument que j'aimais beaucoup s'est révélé plus facile pour moi. Plus tard, j'ai repris des leçons de piano parce que je voulais devenir une musicienne professionnelle. C'était difficile pour moi et, encore une fois, j'ai laissé tomber. Aujourd'hui, je joue encore de la flûte durant mes temps libres (mais pas de piano) et je donne des concerts deux ou trois fois par année.

– Renee, 48 ans, célibataire, États-Unis

PUISQUE LES MAISONS sont associées au soi, les rêves où nous découvrons de nouvelles pièces sont liés à des périodes de découverte de soi.

Une nouvelle pièce dans une maison représente généralement un aspect de nous-mêmes que nous avons négligé (ou oublié) pendant un certain temps ou peut indiquer une partie de nous que nous aimerions investir davantage. Ces rêves surviennent le plus souvent chez les personnes qui, comme Renee, ont dû sacrifier un passe-temps, un désir ou une passion pendant quelque temps (souvent pour s'occuper d'un membre de la famille) et qui découvrent à nouveau ces intérêts perdus. De façon significative, le rêve de Renee a aussi comme thème la révélation des émotions. Lorsqu'elle se rend dans la nouvelle pièce et aperçoit un balcon (une pièce avec vue sur son avenir ?), un homme la voit seulement vêtue d'une chemise de nuit. Renee expose-t-elle des aspects de sa personnalité qui étaient « couverts » auparavant ? Serait-elle maintenant prête à vivre un amour ?

Après une période difficile où elle a pris soin de sa mère, Renee se penche sur elle-même et se redécouvre. Les pianos qu'elle trouve évoquent les leçons de son enfance mais aussi, et de manière plus importante, un but créatif et sérieux du passé : devenir une musicienne professionnelle. La valeur symbolique du piano (une quête artistique) confirme que la nouvelle pièce est une métaphore de la redécouverte d'un talent et d'une passion « perdus ».

Les rêves de Renee l'encouragent à prendre conscience de l'importance de l'expression artistique dans sa vie. S'amorce ainsi la recherche d'un nouveau moyen qui lui permettra de mieux se comprendre et de se recréer.

« Une pièce secrète »

Je fais depuis plusieurs années un rêve que je n'arrive pas à comprendre. Quelques personnes me suivent à l'intérieur d'une vieille maison abandonnée en pleine forêt. Je les invite à me suivre dans une pièce spécifique de la maison à laquelle il peut être difficile d'accéder. Nous nous retrouvons à ramper dans des passages étroits et nous bravons même une poutre en ciment autour de la moitié de la maison (qui peut s'élever à des kilomètres) pour atteindre cette pièce. Quand j'y parviens, je me rends compte que je suis la seule à avoir réussi l'exploit.

Je scrute cette pièce négligée, sombre et vide où il n'y a pas de lumière (pourtant, je sais qu'il doit y en avoir puisque je peux voir) et je réalise que je suis complètement seule – à des kilomètres de distance. Je sais qu'il n'y a personne dans la forêt, juste la maison. Dans des circonstances réelles j'aurais été effrayée, mais curieusement je suis parfaitement heureuse. En fait, je ne me suis jamais sentie aussi calme que dans cette pièce de mon rêve.

Je ne suis pas déprimée ni contrariée. Je ne vois pas ce que peut vouloir dire ce rêve. Il est possible qu'il soit lié à ma quête spirituelle. Je me suis éloignée de la religion traditionnelle. Je pige un peu partout ce dont j'ai besoin pour alimenter ma foi et entretenir mon lien à Dieu. Je me demande aussi s'il peut avoir un rapport avec des discussions que j'ai avec les autres à propos de la spiritualité afin qu'ils me comprennent. J'espère que vous pourrez m'aider.

– Sydney, 31 ans, célibataire, États-Unis

EN VUE DE MONTRER une chambre secrète à ses amis, Sydney les conduit à une maison déserte au milieu de la forêt et entreprend une ascension fantastique. Elle se glisse dans des passages étroits et se retrouve même à l'extérieur de la maison sur une poutre qui, réalise-t-elle lorsqu'elle regarde en bas, s'élève à plusieurs kilomètres du sol. Voilà une pièce – et une expédition – qui sort de l'ordinaire !

Dans les rêves, l'acte de monter est une métaphore familière de la tentative d'atteindre un but ou une destination. Plus le chemin est étroit et plus il s'élève dans le ciel, plus il est probable que le rêve concerne de hautes aspirations. Réaliserons-nous de grands défis dans notre carrière ? Notre quête spirituelle nous mènera-t-elle vers des niveaux plus hauts de puissance et de sagesse ?

Les sentiments sont toujours les meilleurs indicateurs du sens d'un rêve. Lorsque Sydney arrive à la pièce secrète, elle se rend compte qu'elle est toute seule, mais elle est comblée par une sensation de paix et de bonheur. L'impression est tellement forte que Sydney écrit : « je ne me suis jamais sentie aussi calme que dans cette pièce de mon rêve ». Le fait que la pièce soit située dans une maison abandonnée suggère que Sydney souhaiterait connaître plus souvent ce genre de sensation.

Sydney croit que son rêve a rapport à sa croissance personnelle et à sa vision de Dieu. Son rêve montre que pour elle, ce parcours vers l'expiation spirituelle est exigeant, intime, excitant et enrichissant. Quant à ses amis, qui n'ont pas réussi à la suivre dans la pièce secrète, peut-être découvriront-ils leur propre chambre secrète un jour.

Mariage

Mariage : En rêve, le mariage est souvent un symbole littéral de nos espoirs et de nos attentes pour le « grand jour », entre autres de notre souhait que tout se déroule parfaitement pendant la cérémonie et la fête. Au cours des mois précédant un mariage, les rêves ayant pour thème le manque de préparation sont fréquents. Par exemple, la robe de mariée n'est pas de la bonne taille, les invités sont en retard, la personne qui rêve (et qui doit se marier) ne trouve pas l'église. Cela ne fait que traduire une certaine angoisse normale ; il ne s'agit pas du tout de mauvais présages. Un marié ou une mariée sans visage indique que nous réfléchissons au mariage sans connaître notre partenaire.

De manière symbolique, le mariage peut aussi représenter notre attirance vers des qualités que possède le marié ou la mariée, ou notre désir d'être près de cette personne. Il exprime aussi parfois l'harmonie entre les côtés féminin et masculin du soi ou un désir de s'allier à une personne ou à une entité, par exemple à une nouvelle entreprise. Un mariage qui se déroule bien évoque la confiance dans une nouvelle relation. Le contraire révèle une inquiétude que des partenaires soient mal assortis ou qu'une affaire avorte.

• **Truc d'interprétation :** Les rêves à propos de jeunes mariés sont souvent des reflets transparents de notre désir de trouver et épouser un ou une partenaire de vie. Êtes-vous prêt pour cette rencontre ?

❊ ❊ ❊

Les mariages sont des événements qui nous rendent nerveux. Le premier rêve illustre parfaitement cette nervosité qui précède « Le grand jour ». La rêveuse est-elle prête à faire son entrée dans le monde ? « Le marié sans visage » présente une femme qui a de grandes attentes. Verra-t-elle jamais le visage de son mari ? Dans « J'épouse mon père », une femme est intriguée par son choix de partenaire. Son père n'est-il pas censé seulement remonter l'allée avec elle ? Dans le dernier exemple, une femme recherche « Le partenaire parfait ». Son prochain amoureux sera-t-il le bon ?

Rêves de mariages

« Le grand jour »

Je dois me marier en octobre. La nuit précédant le grand jour de quatre mois exactement, j'ai fais un rêve très concret à propos de mon mariage. Le thème était similaire à celui des rêves que je faisais quand j'étais adolescente. La frustration prédominait.

C'était le jour du mariage et j'attendais dans une salle près de l'église. J'étais joyeuse et excitée. Je me suis rendu compte que la cérémonie devait commencer dans dix minutes et que je n'étais toujours pas maquillée. J'ai vu les gens arriver et entrer dans l'église et je stressais de plus en plus à l'idée de me présenter à mon mariage sans maquillage. En apercevant mon fiancé, j'ai commencé à m'inquiéter d'être en retard.

J'ai enfin aperçu une très vieille amie à qui je n'avais pas parlé et que je n'avais pas vue depuis l'adolescence (en réalité, elle n'assistera pas à mon mariage). Je l'ai suppliée de m'aider. Nous avons essayé de me maquiller, mais le maquillage ne paraissait pas. Nous nous débattions avec les pinceaux, les fonds de teint et les couleurs qui, la plupart demeuraient invisibles, celles qui apparaissaient me donnant un air affreux.

Je regardais constamment vers l'église, en détresse. La cérémonie était commencée depuis une demi-heure et je me sentais frustrée. Je ne me rappelle plus si j'ai finalement pu me rendre à l'église. Au réveil, j'étais en colère et stressée. Quand j'étais adolescente, je faisais des rêves semblables dans lesquels j'avais de la difficulté à appliquer mon maquillage dans des délais serrés.

En général, je me maquille très peu. C'est pourquoi ces rêves me rendent perplexe. Je suis heureuse de me marier, mais je suis inquiète parce que nous devons déménager à l'étranger avant le mariage à cause du travail de mon fiancé.

– *Amy, 22 ans, fiancée, Nouvelle-Zélande*

AMY A SIMPLEMENT LA TROUILLE, mais au lieu de se préoccuper du gâteau, des fleurs, du plan de table (des inquiétudes véritables), elle est elle-même la vedette de son rêve, le centre de son attention. Son inaptitude à appliquer son maquillage révèle qu'elle s'inquiète de son apparence au moment du grand jour. L'arrivée d'une amie d'adolescence, époque où Amy apprenait à se maquiller, laisse présager un sens symbolique plus profond. Tout comme le rêve récurrent à propos de maquillage qu'elle faisait à l'adolescence reflétait ses angoisses face à son entrée dans le monde des fréquentations (elle se faisait belle pour un partenaire éventuel), ses rêves actuels montrent qu'elle craint de ne pas être prête à vivre la transition de célibataire à épouse.

Le rêve d'Amy ne signifie pas qu'elle connaîtra des problèmes – ou ne sera pas préparée – le jour de son mariage. Au contraire, elle affirme être heureuse de cet événement prochain. Que vient donc lui répéter constamment cet étrange rêve ? Il est normal d'éprouver de la nervosité quand surviennent de grands changements dans notre vie. Dans le cas d'un mariage, nous pouvons appeler cela avoir la trouille.

« Le marié sans visage »

Je me rappelle encore ces deux rêves que j'ai faits il y a quelques années. Dans le premier, je descendais une colline au pas de course, en riant. Le paysage était superbe, regorgeant de fraîcheur. Soudain, un homme m'a soulevée par derrière et m'a fait pirouetter. J'ai su tout de suite que c'était mon mari. (Je ne sais pas pourquoi, mais je le savais.) Puis, je me suis aperçu que j'étais enceinte.

L'aspect ennuyant, c'est que je n'arrivais pas à voir à quoi cet homme ressemblait. Tout à coup, nous sommes arrivés à l'entrée d'un restaurant. Il m'a ouvert la porte et m'a gentiment guidée à l'intérieur. Quelques personnes nous regardaient, surtout mon mari. J'ai entendu une femme qui disait à son amie : « Comme il est beau! » Lorsque nous avons été assis, j'ai essayé de regarder le visage de mon mari afin de constater à quel point il était beau. En vain. Il n'avait pas de visage.

Dans le second rêve, quelques femmes étaient regroupées dans une salle et toutes paraissaient inquiètes. Je ne les avais jamais vues mais, encore une fois, je savais qu'elles étaient mes amies. J'étais assise sur un lit. En baissant les yeux, j'ai remarqué que je portais une étrange robe blanche. Puis, j'ai vu dans le miroir devant moi qu'il s'agissait d'une robe de mariée. J'étais très surprise et n'en croyais pas mes yeux. Mes amies se sont animées lorsqu'elles ont entendu le klaxon de la voiture du marié. Elles m'ont amenée dans une autre pièce, puis elles ont regardé le marié par la fenêtre. Je me disais : « c'est le jour de mon mariage », complètement incrédule. Je voulais savoir à quoi ressemblait mon futur mari, j'ai donc rejoint les filles. Une fois de plus, je ne pouvais voir son visage. Je ne le voyais que des épaules aux pieds.

J'ai fait le premier rêve vers l'âge de seize ans et le deuxième, à environ vingt-deux ans. J'ai maintenant vingt-six ans et je n'ai pas d'amoureux. Je suis très indépendante. Pour l'instant, mon seul but est de terminer ma formation pour devenir instructrice de plongée sous-marine. Je veux aussi voyager et travailler comme bénévole pour une organisation. Vous voyez donc que je ne pense vraiment pas au mariage et aux enfants. Il y a trop de choses que je désire accomplir et je veux m'amuser.

– Anika, 26 ans, célibataire, Malaysia

Le rêve d'Anika est clairement une marque de curiosité envers l'identité de son futur époux. Cependant, dans les deux rêves, au moment où elle croit qu'elle pourra regarder cet homme spécial dans les yeux, son esprit fait un vide. Soit son mari n'a pas de visage, soit il lui est impossible de le voir.

Les rêves de mari sans visage d'Anika peuvent sembler frustrants, mais ils reflètent certainement son bon sens de la réalité en évitant de représenter cet homme. Comme la plupart des rêves, ils n'offrent pas un coup d'œil sur l'avenir (elle épouserait un homme sans visage) mais font plutôt un portrait honnête du présent. Anika ne connaît pas son futur mari. Il y a aussi un sens sous-entendu à ne pas négliger. Seule Anika a le pouvoir de remplacer le vide par un visage, en prenant des décisions consciencieuses et en procédant à des choix éclairés.

Anika mentionne qu'elle n'a pas d'amoureux présentement et qu'elle n'en cherche pas puisque son travail l'occupe énormément. Que les deux rêves se soient produits à des moments très éloignés confirme que la question du mariage ne la préoccupe effectivement pas tellement. Toutefois, la grossesse dans le premier rêve laisse croire qu'elle est en attente d'une relation et qu'elle a plutôt hâte de connaître la maternité.

« J'épouse mon père »

J'ai rêvé que je me mariais et que mon mari était mon père. Au moment où nous nous apprêtions à remonter l'allée, j'ai dit que je n'étais pas encore prête pour le mariage et j'ai décommandé la cérémonie.

Dans deux mois, je vais avoir dix-huit ans et dans quelques années, je dois épouser le garçon que je fréquente. Mon père vit dans un autre État. Il est fiancé depuis plus d'un an. Je vis avec ma mère et mon beau-père.

– Debra, 17 ans, célibataire, États-Unis

ÉTANT DONNÉ LES RENSEIGNEMENTS QUE DONNE DEBRA, il y a plusieurs raisons pour lesquelles son père a joué un rôle aussi pondérant dans son rêve. Tous deux se marieront bientôt et lorsqu'elle songe à son propre mariage, ses pensées englobent très certainement celui de son père. De plus, à cause du divorce de ses parents, Debra est séparée de son père, qui vit dans un autre État. Son mariage avec son père est-il une représentation symbolique de son désir d'être plus proche de lui ? Souhaite-t-elle recevoir plus d'attention de sa part ?

Freud croyait que le complexe d'Œdipe expliquait les rêves dans lesquels nous épousons un de nos parents. Pour lui, c'était aussi la raison pour laquelle les hommes épousaient des femmes qui leur rappelaient leur mère et les femmes, des hommes semblables à leur père. Les observateurs contemporains de la dynamique familiale mentionnent aussi l'influence de la familiarité et de l'imitation des rôles dans ce processus de décision. Autrement dit, nous épousons une personne qui possède des caractéristiques semblables à l'un de nos parents, ou même aux deux, car nous nous sentons à l'aise et en sécurité avec elle et que nous sommes habitués à ce type de personnalité. Voilà la raison qui nous incite à rechercher le genre de relations que nous avons connues en grandissant, qu'elles aient été saines ou malsaines.

Le rêve de Debra présente un aspect intéressant. Juste avant de marcher dans l'allée, elle décide qu'elle n'est pas prête et décommande la cérémonie. Deux messages lui sont transmis par son rêve. À dix-sept ans, Debra n'est pas prête à s'engager. Son rêve l'encourage aussi à admettre que même si son amoureux lui fait penser à son père, il ne pourra jamais jouer ce rôle auprès d'elle.

« Le partenaire parfait »

Au cours des deux dernières années, c'est-à-dire depuis que j'ai rompu avec un garçon que j'aimais beaucoup (et que j'aime encore), j'ai connu plusieurs relations amoureuses. Nous sommes revenus ensemble, mais nous avons rompu à nouveau après quatre mois lorsqu'il m'a annoncé qu'il ne voulait pas une relation sérieuse. Peu après, il a commencé à voir une autre femme. Je me demande si je vais un jour rencontrer la personne qui me convient et si oui, quand ?

Je rêve constamment que je fréquente quelqu'un à qui je n'ai pas pensé et que je n'ai pas vu depuis des années. Le plus bizarre, c'est que je n'ai jamais été attirée par ces hommes qui figurent dans mes rêves.

Par exemple, je fais un rêve récurrent dans lequel mon amoureux est Mike, le meilleur ami de mon ex. En réalité, je ne l'ai pas vu, pas plus que je ne lui ai adressé la parole depuis six mois. Et il ne m'a jamais attirée.

La nuit dernière, dans mon rêve, je me mariais, sans savoir avec qui. Tout en revêtant ma robe de mariée, j'ai dit à mon amie : « Je vais encore porter cette robe deux fois. » Comme si ce mariage n'allait pas être le dernier. J'ai aussi eu beaucoup de difficulté à dénicher un collant qui s'agençait parfaitement à ma robe.

– *Cathy, 21 ans, célibataire, États-Unis*

LE RÊVE RÉCURRENT DE CATHY portant sur des histoires sentimentales montre que, même après une déception, l'espoir renaît pour l'avenir. En rêve, l'esprit de Cathy travaille fort à chercher des candidats qui pourraient combler le vide laissé par son ex.

Est-il surprenant que, jusqu'à maintenant, les « amoureux de ses rêves » ne l'aient pas impressionnée ? Depuis sa rupture, Cathy a eu plusieurs relations en deux ans – toutes des échecs – qui l'ont laissée sur son appétit. Et maintenant, elle se demande si elle rencontrera un autre homme intéressant.

Dans son rêve, elle fréquentait le meilleur ami de son ex parce qu'elle souhaiterait retrouver chez un autre homme les qualités qu'elle aimait chez son ancien amoureux. La robe de mariée que porte Cathy même si elle sait que son partenaire n'est pas « le bon » signifie, en langage onirique, qu'elle fréquente des hommes qu'elle n'épousera pas.

À la fin du rêve, Cathy est occupée à chercher un collant qui ira bien avec sa robe. Quel est le sens ? Cathy tente de trouver un homme qui « ira bien » avec elle et ce qu'elle désire dans la vie. Contrairement à ce qu'évoque son rêve, Cathy souhaite marcher une seule fois dans l'allée centrale de l'église et que ce soit avec le partenaire parfait.

Monstre

Monstre : Le monstre est un symbole qui revient fréquemment dans les cauchemars d'enfants ou d'adolescents et représente toute peur qui, selon le rêveur, menace sa sécurité. Les monstres peuvent agresser, menacer ou poursuivre le rêveur et sont souvent associés à des peurs liées à l'école ou à la famille.

Puisque les monstres représentent des peurs non identifiées, pour mettre fin à ces cauchemars, il est suggéré d'aider la personne qui rêve à cerner ses inquiétudes de façon précise. S'agit-il d'une poursuite à l'école (problèmes en milieu scolaire) ou à la maison (problème familial) ou sur un plateau de cinéma (film d'horreur) ? Un proche est-il décédé récemment et l'enfant craint-il de perdre ses parents ? Les films d'horreur et les émissions de télévision sont souvent intégrés au scénario des rêves d'enfants ; les parents devraient donc surveiller les choix de leurs enfants dans ce domaine.

Dans la mythologie, les monstres sont des archétypes. Le héros doit vaincre un monstre avant de pouvoir épouser la jolie princesse et pour que l'histoire se termine comme il se doit. Chez les adultes, les rêves récurrents d'attaques par des monstres ou des ombres supposent des peurs et des traumas non identifiés. Afin de parvenir à une résolution sur le plan psychologique, le monstre doit être identifié et vaincu.

Terreurs nocturnes : Contrairement aux cauchemars qui surviennent pendant le sommeil paradoxal et qui sont des signes de peurs et d'angoisses, les terreurs nocturnes sont des réveils partiaux du sommeil profond qui se produisent généralement trois heures après l'endormissement. L'enfant se réveille d'un sommeil profond (comme dans le somnambulisme) mais est incapable de s'éveiller complètement. Ce réveil partiel produit un état de demi-sommeil qui désoriente l'enfant et subséquemment le fait paniquer, crier ou courir partout dans la maison.

Les parents doivent savoir que les terreurs nocturnes sont des symptômes physiques qui n'ont pas de signification psychologique. Habituellement, l'enfant ne se souvient pas des terreurs nocturnes et ses parents devraient l'encourager à retourner au lit immédiatement sans tenter de le réveiller. Les terreurs nocturnes se produisent le plus souvent chez les enfants de cinq à onze ans. Si votre enfant en est sujet, installez une veilleuse assez claire pour tenter d'atténuer sa sensation de désorientation.

• **Truc d'interprétation :** Les enfants vivent dans un monde peuplé de « grandes personnes » puissantes qui, souvent, ont des accès de colère ou manifestent des comportements soudains et imprévisibles. S'agirait-il du lien aux monstres de leurs rêves ?

❊ ❊ ❊

Chacun des rêves racontés ci-après illustre un aspect différent de la panoplie des monstres. Dans « Un monstre qui rapetisse », un enfant est pourchassé à répétition par ses peurs, dans le corridor de la maison où il habite. Mais une nuit, il décide de les accueillir. Dans « Mon ombre », un autre jeune garçon livre une conversation terrifiante avec son ombre. En réfléchissant à son rêve, il se demande pourquoi il est incapable de reconnaître l'ombre comme faisant partie de lui-même. Le dernier rêve est un exemple typique de la peur que les « Terreurs nocturnes » provoquent souvent chez les parents.

Rêves de monstres

« Un monstre qui rapetisse »

Je faisais ce rêve presque toutes les semaines. Je sortais de ma chambre et comme je passais devant la salle de bain, la porte s'ouvrait et un monstre émergeait pour me poursuivre. Le rêve finissait lorsque je sautais en bas de l'escalier.

J'ai souvent fait ce rêve puis, une nuit, au lieu de courir, je me suis arrêté et j'ai salué le monstre. Il m'a salué à son tour. Depuis, je n'ai plus jamais rêvé à ce monstre.

– Tony, 14 ans, célibataire, États-Unis

Le rêve de Tony montre parfaitement comment nous pouvons triompher de nos cauchemars : en affrontant les peurs qu'ils représentent.

Dans les rêves des personnes plus jeunes, les monstres symbolisent un grand nombre de peurs. En tant qu'enfants dans un monde de « grandes personnes », les monstres sont souvent un reflet d'adultes connus (ou déjà rencontrés) qui provoquent la peur. Les adultes, comme les monstres, sont plus gros et plus forts qu'eux et, souvent, font du mal, se mettent en colère ou crient sans raison apparente.

Nous ne savons pas ce que Tony craignait exactement. Il peut s'agir de peurs que nous connaissons tous en grandissant : des doutes sur nos capacités, une nervosité à l'école ou avec nos amis, ou des problèmes avec nos parents ou des membres de notre famille.

Lorsque Tony a décidé d'affronter ses peurs (quand il en a eu assez de sauter en bas de l'escalier), le monstre a disparu à jamais. Quel message livre ce rêve ? Les monstres, tout comme les peurs, grossissent lorsque nous évitons de les confronter. C'est pourquoi, lorsque nous faisons des cauchemars, il est important de bien les examiner afin d'identifier nos peurs. En tant qu'adultes, nous pouvons tous profiter de la sagesse du rêve de Tony. En regardant le monstre droit dans les yeux, il se met immédiatement à rapetisser et, en général, il disparaît pour toujours.

« Mon ombre »

J'ai rêvé qu'un jour, en revenant de l'école, mon ombre s'est soudainement mise à me parler d'une drôle de voix. Elle me disait : « Je vais te suivre et te tuer dans ton sommeil. »

Vous savez ce qui se passe parfois dans les rêves ? Par exemple, vous ignorez une chose que vous savez dans la réalité. Voilà comment je me sentais. J'avais l'impression de ne pas savoir ce qu'était mon ombre.

La veille de ce rêve, j'avais imaginé que mon ombre devenait vivante. Cela est-il lié à mon rêve ?

– Damien, 12 ans, célibataire, États-Unis

CARL JUNG A ÉCRIT que l'ombre de notre personnalité est la partie qui retient toutes nos peurs : les pensées et les sentiments que nous n'aimons pas admettre à propos de nous-mêmes – ou des autres. Damien peut-il identifier « son ombre » ? Peut-être n'est-il pas toujours aussi heureux qu'il le souhaiterait. Peut-être que sa vie scolaire ou familiale, avec ses parents ou ses amis, est-elle parfois pénible. Même s'il est sain de bien voir ce qui se passe autour de nous, quelquefois nous craignons les difficultés. À ce moment, notre ombre nous parle à l'oreille : « Peut-être que nos pires craintes se réaliseront-elles. »

Lorsque leur enfant fait des cauchemars, les parents devraient l'encourager à trouver des façons créatives d'identifier et d'apaiser les peurs exprimées dans ces rêves. Si un monstre pourchasse l'enfant, ils peuvent lui suggérer de le dessiner ou de mimer le rêve à l'aide d'animaux en peluche. Les parents acquerront aussi un aperçu précieux des peurs de leur enfant en lui demandant où vit le monstre. Est-ce à l'école ? (un fier-à-bras, un enseignant strict ou une peur des interactions sociales) Est-ce à la maison ? (des disputes entre les parents, une crainte de la séparation ou du divorce) Si la peur est toujours liée à un sujet en particulier, par exemple la mort, les parents devraient se concentrer sur les expériences relatives à ce thème survenues dans la vie leur enfant.

Chez les enfants, les cauchemars sont si courants qu'ils sont considérés comme normaux. Les parents ne devraient pas en faire tout un plat. Pour eux, il est surtout important de remarquer si l'humeur et les activités quotidiennes de l'enfant semblent avoir changé. Si tel est le cas, il est temps d'explorer ces peurs plus à fond, peut-être avec un psychologue pour enfants. Si, à l'heure du petit déjeuner, le rêve est déjà oublié, mieux vaut laisser dormir les monstres.

« Terreurs nocturnes »

Ma fille de six ans a des terreurs nocturnes depuis environ deux ans. Généralement, cela se produit trente ou quarante minutes après qu'elle s'est endormie. Après, elle dort toute la nuit. Parfois, il ne se passe rien durant des mois, puis les terreurs recommencent toutes les nuits. Lorsque cela arrive, ma fille semble dans un état de panique. Nous allons la retrouver immédiatement. Nous restons avec elle et nous lui parlons doucement, jusqu'à ce qu'elle se rendorme.

Agissons-nous de la bonne façon ? Lorsque j'en ai parlé à son pédiatre, il n'a pas semblé inquiet et a mentionné que les terreurs nocturnes étaient héréditaires. (J'ai eu des terreurs nocturnes durant mon enfance.) Avez-vous des conseils à me donner ? J'aimerais savoir quoi faire quand elles surviennent et comment les prévenir ou diminuer leur fréquence. Merci.

– Carol, 38 ans, mariée, États-Unis

LES TERREURS NOCTURNES sont parmi les troubles du sommeil les plus perturbants que les parents puissent observer chez un enfant. Cependant, comme l'indique la réaction du pédiatre, elles sont beaucoup plus dérangeantes pour le parent qui en est témoin que pour l'enfant qui en fait l'expérience.

Les terreurs nocturnes font partie d'un ensemble plus large de troubles du sommeil appelés « réveils confusionnels » incluant le somnambulisme et le somniloquisme. Lors d'un réveil confusionnel, l'esprit reste bloqué entre le sommeil et l'état de veille. Cela se produit presque toujours au premier tiers de la nuit, durant la période de sommeil lent profond (sans rêve).

Le réveil du sommeil lent profond est difficile, même pour les adultes. Chez les jeunes enfants, comme le savent tous les parents, le sommeil est très profond. Parfois, le mécanisme qui contrôle les phases du sommeil chez les jeunes enfants (de cinq à onze ans) n'est pas complètement développé. En conséquence, l'enfant peut se réveiller partiellement – d'où les caractéristiques de l'état de veille que nous observons – et demeurer profondément endormi en même temps. La désorientation que cause la convergence de ces deux états fait souvent paniquer l'enfant, ce qui l'amènera à crier ou à sortir de son lit en courant, les yeux grands ouverts. Malgré le trauma évident qu'elles peuvent provoquer, par définition, les terreurs nocturnes ne sont pas de nature psychologique. Les enfants ne s'en rappellent plus une fois qu'ils sont tout à fait réveillés.

Puisque les terreurs nocturnes proviennent d'un trouble du mécanisme des phases du sommeil, les enfants chez qui elles se manifestent devraient respecter des heures de couchers et de siestes régulières. Il est important d'instaurer un climat de régularité pour l'enfant afin que son rythme de sommeil et de réveil, encore en pleine formation, puisse se consolider. Des rapports anecdotiques suggèrent que les bruits forts ou d'autres stimuli – par exemple couvrir ou border l'enfant – peuvent provoquer un réveil confusionnel. L'éveil partiel causé par un tel ajustement peut se transformer en réveil confusionnel avec désorientation, cris et panique.

Une fois les terreurs apaisées, les parents doivent laisser l'enfant se recoucher immédiatement. De nombreux parents – effrayés par le comportement étrange de leur enfant et croyant qu'il s'agit d'un cauchemar – cherchent à le réconforter une fois la panique calmée. Ce réconfort, dispensé au moyen de paroles douces et de caresses, fait souvent en sorte que l'enfant s'éveille complètement, ce qui l'empêche de se rendormir rapidement. Il est bon que les parents se rendent à la chambre de l'enfant lorsqu'ils entendent du bruit, pour éviter qu'il ne se blesse si jamais il se levait et se mettait à courir, mais il est préférable qu'ils quittent la pièce et lui permettent de se rendormir le plus vite possible quand tout est terminé.

Contrairement aux cauchemars, qui sont le reflet d'une angoisse, les réveils confusionnels sont considérés comme une étape relativement normale du développement du sommeil chez l'enfant. La fille de Carol, à six ans, en est à ses premières années de terreurs nocturnes. Si Carol suit les recommandations des spécialistes du sommeil et si elle installe une veilleuse dans la chambre de sa fille pour minimiser la désorientation et la confusion durant les réveils du sommeil profond, elle remarquera que la fréquence de ces épisodes diminuera de façon marquée. Une fois que la structure du sommeil de sa fille sera établie, les terreurs nocturnes cesseront.

Montagnes russes

Montagnes russes : Les montagnes russes évoquent des périodes d'instabilité émotionnelle, par exemple les hauts et les bas abrupts d'une relation amoureuse précaire ou une crise familiale soudaine. Comme tous les rêves dans lesquels il y a des véhicules, les promenades en montagnes russes représentent une tentative de parvenir à une destination. Les montagnes russes apparaissent souvent dans les rêves au cours des mois précédant un mariage. Les futurs mariés vivent toute une gamme d'émotions pendant qu'ils se préparent pour le grand jour. Une chute des montagnes russes révèle la peur de ne pas atteindre une destination. Le lieu où se déroule un grand nombre de ces rêves – un parc d'amusement – suggère des activités que nous avons entreprises pour nous « divertir », par exemple une aventure amoureuse qui n'est pas sérieuse. Les montagnes russes construites au-dessus de l'eau symbolisent un épisode riche en émotions.

• **Truc d'interprétation :** Êtes-vous à la merci d'une série de hauts et de bas sur le plan émotif ? Il est temps de retomber sur terre.

Malgré leur lien avec le divertissement, dans les rêves les promenades en montagnes russes sont presque toujours terrifiantes. Le premier exemple, « En montagnes russes dans la noirceur », examine ce véhicule en tant que signe de bouleversements émotionnels. Au cours d'une période de transition, l'avenir de la rêveuse est plutôt incertain. Arrivera-t-elle à la destination espérée ? « Perdre son chemin » présente une femme qui craint de s'égarer après une promenade éprouvante.

Rêves de montagnes russes

« En montagnes russes dans la noirceur »

Je fais souvent un rêve dans lequel je suis à bord de montagnes russes la nuit, en route vers une destination de vacances. Habituellement, il s'agit d'une région de la Californie (principalement San Diego). Voici la partie bizarre. C'est toujours la nuit et les montagnes russes passent au-dessus d'un océan noir comme le soir. Parfois je parviens à destination, mais quelquefois je dois effectuer un détour et j'arrive dans un endroit affreux.

La plupart du temps, je voyage avec ma famille (ma mère, mon père et mon jeune frère). Si je parviens à « San Diego », ma famille ou les amis qui se trouvent en montagnes russes avec moi m'y accompagnent aussi. Si je n'y arrive pas et que je me retrouve dans un lieu terrible, je suis toujours seule. J'ai l'impression de devoir lutter pour rester en vie dans ces endroits et je m'en sors rarement.

Je vous parle maintenant un peu de moi. Je suis une femme de vingt-six ans et j'ai déménagé avec mon ami depuis un an, tout de suite après avoir quitté un autre homme que je fréquentais depuis six ans et demi. Je n'ai pas d'enfant. Je fais souvent de l'angoisse et des crises de panique. (Cela semble plus fréquent lorsque les choses ne vont pas bien à la maison.) Chaque jour, je me pose des questions sur ma vie avec mon conjoint actuel. Ce n'est pas qu'il soit si terrible (quoiqu'il arrive à l'être parfois !), mais je pense beaucoup à mon ancien amoureux. Il apparaît aussi dans mes rêves – généralement, ceux où je suis en montagnes russes au-dessus de l'océan noir, à destination de San Diego. Pourquoi San Diego ? Pour moi, c'est l'un des endroits les plus merveilleux que j'ai visités. (J'ai voyagé partout aux États-Unis depuis la fin de mes études secondaires en 1993.) Je suis très liée à ma famille. J'espère m'installer à San Diego bientôt – au cours de la prochaine année. Actuellement, cela me semble très improbable puisque je vis avec mon ami. Je suppose que je suis en suspens, me demandant si je dois continuer à vivre avec lui ou réaliser mon rêve d'habiter San Diego.

– Maria, 26 ans, en relation à long terme, États-Unis

MARIA VIT DES ÉMOTIONS FORTES. Elle écrit : « Chaque jour, je me pose des questions sur ma vie avec mon conjoint actuel. » Elle doute qu'elle réalisera un jour son rêve d'aller habiter San Diego si elle reste avec lui. Pire encore, ce dilemme lui cause de l'angoisse. Maria a des crises de panique qui, remarque-t-elle sont plus fréquentes « lorsque les choses ne vont pas bien à la maison ».

Le rêve de Maria illustre son état émotif actuel – « en suspens » – grâce à une métaphore onirique puissante. Dans les rêves, l'eau est toujours associée aux émotions. Le fait que Maria voyage au-dessus d'un océan en montagnes russes la nuit suggère qu'elle vit « des hauts et des bas » sur le plan émotionnel et qu'elle est « dans le noir » en ce qui concerne son avenir. Dans son esprit, Maria voit deux destinations possibles. Soit elle arrive à San Diego saine et sauve (remarquons que sa famille l'y accompagne), soit elle se retrouve « dans un endroit affreux », seule et luttant pour rester en vie.

Il est significatif que son ami n'apparaisse pas dans ses rêves où il est question de l'avenir. Maria ne se perçoit donc pas avec lui. À l'opposé, l'apparition de son ancien amoureux et de sa famille dans les rêves où elle se rend à San Diego indique qu'elle se sent à l'aise avec eux.

La ligne de temps que précise Maria laisse croire qu'elle s'est peut-être installée trop vite avec son ami. Les rêves de Maria et ses crises de panique bien réelles devraient l'inciter à réfléchir. Sa relation actuelle est un « manège » dont elle veut descendre.

« Perdre son chemin »

Je suis à bord d'immenses montagnes russes avec mon fiancé ainsi que ma mère et mon père. Il commence à pleuvoir ; nous attachons donc nos manteaux. Bientôt arrive une énorme vague provenant d'un barrage qui s'est brisé et tout est inondé en dessous de nous. Nous sommes saufs pour le moment car nous sommes très haut, mais la terre se ramollit et les montagnes russes commencent à s'effondrer dans l'eau.

Je retrouve mon fiancé, mais pas mes parents, seulement le sac à main de ma mère. Nous nageons et regagnons bientôt la terre ferme. Puis, nous marchons vers ce qui semble la maison de mes grands-parents. Cette demeure ne ressemble pas à la leur, mais plutôt à une maison dont j'ai un vague souvenir lointain. Je veux monter sur le toit afin de tenter d'apercevoir mes parents dans l'eau. Un chien berger allemand vient me rejoindre et me demande ce qui se passe. Je lui réponds que je n'arrive pas à trouver mes parents. Il sent l'odeur du sac à main et part à leur recherche.

Quand j'étais enfant, nous avions un berger allemand. Je vais me marier bientôt, je perçois donc toutes les références à la famille. Par contre, je ne comprends pas l'eau, les montagnes russes et la maison.

– Amy, 30 ans, fiancée, États-Unis

TOUT COMME POUR MARIA, les montagnes russes du rêve d'Amy symbolisent les « hauts et les bas » émotionnels qui précèdent un mariage. L'eau toujours présente (aussi dans le rêve de Maria) vient témoigner d'une période active sur le plan des émotions dans la vie d'Amy.

Le rêve d'Amy représente un épanchement de sa peur (une énorme vague provenant d'un barrage qui s'est brisé) d'être séparée de ses parents, une fois mariée. Lorsque les immenses montagnes russes se sont effondrées dans l'eau (après le mariage), elle se retrouve seule avec son fiancé et ne voit plus ses parents. De façon significative, en nageant, elle tient le sac à main de sa mère. Puisque dans les rêves cet accessoire est associé à l'identité, cela indique qu'Amy considérera sa mère comme un modèle au début de son mariage. Un autre indice révèle que le rêve porte sur la peur de la séparation et se manifeste lorsqu'Amy grimpe sur le toit d'une maison (aussi liée à la famille) pour chercher ses parents, sans succès. L'apparition du chien berger allemand de l'enfance d'Amy suppose que sa peur actuelle de la séparation lui rappelle des craintes semblables ressenties à cette époque.

Le rêve d'Amy montre les peurs et les incertitudes multiples entourant les grandes transitions et les engagements – dans son cas, le mariage – qui nous donnent l'impression de participer à une folle chevauchée pendant laquelle il faut bien nous agripper. Alors qu'elle et son fiancé « nagent » vers leur nouvelle identité de couple marié, Amy recherchera les conseils et le soutien que peut lui offrir sa mère.

Mort

Mort : Ce symbole de transition et de séparation ne doit pas être interprété au premier degré. Les rêves à propos d'un enfant, d'un membre de la famille ou d'un ami qui meurt symbolisent un changement dans la qualité de la relation ou la peur d'une séparation. Rêver de sa propre mort est un puissant symbole d'une métamorphose interne ; les anciennes façons de voir disparaissent et de nouveaux aspects de la personnalité émergent.

Les séparations qui surviennent à la fin des études, lors d'une rupture amoureuse ou amicale, au moment d'un divorce, à la perte d'un emploi, prennent souvent la forme d'une mort dans les rêves. La mort volontaire – les suicides par fusillade ou par taillade des poignets, par exemple – évoque une souffrance émotionnelle et une frustration intenses. Une mort heureuse – le rêveur meurt sans en être fâché – indique une volonté d'abandonner le passé et d'accepter les changements de l'avenir. Les rencontres avec la « Faucheuse » ou d'autres symboles de mort (un squelette, par exemple) se produisent souvent quand la personne qui rêve – ou ses amis ou des membres de sa famille, surtout ses parents – a des problèmes de santé. Le rêveur prend conscience de sa nature éphémère.

Cercueil : Lorsque nous voyons un ami ou un être cher dans un cercueil, un changement ou une séparation s'annonce dans notre relation avec cette personne. Si nous sommes nous-mêmes dans le cercueil, il s'agit d'une phase de notre vie qui prend fin et du commencement d'une nouvelle période de croissance. Les cercueils peuvent aussi évoquer la faiblesse et un manque de vitalité.

Funérailles : Les funérailles renvoient à la peur de la mort ou à des inquiétudes concernant le respect des rites d'enterrement, surtout chez les gens plus âgés. Comme la mort, les funérailles peuvent aussi être un signe positif de croissance et de renaissance. Assister à ses propres funérailles suggère une transition dans la vie, une rupture entre le passé et l'avenir.

• **Truc d'interprétation :** Si vous rêvez de la mort d'un ami ou d'un être cher, ne vous méprenez pas. Demandez-vous plutôt quel changement est en train de s'instaurer dans la relation.

* * *

Peu dc rêves évoquent l'imminence de la mort. Dans « La mort de ma meilleure amie », une femme s'inquiète de perdre sa meilleure amie. Son rêve est-il prémonitoire ou a-t-elle simplement peur des adieux ? « Un enfant qui meurt » est un rêve courant qui sème la peur dans l'esprit de tout parent. Dans « Je meurs » figure une femme malade, en phase terminale. Elle se demande si la fin approche. « Mes funérailles » explore les multiples morts et renaissances qui surviennent au cours d'une vie. Finalement, « Renaissance » présente une personne heureuse de prendre place dans un cercueil. Qui aurait cru que le changement pouvait être aussi agréable ?

Rêves à propos de la mort

« La mort de ma meilleure amie »

J'ai rêvé que ma meilleure amie mourait et je ne comprends pas pourquoi. Nous étions au collège qu'elle fréquentera probablement. Des milliers de gens étaient morts et elle en faisait partie.

J'assistais aux funérailles et je pleurais. Puis, j'ai téléphoné à la sœur de mon amie et je lui ai dit : « Elle est morte. Elle est morte. » Elle m'a répondu quelque chose comme : « Non, elle est ici et elle va bien. » C'est tout.

– Claudia, 19 ans, célibataire, États-Unis

Ce rêve est facile à interpréter, surtout si nous gardons en tête que la mort est presque toujours un symbole de transition et de séparation.

De façon significative, le lieu où se déroule le rêve est le campus du collège que fréquentera probablement l'amie de Claudia l'an prochain. Un autre indice qui éclaire ce rêve : sa meilleure amie fait partie de « milliers de gens » qui sont morts. Claudia peut-elle voir pourquoi elle a fait ce rêve étrange ? Elle termine bientôt ses études. Son rêve est donc une image du changement qui surviendra l'année prochaine, lorsqu'elle sera séparée de ses amis (des « milliers de gens ») qui se dirigeront vers divers collèges.

Elle sait que sa relation avec sa meilleure amie prendra un tournant. Dans son rêve, les funérailles signifient qu'elle est consciente qu'une période importante de sa vie, l'école secondaire, se terminera bientôt. Elle perdra le contact avec de nombreux amis.

Le rêve de Claudia prend bien soin de la rassurer que son amie n'est pas morte. Lorsque Claudia téléphone à la sœur de son amie, elle apprend que cette dernière est toujours vivante et se porte bien. Ainsi, cette mort n'est que symbolique.

« Un enfant qui meurt »

J'ai rêvé que ma fille chérie âgée de dix ans était morte. Je pleurais amèrement tout en annonçant la nouvelle à mes sœurs. Lorsque je me suis éveillée aujourd'hui, ma fille dormait profondément près de moi. Ce rêve me rend vraiment mal à l'aise.

– Skyler, 36 ans, mariée, Singapour

PERDRE UN ENFANT est la pire crainte de toute mère. Peut-être Skyler a-t-elle récemment lu un article dans un journal ou vu une émission à la télévision qui a fait croître son inquiétude. L'histoire d'un enlèvement d'enfant ou d'un tragique accident d'automobile fait prendre conscience à n'importe quel parent des dangers qui menacent la sécurité de leurs enfants. Dans ce scénario, il peut s'agir d'une simple illustration de la peur que partagent tous les parents : qu'un malheur arrive à leur enfant.

Selon un second scénario dans lequel la mort serait le reflet d'une croissance et d'une métamorphose, le rêve de Skyler pourrait faire allusion aux transformations qui surviennent actuellement chez sa préadolescente. Sa fille, qui a dix ans, va bientôt passer de l'enfance à l'adolescence. Skyler a peut-être remarqué qu'une phase du développement de sa fille se termine pour laisser place à une nouvelle période de croissance. Par exemple, Skyler s'est peut-être rendu compte que sa fille prête davantage attention à ses amis qu'auparavant et qu'elle fait preuve d'une plus grande indépendance. Ce sont des étapes normales et saines du développement d'un enfant.

Au cours de sa croissance, les aspects enfantins de sa personnalité disparaissent à mesure que des traits plus adultes s'installent. À moins que Skyler ait des raisons de s'inquiéter, son rêve n'est qu'un reflet des nombreux changements à venir à mesure que s'épanouira sa fille.

« Je meurs »

Depuis quelques semaines, je fais des cauchemars qui me semblent très réels et me perturbent beaucoup. D'ailleurs, il m'arrive très rarement de faire des cauchemars. C'est en quelque sorte un rêve récurrent dans lequel je meurs – soit je tombe ou j'ai un accident d'auto. Dans les deux cas, les derniers moments sont similaires. Je sais que je suis sur le point de mourir, que je vais souffrir et j'attends simplement la fin en espérant que ce ne sera pas aussi pénible que je le crains. Bien sûr, je me réveille toujours avant « la fin », même si j'ai l'impression que cela dure très longtemps. Au réveil, je ressens l'adrénaline dans mon corps et j'ai beaucoup de difficulté à me rendormir.

Dans ma vie, ce ne sont pas les problèmes qui manquent ! J'aimais beaucoup mon ancien travail, mais maintenant j'ai de nouvelles tâches que je déteste. Mes parents sont tous les deux extrêmement malades (mon beau-père est en phase terminale) et mon ami veut que je m'installe avec lui à cinq cents kilomètres d'où j'habite actuellement, ce qui voudrait dire que je devrais me chercher un autre emploi. Je suis au début de la cinquantaine et je commence à en avoir assez de tout cela puisque ma vie vient à peine de se remettre sur les rails. (Il y a un an, j'ai divorcé et j'ai déménagé à mille kilomètres de chez moi.)

Je pourrais écrire un livre sur toutes les misères que j'ai vécues depuis un an. Toutefois, les cauchemars sont récents. En fait, ils ont probablement commencé au moment où j'ai appris que mon beau-père avait une maladie incurable. Je me demande si ces cauchemars sont une réaction de mon subconscient face à tout ce stress, ou s'ils sont le signe d'une défaillance sur le plan physique.

– Carla, 52 ans, divorcée, États-Unis

DE MANIÈRE SIGNIFICATIVE, les cauchemars de Carla ont débuté lorsqu'elle a appris que son beau-père avait une maladie incurable. Le moment où apparaît le rêve récurrent est toujours révélateur. Ainsi, les cauchemars de Carla et la maladie de son beau-père sont reliés, mais pour des raisons qui ne semblent pas évidentes au départ.

La logique peut paraître égoïste, mais ses rêves sont le reflet de ses propres préoccupations. L'expérience de Carla avec son beau-père – le voir passer de la santé à une maladie incurable – lui a rappelé sa propre mort. Est-ce une coïncidence qu'elle soit, comme son beau-père, aussi en phase terminale ? Elle écrit : « Je sais que je suis sur le point de mourir, que je vais souffrir et j'attends simplement la fin en espérant que ce ne sera pas aussi pénible que je le crains. »

Il y a une grande différence entre la conscience de la mortalité d'un point de vue intellectuel (nous savons tous que nous allons mourir un jour) et l'acceptation de cette réalité sur le plan émotionnel. La plupart d'entre nous réussissons à vivre sans trop penser à la mort. Cette question n'est pas soulevée tant qu'une personne proche n'est pas morte (ou ne tombe gravement malade). C'est comme si notre cerveau réalisait tout à coup : « si cela lui arrive, cela peut aussi m'arriver. »

Sa peur de la mort est normale. Personne ne sait ce qui se produira le jour venu. Toutefois, l'ombre de la mort peut nous aider à apprécier la magie de la vie.

« Mes funérailles »

D'abord quelques renseignements sur moi. Je connais celui qui sera bientôt mon ex depuis environ vingt ans. Nous n'avons jamais été heureux ensemble, même avant notre mariage. Cependant, je l'aime encore beaucoup. Nous sommes très différents (contrairement à moi, il est tranquille et n'a pas beaucoup d'amis) et j'ai toujours senti que je devais le protéger. Il m'a blessée de nombreuses fois en étant infidèle, en m'agressant verbalement et en ne se montrant pas tellement à la hauteur comme mari et comme père (nous avons un fils de onze ans). Même si je ne suis plus amoureuse de lui, je me préoccupe de lui.

Dans mon rêve, je suis morte et couchée dans un cercueil. Il y a beaucoup de gens dans la pièce. Certains sont à l'extérieur et tous pleurent, sauf mon ancien mari. Je suis comme une observatrice invisible. Je ressens la peine des autres, mais je ne suis pas triste d'être la morte.

Dans la scène qui suit, mon ex-conjoint meurt. On le couche au même endroit que moi. Je suis la seule à ses funérailles. Je pleure et je suis morte. Pouvez-vous m'expliquer ce que cela signifie ?

– Ruth, 40 ans, séparée, États-Unis

LES RÊVES empruntent un langage étrange. Le rêve de Ruth évoque la décision qu'elle et son mari ont prise de continuer leur vie séparément. Dans son rêve, cette transition est représentée par la métaphore de la mort. Depuis quand, Ruth se demande-t-elle peut-être, la mort et le divorce sont-ils associés ?

La mort est un symbole de changement et de séparation et ne doit pas être interprétée au premier degré. En d'autres mots, son rêve n'est pas prémonitoire et elle ne doit pas craindre sa mort ou celle de son ex. Au contraire, le songe parle de la « mort » de son mariage qui, d'après ce qu'elle raconte, se terminera sous peu après plusieurs années d'insatisfaction.

Les nombreuses personnes qui assistent aux funérailles de Ruth laissent supposer qu'elle sait qu'elle obtiendra du soutien de sa famille et de ses amis durant cette période de transition. Ses préoccupations à l'égard de son mari sont également présentes. Elle est la seule personne à ses funérailles, même si elle n'est qu'un fantôme. Ruth s'inquiète-t-elle parce qu'il sera seul et qu'il n'aura plus son aide comme par le passé ?

En tant que témoin de sa propre mort, Ruth écrit qu'elle « n'est pas triste d'être morte ». Le sens de ce sentiment est clair : Ruth se soucie encore de son mari, mais elle est prête à vivre la transition qui l'attend.

« Renaissance »

Mes rêves sont la plupart du temps énigmatiques, mais celui de la nuit dernière est certainement le plus étrange de tous. L'un de mes meilleurs amis s'appelle Alan. Avant de devenir amis, nous avons flirté un peu, mais rien ne s'est jamais vraiment passé entre nous. Maintenant, je le considère presque comme un frère. Je sais qu'il m'attire encore d'une certaine façon et cette situation a provoqué de nombreux rêves et cauchemars bizarres.

La nuit passée, j'ai rêvé qu'Alan et moi flirtions. Il a descendu cinq escaliers à toute vitesse pour venir m'exhorter d'un air taquin à tenter de l'attraper. J'ai couru vers lui, mais il a remonté les escaliers. J'ai monté quelques marches, puis j'ai laissé tomber et je suis redescendue. Puis, il recommençait et je tentais de l'attraper ; il remontait toujours les marches en riant.

Ce manège s'est répété cinq ou six fois, jusqu'à ce que j'en aie assez et m'en aille. Je crois qu'une personne m'a dit d'aller vérifier à ma table, qu'Alan s'y trouvait. J'ai donc rebroussé chemin et je me suis rendue au bout des marches, où était ma table. Alan y disposait des roses rouges, une à la fois, avec grand soin. Un sourire radieux illuminait son visage. Je me suis donc dirigée vers lui et je l'ai embrassé. Voici la partie bizarre.

Nous nous trouvions dans une sorte de lieu de transit où les gens venaient pour mourir et renaître. J'étais un peu effrayée, mais Alan m'a prise par la main. Nous nous sommes dévêtus et étendus dans un cercueil pour y mourir tous les deux, de façon à renaître ensemble. J'étais très, très heureuse de mourir avec lui. Je me suis réveillée à cet instant. Que se passe-t-il ?

Silvia, 22 ans, célibataire, Canada

QUI AURAIT PU IMAGINER que les flirts occasionnels entre Silvia et Alan puissent en venir à une telle conclusion : ils se couchent tous les deux nus dans un cercueil et Silvia se sent merveilleusement heureuse de cette situation. Certaines choses n'arrivent qu'en rêve !

Sigmund Freud a observé que dans les rêves, les escaliers sont souvent associés à la sexualité à cause : a) du mouvement que nous faisons en les montant ; b) du fait que nous tentons de parvenir à une destination ; et c) que nous arrivons au but essoufflés.

Silvia reconnaît qu'elle est attirée par Alan et qu'elle a flirté avec lui pendant un bon moment. Cependant, après avoir effectué quelques danses lascives (montée et descente des escaliers), elle en a assez et décide de quitter la scène. À ce stade, de façon éloquente, une personne lui dit d'aller vérifier à sa table. Elle s'exécute et remarque Alan qui place soigneusement des roses rouges. Le sens symbolique du geste d'Alan ne lui échappe pas. Les roses, surtout celles de couleur rouge, sont un symbole de passion et d'attirance. Bientôt, Silvia embrasse Alan et une transition magique se produit dans leur relation.

Dans l'univers onirique, la mort est un signe de changement ; quant à la nudité, lorsque nous sommes à l'aise avec notre partenaire, c'est une métaphore de la transparence affective et de l'intimité. Lorsque Silvia enlève ses vêtements et se prépare à mourir avec son amant, elle exprime son désir de voir changer son statut actuel sur le plan amoureux (celui de simples amis). À la place, elle souhaite une relation intime, représentée par sa nudité.

Si Silvia s'est finalement lassée de « poursuivre » Alan, son rêve vient lui rappeler de considérer deux fois (ou cinq ou six fois) son bon ami. Ce rêve puissant nous informe que sa relation avec Alan est arrivée à une transition excitante. Silvia devrait apprécier cette renaissance.

Nudité

Nudité : La nudité exprime le fait d'être exposé et la vulnérabilité émotionnelle. Être nu dans un rêve indique que les autres peuvent « percer à jour » notre déguisement social ou notre façon de nous présenter et percevoir notre véritable personnalité. Cela peut également refléter l'impression de ne pas être préparé dans un contexte commercial ou social, ou la peur d'être démasqué ou pris à la suite d'un crime ou d'un acte répréhensible. Ce genre de rêve survient souvent à la suite d'une erreur ou d'un faux pas en société et peut traduire l'embarras ou la honte, ou la sensation d'être observé minutieusement. Si personne ne remarque notre nudité, le rêve indique qu'il est possible que nous soyons trop sensibles. (Personne ne « voit » notre inconfort.)

Les rêves de nudité sont rarement de nature sexuelle, à moins que la sexualité n'en fasse explicitement partie. Les rêves agréables dans lesquels nous sommes nus avec l'être aimé supposent l'ouverture et l'authenticité dans une relation. Se trouver nu ou légèrement vêtu devant un partenaire amoureux potentiel peut être le signe que nous lui avons révélé notre intérêt. Les rêves où nous sommes incapables d'enlever nos vêtements (par exemple, s'il y a toujours une autre chemise en dessous) indiquent une peur de l'intimité affective. Les rêves désagréables de nudité complète ou partielle peuvent aussi signaler une impression d'attention sexuelle non désirée. Un rêve dans lequel nous nageons nus dans une piscine suggère une bonne capacité d'examiner nos propres émotions.

• **Truc d'interprétation :** Si vous rêvez que vous êtes nu en public, voyez dans quel domaine de votre vie vos émotions ont récemment été exposées. Vous êtes-vous mis dans une situation embarrassante devant vos amis, au bureau ou dans votre famille ?

* * *

Les rêves de nudité provoquent presque toujours un malaise. Nous sommes intrigués : quelle partie de notre vie a récemment été exposée ? Dans « En sous-vêtements au bureau », une femme, qui fait souvent des rêves où elle est nue ou très peu vêtue sans que personne ne le remarque, devient soudainement visible. Y a-t-il une raison à ce changement soudain d'apparence ? Dans « Sentiments mis à nu », la rêveuse est mal à l'aise de se trouver à moitié nue, au lit avec un homme pour qui elle a le béguin, dans une salle de conférence de l'université qu'elle fréquente. Est-elle en train de révéler ses sentiments ou est-elle simplement pressée ?

Rêves de nudité

« En sous-vêtements au bureau »

J'ai souvent fait des rêves dans lesquels j'étais nue, mais dans le dernier une personne m'abordait en me demandant pourquoi je venais au bureau en sous-vêtements. Auparavant, j'étais la seule à m'apercevoir que j'étais nue. Depuis quelque temps, j'ai un nouveau patron. Il m'a appris que mon poste allait être aboli à la suite d'une restructuration.

– Tatyana, 47 ans, célibataire, États-Unis

L'ARRIVÉE D'UN NOUVEAU PATRON au bureau de Tatyana a ajouté un aspect différent à ses rêves. Tandis qu'auparavant personne ne remarquait sa nudité (thème courant dans ce genre de rêve, indiquant que les autres ne perçoivent pas nos lacunes aussi promptement que nous-mêmes), dernièrement ses collègues de travail ont « vu » qu'elle était presque nue. Pourquoi ce changement ?

Par le passé, les rêves de Tatyana où elle figurait nue reflétaient fort probablement un sentiment normal de vulnérabilité qu'elle expérimentait parfois au travail. Quelqu'un a-t-il remarqué qu'elle prenait congé tous les vendredis après-midi ? Quelqu'un a-t-il deviné qu'elle avait utilisé une ruse pour assister à la réunion du service de la comptabilité ?

Cependant, aujourd'hui, la situation est beaucoup plus critique au travail. Une restructuration est en cours et le poste de Tatyana sera éliminé. Il n'est donc pas surprenant qu'elle ait l'impression que des milliers de yeux la surveillent.

Quel message transmet ce rêve ? Maintenant plus jamais, Tatyana veut être perçue comme une employée clé. Il serait toutefois préférable qu'elle revête son plus beau costume de ville par-dessus ses sous-vêtements !

« Sentiments mis à nu »

Je suis une femme de vingt et un ans, étudiante à l'université. Depuis l'an dernier, je vis un flirt avec un étudiant de vingt-cinq ans dénommé Sam. Je ne lui ai jamais dit qu'il m'intéressait parce qu'il vit une relation à long terme. Après tout ce temps, j'en suis venue à me dire qu'il ne se passera jamais rien entre nous. Mais pour une raison ou une autre, je rêve fréquemment à lui, quoique de moins en moins souvent à mesure que le temps passe.

Voici le rêve. J'entre dans une salle de classe où de nombreux étudiants assistent à une conférence. Tout au fond, il y a un lit dans lequel John (un garçon qui m'a déjà demandé pour sortir avec lui) est à moitié nu. Il m'invite à le rejoindre et je me retrouve moi aussi presque nue. Ma blouse est entrouverte, je n'ai pas de pantalon mais je porte une culotte. Une couette blanche couvre la partie inférieure de nos corps. Je ne sais pas s'il s'agit d'un vrai lit ou si ce sont des bureaux mis ensemble, mais il me paraît réel et il y a des oreillers.

Bientôt Sam remplace John et demeure au lit avec moi pendant tout le reste du rêve. Lui aussi est pratiquement nu, mais il ne semble pas en faire de cas, contrairement à moi. Sam me caresse les épaules et les cheveux ; à un moment, il m'enlace mais il ne se passe rien de très physique. À un certain point, il me caresse le dos pour trouver mon soutien-gorge. Il n'y arrive pas même si j'en porte un. Je ne suis pas heureuse d'être dans ce lit avec Sam parce que je me sens coupable de ne pas assister à la conférence. De plus, je crains que les gens ne nous remarquent. Par contre, je ne me sens pas mal à l'aise, juste un peu contrainte de demeurer sous les couvertures puisque je suis sans pantalon. J'ai aussi l'impression que je dois être dans ce lit avec Sam, que c'est ce que je suis censée faire, que nous devons être ensemble.

La conférence se déroule sans que personne ne nous prête attention. Lorsqu'elle est terminée, plusieurs personnes s'approchent du lit et je fais comme si ni moi ni Sam y étions. Je parle aux gens comme si tout était normal, comme s'ils ne voyaient pas que Sam et moi étions à moitié nus dans un lit. La couverture le recouvre mais il n'essaie de tromper personne. John nous voit ensemble dans le lit.

Puis, ma pire ennemie de l'école secondaire, Krista, entre dans la salle et me dit que la situation me gêne puisque je suis toute rouge. Finalement, elle me lance que je devrais être franche puisque tout le monde connaît déjà la vérité. Sam m'affirme la même chose : je devrais révéler à la classe ce qui se passe. Il spécifie que c'est tellement évident puisque je n'arrive pas à trouver ma culotte.

– Sara, 21 ans, célibataire, Canada

MAINTENANT QUE SARA a décidé qu'il n'allait rien se passer entre elle et Sam, se sentirait-elle gênée d'avoir montré publiquement son attirance envers lui ? Tous ses amis peuvent-ils déceler ce que dissimule l'air détaché qu'elle projette ?

Dans ce rêve, l'attirance que ressent Sara envers Sam ne pourrait être exposée davantage. Sara et Sam sont tous les deux à moitié nus dans un lit, symboliquement situé dans une salle de conférence remplie de condisciples.

À la fin de la conférence, Sara est mal à l'aise à cause de sa nudité. Elle tente de se couvrir et fait comme si elle n'était pas au lit avec Sam. La plupart de ses camarades acceptent sa version de l'histoire (ne remarquent pas qu'elle est nue) sauf, de façon significative, deux personnes. L'une d'elle est John, un homme qui a déjà voulu sortir avec elle. Lorsque Sara a repoussé ses avances, a-t-il su qu'elle s'intéressait à un autre homme ? Krista, la rivale de Sara à l'école secondaire, est la seconde personne qui perçoit sa nudité. Cette femme aimerait certainement avoir l'occasion de révéler les faiblesses de Sara.

Après avoir réalisé que son flirt n'aboutirait à rien, Sara se sent blessée et vulnérable. Son rêve où elle apparaît nue en public évoque cette vulnérabilité et son impression que tout le monde qui la connaît peut « voir » à quel point il l'attirait. Tandis qu'elle accepte peu à peu sa déception, son rêve lui offre un aperçu saisissant de ses émotions incommodantes. La plupart de ses amis ne voient pas ses « sentiments mis à nu ». Ainsi, son rêve l'encourage à ne pas trop se soucier de la façon dont les autres la perçoivent. Ses sentiments ne sont pas aussi transparents qu'elle le croit.

Oiseau

Oiseau : Dans l'univers onirique, les oiseaux sont largement associés à la liberté, aux histoires sentimentales et aux projets d'avenir et espoirs qui « prennent leur envol ». Si l'oiseau est en cage, des buts sont freinés ou l'espoir d'une relation amoureuse est limité. Des oiseaux qui s'envolent ou qui tombent peuvent correspondre à des attentes qui se concrétisent ou qui se sont pas réalisées. Des oiseaux morts ou blessés symbolisent parfois la fin d'un projet ou d'une relation amoureuse, ou la disparition d'une illusion. Des oiseaux qui attaquent peuvent représenter des sentiments de conflit dans une relation sentimentale. Les vautours et les corbeaux, parce qu'ils mangent la chair morte et en retour lui redonnent la vie sont liés aux thèmes de la mort et de la renaissance. Les faucons et les aigles sont associés à la perspective – la capacité de voir à une distance éloignée.

• **Truc d'interprétation :** Deux oiseaux ensemble représentent souvent un couple amoureux (un couple d'inséparables). Si un oiseau est mort ou blessé, vos espoirs d'une relation amoureuse sont-ils « morts » ? Les oiseaux en cage représentent souvent le rêveur lui-même. Êtes-vous bloqué sur le plan affectif quelque part dans votre vie ?

⁂

Les oiseaux qui apparaissent dans les rêves suivants ont tous une signification symbolique. Dans « L'oiseau mort », les espoirs d'une femme désirant un lien amoureux et un enfant semblent s'écraser au sol. Dans « La volée d'oiseaux », encore une fois les désirs d'union amoureuse de la rêveuse, illustrés par de petits oiseaux qu'elle tient dans sa main, ne prennent jamais leur envol. Le dernier exemple, « L'oiseau oublié », est le triste récit d'un amour négligé. Aucun amour ne peut survivre sans soins ou enfermé dans une cage.

Rêves d'oiseaux

« L'oiseau mort »

J'ai rêvé que des objets tombaient du puits de lumière situé au-dessus de mon lit. Je me suis réveillée lorsqu'un oiseau mort est tombé sur mon dos.

Lorsque je me suis rendormie, dans mon rêve, j'étais enceinte de trois mois. Au début, j'étais heureuse et curieuse de cette nouvelle vie, mais après avoir observé un groupe de femmes qui s'occupaient de leurs enfants sans aucune aide de leurs compagnons, j'ai eu très peur et j'ai voulu mettre fin à cette grossesse.

J'avais peur d'assumer seule la responsabilité d'élever l'enfant et l'homme avec qui j'étais dans le rêve n'était pas un partenaire sérieux. Je lui ai annoncé que je voulais mettre fin à la grossesse et il m'a dit de ne pas m'inquiéter, que je serais une bonne mère. Mais il n'a pas mentionné quel serait son rôle dans l'éducation de cet enfant. J'en ai conclu qu'il serait absent.

Dans la réalité, je vis une transition au travail et j'ai une relation qui n'est pas vraiment sérieuse avec un homme depuis la première fois en deux ans et cela me convient ainsi.

– Pamela, 26 ans, célibataire, États-Unis

LE RÊVE DE PAMELA montre que souvent une image symbolique très forte (un oiseau mort qui tombe sur son dos) est expliquée dans un rêve subséquent. Pamela peut-elle voir comment son premier rêve d'objets qui tombent est relié à son second qui évoque une déception sur le plan sentimental ?

Dans les deux rêves, les espoirs et les attentes sont ancrés dans la réalité.

Dans les rêves, les oiseaux sont associés à la liberté parce qu'ils ont la faculté de voler au-dessus de la terre. Puisqu'ils volent, les oiseaux symbolisent aussi les espoirs d'avenir, les projets que nous désirons faire « décoller » et les buts qui, espérons-nous, « prendront leur envol ».

L'oiseau mort qui tombe du puits de lumière de Pamela reflète la « fin » d'un récent « élan » d'imagination. Est-ce une coïncidence que cette image dérangeante soit précédée du rêve du nouvel homme dans sa vie – avec qui elle ne désire pas d'engagement sérieux ? Ses espoirs d'une relation à long terme se sont-ils « écrasés au sol » ?

Le second rêve de Pamela confirme qu'elle sait que son amoureux actuel ne désire pas se marier et fonder une famille. Dans ce rêve, ses inquiétudes semblent très concrètes. Spécifiquement, une grossesse non voulue avec cet homme compliquerait cette relation de passage. Malgré son bonheur de découvrir qu'elle est enceinte de trois mois, son rêve montre qu'elle est parfaitement consciente des difficultés d'élever seule un enfant. L'oiseau mort est en fait l'évanouissement des espoirs qu'elle a mis dans cette relation, mais peut être aussi une allusion troublante à sa peur de devoir avorter.

Si Pamela peut déjà reconnaître que cet homme n'est pas le bon, son rêve constitue un encouragement à passer à autre chose. Lorsqu'elle rencontrera l'homme qui lui convient – désirant se marier et fonder une famille – elle s'envolera de nouveau sur les ailes de l'amour, ses « petits oiseaux » en sécurité dans leur nid.

« La volée d'oiseaux »

C'est la première fois depuis longtemps que je rêve d'hommes. Les hommes sont absents de ma vie depuis plusieurs années et je sens que ce rêve est très important.

Lorsque le rêve commence, je suis dans un endroit qui ressemble à un campus. Je suis étendue près d'un étang boueux rempli d'oiseaux d'espèces et de formes variées. Ils sont tous très petits. Certains viennent se poser sur mes doigts et je peux les caresser.

Après un laps de temps, un jeune homme apparaît. Il me dit qu'il a quinze ans, mais il a l'air d'en avoir trente. Nous parlons et tout à coup, il tient une grosse boîte. Il l'ouvre et à l'intérieur se trouvent de nombreuses boîtes plus petites qui ressemblent beaucoup à des écrins de bagues. Il se met à les regarder.

Soudain, il annonce qu'une personne importante va bientôt parler. Nous avançons tous les deux sur une allée pavée qui monte et qui tourne comme une spirale, puis nous nous asseyons sur une corniche élevée et nous attendons l'orateur. Nos jambes pendent dans le vide. Au bout d'un moment, le jeune homme se jette en bas de la corniche. Il n'y a aucun cri, en fait, aucun son.

Par après, je me retrouve dans une immense foule d'hommes de tous les âges. Je ne vois pas de femmes. Je suis la seule femme. Plusieurs hommes me tirent vers eux, soit par une main soit par un bras, et me parlent comme si nous étions de vieux amis, mais il s'agit d'étrangers. Soudain, le jeune homme réapparaît. Sa chute de la corniche ne l'a pas du tout blessé. Il me dit : « J'ai quinze ans et tu en as quarante. » Je réponds : « J'ai plus de quarante ans. » Il disparaît et ne revient plus.

Me revoilà de nouveau à l'étang du début. Je marche avec un homme sur la même allée en spirale pour aller entendre l'orateur. Tout à coup, je me rends compte que je ne suis vêtue que d'un maillot de bain et de grosses bottes en cuir, comme on en porte dans la neige, l'hiver. Puis, je suis de nouveau dans la foule d'hommes. Le rêve se répète constamment, comme s'il n'arrivait pas à trouver une fin. Finalement, je me réveille.

Je suis une femme de cinquante et un ans qui ne s'est jamais mariée. Même si je me sens beaucoup plus jeune que mon âge, je ne me suis jamais sentie à l'aise de sortir avec un homme plus jeune. Mes relations avec les hommes ont été décevantes. Souvent, j'ai cru que la relation allait enfin quelque part avant de me rendre compte qu'une fois de plus on me laissait tomber, puis je me retrouvais en suspens. Après avoir renoncé pendant plusieurs années, je me sens de nouveau prête à réessayer. Cela me rend un peu nerveuse. Mes sentiments envers les hommes sont plutôt partagés.

Je sais que les oiseaux signifient la liberté dans les rêves. Dans la vie réelle, je m'adonne à l'observation d'oiseaux, tout comme ma mère et ma grand-mère. Ils m'apportent beaucoup de plaisir et de réconfort. Les oiseaux font souvent partie de mes rêves. Leur taille (ils étaient petits) a-t-elle de l'importance ?

– Stacy, 51 ans, célibataire. États-Unis

LORSQUE NOUS NOUS POSONS les bonnes questions et que nous avons le courage d'affronter nos peurs, nos rêves nous dévoilent fidèlement leurs énigmes. Le rêve de Stacy est très métaphorique, mais les renseignements qu'elle nous livre honnêtement contiennent tous les indices requis pour en comprendre la poésie.

Le jeune homme qui lui rappelle son âge deux fois disparaît aussi deux fois. D'abord, il tombe d'une corniche. De façon significative, il n'y a « aucun son » lorsqu'il tombe. Puis, il disparaît après avoir poliment supposé que Stacy avait quarante ans. En réalité, elle en a cinquante et un. Stacy écrit que les hommes la « laissaient tomber et qu'elle se retrouvait en suspens ». Peut-être Stacy croit-elle que la différence d'âge – entre elle et l'un de ses partenaires plus jeunes – est responsable de leur disparition soudaine.

L'allée en spirale où elle marche avec le jeune homme représente une relation en évolution (elle monte). La corniche évoque un autel. L'homme important qu'elle vient entendre ? Il semble que ce soit un pasteur ou un membre du clergé. Pouvons-nous être sûrs qu'il s'agit d'une métaphore du mariage ? La réponse est fournie par le jeune homme. Avant que Stacy ne mont l'allée en spirale à ses côtés, il ouvre une boîte qui contient de nombreux écrins de bagues. L'espoir d'une relation engagée est représenté sous ses yeux, mais, de manière significative, elle ne reçoit pas de bague pas plus qu'elle n'entend « l'homme important » parler.

Dès que nous savons que l'allée en spirale reflète les espoirs de Stacy d'avoir une relation engagée, plusieurs autres métaphores prennent leur sens. La foule d'hommes (qui se comportent comme s'ils la connaissaient) représentent des aventures épisodiques entre les relations plus sérieuses. Le maillot de bain porté avec des bottes d'hiver suggère une tentative de mettre un certain sex-appeal dans les sentiments qu'elle traîne péniblement au fil d'une vie affective « en hibernation ». Le maillot de bain peut également signifier un renouveau printanier et une renaissance – la fin d'une période de froid. Stacy nous révèle qu'après un temps de renonciation, elle est de nouveau prête à réessayer.

Stacy nous apprend aussi qu'elle tire « du plaisir et du réconfort » à observer les oiseaux, tout comme sa mère et sa grand-mère. En conséquence, dans son rêve les oiseaux représentent un bien-être ressenti dans le monde de la nature, qui se juxtapose à sa difficulté de trouver une relation amoureuse durable. La présence de l'étang (eau) indique que les oiseaux sont liés aux émotions.

Pour Stacy il semble important que les oiseaux soient petits, même s'ils sont « d'espèces et de formes différentes ». Dans les rêves, la petitesse constitue une représentation courante d'espoirs et de projets qui n'ont pas encore été menés à terme. Si les oiseaux sont le symbole de ses aspirations sur le plan affectif, nous pouvons voir que Stacy, à la suite de plusieurs déceptions amoureuses, laisse maintenant renaître ses espoirs. Si les oiseaux évoquent aussi la liberté, comme elle le suggère, son rêve est alors un rappel qu'elle est libre de créer son avenir.

« L'oiseau oublié »

Renseignements personnels : Je suis tombée amoureuse du garçon avec qui je partage mon appartement. Il m'a affirmé qu'il était aussi amoureux et nous avons entrepris une relation. Nous avons passé six mois merveilleux, puis il m'a annoncé qu'il allait vivre avec son ancienne petite amie.

Dans mon rêve, je me trouvais dans un grand appartement avec mon amoureux et une bonne amie à moi. Nous étions assis sur le canapé, lui au milieu. Je suis allée dans une autre pièce et en jetant un coup d'œil, j'ai vu que mon amoureux s'était rapproché de mon amie et flirtait avec elle.

Je me suis retournée et lui ai dit au revoir (à mon amoureux) et nous avons tous compris que la relation venait de prendre fin. Je l'ai raccompagné à la porte, où il y avait plusieurs boîtes contenant ses affaires. Quand j'ai voulu prendre l'une des boîtes, des milliers de cafards en sont sortis. J'ai vaporisé un insecticide pour les tuer. Une fois qu'ils ont tous été détruits, j'ai ouvert la boîte d'où ils avaient émergé et j'ai découvert un oiseau mort en cage. J'ai demandé à mon ami ce que cela signifiait et il m'a répondu : « Oh, j'ai emballé l'oiseau puis je l'ai oublié. »

Il m'a ensuite pris la main et m'a ramenée vers le canapé. Il a dit : « Tu as fait preuve de compassion par le passé, pourquoi est-ce impossible maintenant ? » Ce à quoi j'ai répondu : « J'ai de la compassion, mais je ne te veux pas. »

Le rêve s'est terminé ainsi. Ce garçon vit toujours avec moi et planifie son déménagement avec son amie.

– Heather, 30 ans, célibataire, États-Unis

Il y a certainement quelque chose qui donne le cafard à Heather et, d'après le contexte qu'elle donne, il ne peut y avoir qu'une réponse : son amoureux est un cafard ! Tandis qu'elle a toutes les raisons d'avoir le cafard à cause de son comportement minable, elle a dû aussi en tirer une précieuse leçon. À l'avenir, Heather restera certainement loin des triangles amoureux.

Au début du rêve, la situation difficile de Heather est nettement définie. Son amoureux est assis entre elle et une autre femme (une amie) sur un canapé. Dès que Heather sort de la pièce, il commence à flirter avec l'autre femme, qui représente les événements de la vie réelle. L'ami de Heather fréquentait deux femmes en même temps.

Lorsqu'elle apprend la vérité, elle lui demande de quitter et l'aide à transporter ses boîtes. Celle qui est pleine de cafards symbolise ses sentiments par rapport à son ancien ami. Il s'est comporté de façon minable, comme une « blatte » et Heather a hâte d'éliminer cette peste de la maison.

Dans les rêves, les oiseaux sont associés aux histoires amoureuses et aux projets d'avenir qui prennent « leur envol ». Les espoirs de Heather de vivre une relation avec son ami – symbolisés par l'oiseau négligé qu'elle trouve mort dans une cage – sont effectivement morts. Son ami a pu compartimenter les sentiments qu'il éprouvait pour Heather (il les a mis en cage pendant qu'il fréquentait une autre femme). Privé d'amour et d'attention, leur rêve s'est évanoui.

À la fin du rêve, son ami perçoit sa colère et sollicite sa compassion. Elle lui répond qu'elle a de la compassion, mais qu'elle ne le veux plus dans sa vie. Cette relation serait donc déjà réglée. La décision de Heather d'aller de l'avant reflète un bon estime de soi, ce qui laisse présager qu'à l'avenir, ses rêves amoureux prendront leur envol.

Paralysie

Paralysie : Les rêves de paralysie surviennent lors de réveils partiels du sommeil paradoxal, lorsque le corps est incapable de répondre aux commandes de mouvements émises par le rêveur à demi éveillé. L'état physique qui en résulte crée de la confusion. La personne croit qu'elle est réveillée, mais se sent piégée dans un corps sans réaction. De plus, la limite entre le rêve et la réalité devient floue, puisque la personne erre entre le sommeil et l'état de veille.

Souvent, les rêveurs paniquent car ils sentent qu'un intrus ou une présence diabolique dans leur chambre les maintient couchés ou exerce une forte pression sur eux. Durant cet état de confusion, les rêves d'intrus, d'agresseurs, de possessions par un être surnaturel, d'expériences extrasensorielles et d'enlèvements par des extraterrestres sont très fréquents. Cependant, la paralysie du corps qui se produit au cours du sommeil paradoxal a une fonction protectrice : elle nous empêche de passer physiquement à l'acte pendant que nous rêvons. En conséquence, les rêveurs doivent se rassurer : ils ne sont pas en train de revivre des souvenirs réprimés ni de recevoir la visite d'esprits malsains.

Intrus : Les rêves où des intrus nous visitent pendant que nous sommes paralysés représentent la peur de la vulnérabilité, causée par la sensation d'immobilité durant le sommeil paradoxal. Ces rêves peuvent aussi refléter de véritables peurs des intrus, surtout chez les personnes qui craignent pour leur sécurité parce qu'elles vivent dans un quartier peu rassurant ou qu'elles ont déjà vécu une tentative de vol. De façon symbolique, les rêves à propos d'intrus qui ne sont pas accompagnés d'une sensation de paralysie peuvent évoquer une personne qui est trop près de vous, qui ne respecte pas nos limites.

Incapacité de bouger : Les rêves dans lesquels nous sommes incapables de courir pour échapper à un agresseur ou de frapper un adversaire traduisent un sentiment d'impuissance. Le rêveur veut s'enfuir ou se défendre, mais ses membres sont lourds, comme s'ils étaient « figés dans le ciment », comme si « le combat se passait sous l'eau » ou « au ralenti ». Ces rêves suggèrent qu'une nouvelle stratégie est nécessaire pour régler un problème. Inversement, la capacité de frapper un adversaire bien fort ou de vaincre un agresseur indique des sentiments de puissance.

• **Truc d'interprétation :** Si, dans votre rêve, vous êtes paralysé en présence d'un intrus, essayez de vous rappeler que vous êtes en train de rêver et que vous ne courez aucun danger. Résistez à la panique (il n'y a pas d'agresseur) et tentez plutôt de vous détendre et d'explorer consciemment l'environnement du rêve. Votre corps est fatigué et ne veut pas se réveiller tout de suite. Personne n'est jamais resté paralysé !

* * *

La confusion que nous expérimentons au cours des épisodes de paralysie du sommeil paradoxal peut être terrifiante. Cette paralysie nous empêche de bouger, ralentit notre respiration et étouffe nos cris d'appels à l'aide. En passant du sommeil paradoxal à l'état de somnolence, le rêveur peut avoir des visons effroyables d'agressions et de manipulations.

Dans « Paralysie devant une présence sinistre », un homme se demande quelle est la force sombre qui vient hanter son sommeil. Un trauma réprimé a-t-il été éveillé ? « Paralysie devant un intrus » présente une femme qui s'inquiète de faire une expérience extrasensorielle. Une personne décédée récemment revient-elle l'obséder ? La rêveuse de « Paralysie devant des extraterrestres » croit qu'elle est sur le point de se faire enlever par des personnages étranges.

Rêves de paralysie

« Paralysie devant une présence sinistre »

Au cours des deux dernières nuits, j'ai fait ce rêve bizarre trois ou quatre fois. Dans le rêve, je suis couché dans mon lit lorsqu'une personne ou une chose sinistre mal intentionnée entre dans la pièce. J'essaie de me réveiller afin de me protéger. Dans mon rêve, j'ai l'impression que je vais mourir si je ne m'éveille pas avant que l'intrus m'attrape. Je suis incapable de crier et, finalement, je me réveille en geignant. (Je suis incapable de commander à ma bouche de crier.)

Le rêve comme tel ne me perturbe pas trop ; c'est sa fréquence qui m'inquiète. Cela m'empêche de dormir. Je n'ai pas peur de m'endormir, mais ce rêve arrive environ toutes les quatre-vingt-dix minutes. J'ai manqué de sommeil durant quatre ans, surtout à cause de mes études et de ma carrière et j'ai rarement fait des rêves de paralysie.

Je n'ai pas peur des intrus et je ne me sens aucunement en danger. Ces rêves se produisent toujours quand je suis couché sur le dos.

La fréquence élevée indique-t-elle que je refoule un problème non résolu ? J'ai vécu plusieurs changements importants au cours des deux dernières années, mais rien d'accablant.

– Phillip, 32 ans, célibataire, États-Unis

LES RÊVES où apparaissent des intrus comptent parmi les pires cauchemars. Ces rêves partagent un thème commun : une impression terrifiante de vulnérabilité. Phillip a posé la question dont toutes les personnes qui font ce genre de rêve veulent connaître la réponse. Quel est le sens psychologique ? S'agit-il d'un souvenir enfoui ? Un esprit malsain nous hante-t-il ? Avons-nous subi une agression durant l'enfance ? Et qui est « cet homme » qui nous poursuit ? (L'agresseur est presque toujours de sexe masculin.)

Toutes ses question sont fondées, mais avant que Phillip ne se complique la vie avec un passé qui n'existe pas (« problèmes non résolus »), il est essentiel de comprendre le fonctionnement du sommeil paradoxal. D'abord, ce n'est pas une coïncidence si ses rêves se répètent à intervalles de quatre-vingt-dix minutes. C'est la durée du cycle du sommeil humain, qui se termine infailliblement par la phase du sommeil paradoxal. Ensuite, la paralysie qui se manifeste dans les rêves de Phillip est l'une des caractéristiques du sommeil paradoxal. Toutes les créatures à sang chaud de la Terre sont soumis à l'absence de tonus musculaire – atonie musculaire – pendant le sommeil paradoxal. Lorsque nous nous éveillons partiellement au cours de cette phase du sommeil, cette absence de tonus musculaire se vit comme une paralysie.

Dans le cadre d'une célèbre expérience menée en 1953 par le scientifique français Michel Jouvet, il a été démontré que le cerveau envoyait des commandes de mouvements durant la phase de sommeil paradoxal pour que nous puissions nous déplacer selon nos besoins perçus dans le rêve. Cependant, ces commandes ne sont pas transmises au corps, grâce à un mécanisme situé à l'extrémité de la moelle épinière, dans le tronc cérébral. Cette paralysie nous permet, la plupart du temps, de rêver en paix. Lorsqu'au cours d'un rêve nous devenons conscients de cette paralysie, nous avons l'impression de porter un poids et d'être incapable de bouger.

Généralement, les rêves d'intrus ne sont pas des rappels d'agressions passées. Il s'agit plutôt d'une réaction universelle face à la vulnérabilité que nous ressentons lorsque nous prenons conscience de la « paralysie du sommeil paradoxal ». Phillip observe astucieusement que ses rêves ont à voir avec ses périodes de manque de sommeil et avec sa position couchée sur le dos. En effet, le manque de sommeil a un rôle à jouer dans les épisodes de paralysie du sommeil. Quand notre corps manque de sommeil paradoxal, souvent il refuse de nous libérer de cette phase jusqu'à ce qu'il ait récupéré ce dont il a besoin. De plus, de nombreuses personnes qui font ce genre de rêve recommandent de se coucher sur le côté.

Heureusement, le message de ce rêve est simple : il est temps pour Phillip de rattraper ses heures de sommeil sans se faire déranger par des fantômes, des gnomes ou des menaces du passé.

« Paralysie devant un intrus »

Voici un peu d'information sur moi : j'ai été mariée deux fois et mon premier mari est mort.

Dans mon rêve, habituellement, une figure masculine, toujours en noir et blanc, entre dans ma chambre. Soit il s'assoit au bord du lit ou il s'y installe près de moi. Puis, il se met à pousser tellement fort contre mon dos ou mon ventre que je ne peux respirer. (Je ne connais pas cette personne ; je sais seulement que c'est un homme.)

J'ai l'impression qu'il prend tout l'air de mon corps. Je m'éveille, confuse. Le rêve me paraît si réel qu'il m'effraie. (Je dois préciser que ce rêve ne se produit que lorsque mon mari est parti au travail ou qu'il se trouve à l'extérieur, jamais quand il est à la maison.) J'ai fait ce rêve plusieurs fois. Ce matin, l'intrus entrait dans la chambre par une porte située derrière moi et m'a dit qu'il était la même personne que d'habitude.

S'il vous plaît, aidez-moi à comprendre ce que cela veut dire. Mon premier mari revient-il vers moi ? Je ne l'aime pas.

– Wendy, 62 ans, remariée, États-Unis

WENDY A REMARQUÉ que ses rêves d'intrus se manifestaient seulement lorsqu'elle était seule dans son lit. Cette observation a alimenté une peur sinistre : son premier mari, qui est mort, la hante-t-il ? Est-ce la raison pour laquelle le rêve ne se produit que lorsque son mari est absent ?

Le rêve de Wendy comporte plusieurs caractéristiques de la paralysie du sommeil. La pression qu'elle sent sur son dos ou son ventre est causée par le manque de réaction qu'elle perçoit au thorax quand elle tente de respirer. Puisque son corps est toujours en phase de sommeil paradoxal, les muscles qui lui servent à respirer ne sont pas encore actifs. Ainsi, lorsqu'elle tente de détendre son thorax, elle a l'impression qu'elle ne peut respirer. Il est tout aussi significatif que Wendy fasse ce genre de rêve lorsqu'elle dort seule. Puisque ce type de paralysie est provoqué par un éveil partiel du sommeil paradoxal, il est possible que Wendy ne dorme pas sur ses deux oreilles (soit donc plus sujette à se réveiller) quand son mari n'est pas là.

Au Moyen Âge, la paralysie du sommeil était souvent interprétée comme un cauchemar où la personne était possédée par des esprit maléfiques qui se disputaient son âme durant la nuit. Comme ses ancêtres, Wendy se demande elle aussi si un mauvais esprit lui rend visite, c'est-à-dire son premier mari.

Comme Wendy le sait maintenant, il n'y a jamais eu d'intrus dans sa chambre et elle n'arrête pas de respirer pendant ces rêves (même si elle ne peut bouger les muscles de son thorax). Ainsi, pour elle, la solution se trouve dans la compréhension. À la prochaine visite de l'intrus, elle devrait se rappeler que ce n'est que le même vieux rêve et essayer de bouger un bras ou une jambe pour tenter de contrer le sort. En comptant jusqu'à trente et en essayant de bouger ses orteils ou ses doigts, Wendy se réveillera en moins de deux.

« Paralysie devant des extraterrestres »

Souvent au cours de ma vie, j'ai fait des rêves qui me laissaient au réveil l'impression d'une présence. Je ne sais pas qui « ils » sont, mais dans mon rêve je sais qu'il s'agit d'extraterrestres. D'habitude, je vois des lumières vives par la fenêtre et cela me paralyse. Seuls mes yeux peuvent bouger. C'est une sensation effrayante. Puis, je me réveille.

Ma famille me taquine en me disant que j'ai vraiment été enlevée par des extraterrestres. Bien sûr, je n'y crois pas. Je ne peux citer aucun changement marquant dans ma vie quand ces rêves se manifestent. C'est comme s'ils survenaient de temps en temps, généralement quand je suis à la maison avec mes parents, là où j'ai grandi.

- Ivy, 45 ans, mariée, États-Unis

LE RÊVE RÉCURRENT D'IVY est un bon exemple des « choses étranges » qui se produisent durant la nuit, mais qui s'expliquent simplement. La science moderne nous a appris que la paralysie qui survenait pendant le sommeil paradoxal était bénigne et fonctionnelle. (Elle nous empêche de passer à l'acte.) Nous savons aussi que les démons et les visions d'intrus que nous rencontrons au cours de cette phase du sommeil ne sont que des représentations de nos peurs, qui sont réanimées. Cette paralysie nous donne l'impression d'être extrêmement vulnérables.

Ivy peut bouger les yeux car c'est la seule partie du corps qui ne paralyse pas pendant le sommeil paradoxal, aussi appelé phase de mouvements oculaires rapides. Les visites sont plus fréquentes lorsqu'elle se trouve dans la maison de ses parents à cause du phénomène du « lit étranger ». La plupart des gens se réveillent plus souvent et ont un sommeil plus agité lorsqu'ils dorment à l'extérieur de chez eux, dans un lieu inhabituel. Enfin, les lumières qu'Ivy voit peuvent être la cause de son réveil. Les phares d'une voiture qui passait l'ont-ils à moitié réveillée et se sont-ils intégrés à l'histoire de son rêve ?

Historiquement, la paralysie du sommeil paradoxal a toujours été perçue comme un enlèvement – par des esprits maléfiques, des morts ou des sorcières (jamais par un gentil fantôme). Aujourd'hui, nous pouvons ajouter les ovnis et les extraterrestres à cette liste, mais le véritable coupable est en fait beaucoup plus près de nous : des cellules nerveuses fatiguées, situées à l'extrémité de la moelle épinière qui essaient d'obtenir quelques heures de sommeil supplémentaires et qui ne veulent pas que nous nous éveillions.

Perte

Perte : En rêve, la perte exprime le doute, l'insécurité et la confusion quant à la direction que prend notre vie. Le lieu est important. Un bureau ou un contexte d'affaires indiquent une incertitude liée à la carrière. Dans une situation romantique (par exemple, ne pas arriver à trouver son partenaire dans une foule), il s'agit de difficultés à communiquer ou d'obstacles physiques à l'intimité. Se perdre dans le cadre d'un voyage (dans un aéroport, une gare ou une station de métro) suggère une période de transition ou de l'incertitude face à l'avenir. Les rêves dans lesquels nous perdons des objets associés à l'identité – sac à main, porte-monnaie, clés – se produisent souvent à la suite d'un changement d'emploi, d'une séparation, d'un divorce et de la mort d'un conjoint. (Nous avons l'impression d'avoir « perdu » notre identité.) Les personnes âgées rêvent souvent qu'elles sont perdues car elles s'inquiètent des conséquences d'une mémoire défaillante, ainsi que durant les périodes de dépression.

Les porte-monnaie et les sacs à main : Puisqu'ils contiennent nos pièces d'identité (permis de conduire, carte d'assurance sociale, etc.) et notre argent (billets, chéquier, cartes de crédit), les porte-monnaie et les sacs à main sont fortement liés à notre identité et à notre sentiment d'autonomie. Les rêves où nous perdons notre porte-monnaie ou notre sac à main arrivent fréquemment à la suite d'un changement de statut significatif – par exemple, passer du mariage à la séparation ou au divorce, perdre un emploi ou être forcé d'accepter un nouveau poste. Puisqu'ils renferment les accessoires de beauté d'une femme, les sacs à main sont associés à la confiance en soi, à l'image personnelle et à la séduction. L'incapacité de trouver un sac à main, combinée à des doutes concernant l'apparence (ne pas trouver son maquillage), suppose l'impression de ne pas être préparé pour une présentation en public. De plus, parce que les sacs à main sont des objets personnels pouvant s'ouvrir et se fermer et contenant des biens précieux, dont des produits d'hygiène, il est possible qu'ils évoquent les organes génitaux féminins et l'utérus.

Passeport : Les rêves où nous arrivons à l'aéroport sans passeport indiquent un manque de préparation pour une carrière ou une aventure amoureuse. Les passeports perdus peuvent aussi dénoter un sentiment de perte d'identité – à cause d'un long séjour dans un autre pays ou de l'influence d'une autre culture, par exemple, celle d'un conjoint. Ce genre de rêve reflète également de véritables angoisses durant un voyage à l'étranger.

• **Truc d'interprétation :** Si vous êtes perdu dans un rêve, tentez de cerner ce qui vous inquiète dans la vie.

⁂

Quand nous sommes perdus dans un rêve, c'est souvent parce que nous avons l'impression d'avoir « perdu notre voie » dans la réalité. Dans « Perdre son automobile », une femme en transition a égaré sa voiture. Réussira-t-elle à reprendre le contrôle de sa vie ? Dans « Perdre le sens de l'orientation », une étudiante fait un rêve récurrent dans lequel elle est perdue dans un quartier. Est-elle désorientée ? Dans « Perdre son chemin », une femme rêve qu'elle prend la mauvaise direction. Le temps est-il venu pour elle d'essayer une nouvelle route ?

Rêves de perte

« Perdre son automobile »

Dans mon rêve, je me rendais au centre commercial, garais mon auto, dans laquelle je laissais mes choses, puis j'entrais dans un magasin. J'ai voulu acheter un article, mais mon sac à main était resté dans la voiture. Je suis donc retournée dans l'aire de stationnement, où je n'arrivais pas à la retrouver. C'était le soir et il faisait très sombre. L'aire de stationnement était à peine éclairée et il y avait beaucoup de gens qui circulaient. Et je ne pouvais toujours pas trouver mon automobile. Je me demandais qui appeler à l'aide, mais je ne voulais pas que cette personne se moque de moi si jamais je trouvais la voiture entre-temps.

Je suis présentement en rupture et mon ex est l'une des personnes que je pensais appeler à ma rescousse. Toutefois, il est très critique et récemment il m'a dit que je ne survivrais pas sans lui. J'étais donc encore plus déterminée à chercher mon auto toute seule.

Lorsque je me suis réveillée, ce rêve m'a paru très réel et m'a laissé une sensation d'angoisse. Je suis d'ailleurs encore angoissée après plus d'une heure.

- Amber, 35 ans, célibataire, États-Unis

L'AUTOMOBILE nous sert à nous rendre d'un lieu à un autre. Ainsi, la façon dont elle fonctionne dans un rêve – ou ne fonctionne pas – est un indice d'efficacité personnelle. Si, comme dans le rêve d'Amber, nous réalisons tout à coup que nous avons perdu notre voiture, il s'agit d'une métaphore d'incertitude face à l'avenir. Nous ne savons pas comment nous passerons d'un lieu à un autre.

Dans les rêves, les sacs à main et les porte-monnaie sont liés à notre identité. Les deux contiennent des pièces que nous utilisons régulièrement pour prouver notre identité au monde et pour affirmer notre pouvoir : un permis de conduire, une carte d'assurance sociale, des cartes de crédit, de l'argent liquide et des livrets de chèque. Si nous perdons notre sac à main ou notre porte-monnaie, notre pouvoir et notre identité nous sont temporairement retirés, jusqu'à ce que nous les retrouvions ou en remplacions le contenu.

Le rêve d'Amber reflète son changement de statut (perte d'identité) depuis sa rupture, ainsi que son inquiétude alors qu'elle s'apprête à appréhender le monde par elle-même (elle n'arrive pas à trouver sa voiture). Son ex l'a vexée en affirmant qu'elle ne pourrait survivre sans lui et cela a soulevé des doutes dans son esprit. Amber parviendra-t-elle à une nouvelle destination dans sa vie, sans l'aide de son ex ?

Sa détermination à résoudre son problème par elle-même constitue un vote de confiance pour l'avenir. Amber se sent peut-être désorientée pour l'instant alors qu'elle s'ajuste à son nouveau statut, mais son rêve laisse croire que bientôt elle observera cette relation dans son rétroviseur.

« Perdre le sens de l'orientation »

Je suis perdue dans un quartier que je ne connais pas. Je cherche un édifice, mais je ne sais pas trop lequel. Pour une raison quelconque, je suis habillée chic, je porte des talons hauts et j'ai ma bicyclette. Je passe devant une famille en train de se disputer assez vivement et comme je tourne le coin, un autre voisin (un homme dans la cinquantaine) s'excuse de cette situation et va fusiller la famille. Mais il semble que cette partie n'est pas importante pour moi. Je suis absorbée dans ma recherche : soit une certaine maison ou mon chemin pour sortir de ce quartier.

Chaque fois que je fais ce rêve (une ou deux fois par mois depuis à peu près un an), les maisons sont les mêmes, je suis le même chemin et malgré tous mes efforts, je ne réussis jamais à revenir là d'où je suis partie.

Voici un peu d'information sur moi. Je pense quitter mes trois colocataires pour m'installer seule ou avec une seule autre personne. J'aimerais aussi reprendre mes études, mais je ne sais pas dans quelle discipline. J'ignore si cela a un lien, mais c'est ce qui s'est passé dans ma vie depuis environ un an.

De plus, peut-être que cela n'a aucun rapport, mais je mesure un mètre quatre-vingts et je ne possède pas de chaussures à talons hauts. Je m'habille toujours de façon décontractée et je ne possède aucun vêtement chic. Présentement, la bicyclette est mon moyen de transport.

– *Anastasia, 20 ans, célibataire, États-Unis*

ANASTASIA EST TOUTE CHIC... pour aller nulle part ! D'après les renseignements qu'elle donne, nous devinons facilement que sa perte du sens de l'orientation dans le quartier représente son dilemme actuel concernant son installation. Anastasia veut quitter son logement mais elle n'a pas encore trouvé un autre endroit où habiter et elle ne sait pas si elle préfère vivre seule ou avec une autre personne. (Il n'est pas surprenant qu'elle tourne en rond !) De plus, elle n'a pas encore pris de décisions concernant son retour aux études. Peut-être sent-elle qu'elle a besoin d'être « orientée ».

La fusillade ne semble pas très significative. Par contre, la dispute est peut-être un écho de son mode de vie actuel (trois colocataires). Désire-t-elle se sortir de cette situation (l'éliminer) ?

Dans l'univers du rêve, les bicyclettes fonctionnent souvent comme une métaphore sexuelle (à cause du mouvement). Dans le cas présent, puisqu'Anastasia se sert d'une bicyclette dans la réalité, il semble ne s'agir que d'une représentation littérale de son mode de transport. Les talons hauts sont aussi une allusion à la sexualité dans les rêves puisque les femmes qui en portent se sentent souvent séduisantes. Ils sont aussi associés à l'idée de vieillir et à la préparation en vue d'un événement social.

Le rêve d'Anastasia suggère qu'elle est prête (vêtements chic et talons hauts) pour son rendez-vous avec le futur. Cependant, son indécision concernant son logement et ses études la retient en arrière. Anastasia devrait voir dans ce rêve récurrent où elle est perdue un appel à l'action. Elle devrait prendre rendez-vous avec un orienteur afin de cerner les carrières qui pourraient l'intéresser. Il est possible aussi qu'elle n'ait plus envie d'un mode de vie de collégienne. Une compagne de chambre qu'elle respecterait pourrait convenir tout à fait pour partager un logement. En réalisant ces étapes simples, Anastasia retrouvera immédiatement son sens de l'orientation.

« Perdre son chemin »

Je fais un rêve récurrent depuis des années. J'égare toujours mon automobile. Pas mes clés, pas mon sac – ma voiture au complet ! J'oublie où je l'ai garée et parfois elle a été volée. Je rêve aussi qu'en conduisant je prends constamment la mauvaise direction.

Ces rêves se sont intensifiés il y quelques années lorsque mon mari et moi nous sommes séparés et réunis deux fois. Séparés, réunis, séparés, réunis, vous imaginez la situation ?

– Rachel, 41 ans, mariée, États-Unis

DANS LE MONDE ONIRIQUE, les automobiles sont une image du soi. Si nous sommes perdus et que nous allons dans la « mauvaise direction », cela signifie qu'il y a de la confusion dans notre vie.

En nous fiant aux renseignements que Rachel fournit (elle et son mari se sont séparés, sont revenus ensemble et se sont séparés de nouveau avant de reprendre la relation une fois de plus), il n'est pas étonnant qu'elle ne sache pas trop où elle s'en va. Ses rêves continueront de refléter cette incertitude jusqu'à ce que la situation soit réglée.

Rachel fait la distinction entre perdre ses clés ou son sac à main et perdre sa voiture. Les clés et les sacs à main sont liés au sens de l'identité. Par conséquent, la confusion ne porte aucunement sur la personne qu'elle est, mais plutôt sur sa destination.

Le message est évident. Plus tôt elle trouvera une carte routière, plus vite le rêve cessera. Un conseiller matrimonial pourrait l'aider à reprendre le volant et à retrouver le bon chemin.

Pont

Pont : Symboles de transition, les ponts nous font passer d'un endroit à un autre, souvent au-dessus d'une étendue d'eau (les émotions). Les ponts suspendus très élevés font fréquemment référence à de hautes aspirations professionnelles ou personnelles intimidantes. Les ponts mal construits, qui branlent, sur lesquels il manque des planches indiquent un doute quant à la capacité d'une personne d'atteindre une destination ou des obstacles nuisant à une réalisation. Les ponts qui tombent évoquent les espoirs qui s'évanouissent à la suite d'une relation ou d'une transition qui n'a pas fonctionné. Les ponts manquants réfèrent à des attentes déçues ; le rêveur se croyait capable de traverser le pont. Les ponts en feu font allusion à l'urgence d'atteindre un but. Un pont qui a brûlé suggère que nous ne pouvons revivre le passé. Les ponts très longs connotent une « longue période de temps » nécessaire pour réaliser un objectif. Les ponts peuvent aussi être un symbole de transition entrer la vie et la mort.

• **Truc d'interprétation** : Si vous rêvez à un pont, demandez-vous quel but ou quelle destination vous voulez atteindre. Êtes-vous capable de traverser le pont ?

* * *

Les rêves où il y a un pont nous fournissent des renseignements précieux sur la réalisation de nos objectifs. Le pont qui paraissait stable est-il devenu branlant ? (Il n'est pas aussi facile d'atteindre un but que nous l'avions cru.) La destination s'éloigne-t-elle à mesure que nous avançons ? (Il faudra plus de temps.) Réussissons-nous à franchir le pont ou restons-nous éternellement coupés de notre destination, intimidés par une traversée qui nous semble impossible ?

Les rêves racontés dans ce chapitre présentent des personnes qui tentent d'atteindre des destinations précises. Dans « Le pont qui tombe », un jeune homme qui désire une relation amoureuse sérieuse voit ses espoirs disparaître sous ses yeux. Dans « Le pont manquant », il manque une partie de route et notre rêveuse ne peut donc pas réaliser sa véritable destinée. Dans « Le pont de l'amour », un homme franchit plusieurs obstacles en vue de s'adapter à un nouveau statut social. Dans le dernier rêve, « L'autre côté », il y a un pont qui ne peut être franchi qu'en rêve – jusqu'à ce que nous le traversions une fois pour toutes à l'état de veille.

Rêves de pont

« Le pont qui tombe »

Je viens tout juste de demander mon amie en mariage, mais les choses ne se passent pas aussi bien que je le voudrais. Je ne suis pas sûr que c'est vraiment ce que je désire et si cela va fonctionner, mais nous étions dans un cul de sac : c'était soit le mariage ou la séparation. Je vis en Illinois et elle, au Missouri. Je crois que ce facteur a son importance.

Dans mon rêve, je me tenais sur un quai de bois surplombant le Mississippi. Je crois que j'étais seul. Soudain, j'ai entendu un grondement et j'ai vu des gens qui s'enfuyaient. Quelqu'un a crié : « Le pont ! » J'ai jeté un coup d'œil plus loin. Le pont s'écroulait et des autos en tombaient. J'ai continué de regarder, immobile.

Puis, j'ai vu les vagues venant vers moi, les unes après les autres ; c'était comme un raz de marée. C'est à ce moment que j'ai bougé. Je n'avais pas peur, mais je savais que je devais m'en aller. Je me suis mis à escalader un remblai de terre qui semblait ne pas avoir de fin et je n'arrivais pas à me tenir debout.

J'ai ensuite aperçu une famille : une mère avec ses jeunes enfants. La fille avait deux ou trois ans et elle était très petite. Elle avait de la difficulté ; je l'ai donc prise tout en grimpant. Soudain, l'eau nous a frappés, une vague après l'autre. Mais je n'avais pas peur. Je ne pouvais atteindre la terre. J'ai commencé à nager, toujours en tenant la petite fille. Je suis enfin arrivé sur la berge.

En sortant de l'eau, j'ai regardé derrière moi et j'ai vu que la partie du pont située en Illinois n'était plus là. Seule cette section avait disparu. Je n'arrêtais pas de me demander comment les gens allaient faire pour traverser de l'autre côté et de penser que j'avais perdu mon téléphone cellulaire dans le fleuve. Je n'avais pas peur, mais je savais que j'aurais dû être effrayé.

La femme que je fréquente (dans la vie réelle) ne peut plus avoir d'enfants, mais elle en a eu d'un mariage précédent. La petite fille de mon rêve ne ressemblait à aucun de ses enfants. Elle avait de longs cheveux blonds et une peau très pâle. On aurait dit un ange.

– Matthew, 35 ans, fiancé, États-Unis

DANS UNE TENTATIVE pour sauver une relation en difficulté, Matthew a proposé le mariage à son amie du Missouri, avec quelques réserves, admet-il. Les doutes qu'il éprouve concernant la relation sont exprimés par le grondement du pont qui tombe. Lorsque Matthew tente de déterminer d'où provient le bruit, il découvre qu'un pont qui relie l'Illinois au Missouri est en train de s'écrouler – de manière significative – du côté de l'Illinois. Le lieu de l'effondrement (Matthew vit en Illinois) indique que ses doutes concernant la relation sont plus forts « de son côté du pont ».

L'écroulement du pont provoque un raz de marée (grosses vagues d'émotion) qui envahit Matthew qui se trouve sur un quai surplombant l'eau. Par la suite, il escalade un remblai de terre escarpé qui semble « ne pas avoir de fin ». Cette image est une métaphore commune d'impuissance. Réussira-t-il à s'échapper de ce raz de marée d'émotions ? De façon similaire, sa nage en eaux turbulentes représente ses efforts pour demeurer « à flot » durant une période difficile sur le plan émotionnel. L'enfant angélique que sauve Matthew est un symbole d'innocence. Est-il compréhensif en ce qui concerne la situation de son amie qui est chef de famille ? S'est-il attaché à ses enfants, qui ont besoin de son aide ?

Si sa proposition de mariage a été faite à la hâte, son rêve laisse supposer que son « pont vers l'avenir » est construit sur des bases peu solides. Son rêve est un message clair qu'il est temps de retirer la proposition de mariage, jusqu'à ce qu'il ait la preuve que la relation peut créer et maintenir de nombreux ponts d'intimité et de confiance.

« Le pont manquant »

Depuis deux ans et demi, je fais le même rêve environ une fois par mois. Je suis en voiture sur une longue autoroute au-dessus de l'eau… comme celles qu'on voit en Louisiane. (J'ai vécu dans cet État pendant huit ans avant de revenir chez moi, dans le Midwest.) J'essaie de rejoindre ma mère, mais c'est impossible à cause d'un bout de route qui manque, où les autos peuvent tomber. Le chemin remonte vers le haut, comme s'il allait faire une boucle, puis il manque un bout. Il n'y a pas de pont.

Mon véhicule est gros, soit un Bronco ou un Yukon, et j'ai peur de ne pas pouvoir franchir le vide. Je ne l'ai jamais fait puisque je me réveille toujours avant. Une fois, j'ai essayé de traverser le vide, mais je suis tombée vers l'eau. Je n'ai pas heurté l'eau car la peur m'a réveillée avant.

Ma mère et moi avons une relation merveilleuse. Récemment, elle a eu des problèmes se santé ; rien de grave. La seule chose de nouveau qui est arrivée il y a deux ans et demi, c'est ma relation avec mon ami (il vit à La Nouvelle-Orléans). Mes parents l'aiment bien, donc aucun problème de ce côté. Nous n'avons pas encore parlé de mariage. Nous vivons une relation à distance. Croyez-vous que mon rêve a un lien avec cette relation et ce qui nous manque ?

J'aime être engagée dans un couple et je veux me marier et avoir des enfants. C'est étrange car cela est nouveau pour moi. Pour mon âge (vingt-cinq ans), je suis rendue loin sur le plan professionnel et cela a toujours été ma priorité – avec ma famille immédiate. Récemment, je me trouvais avec un groupe d'amis à qui j'ai confié que je ne désirais plus seulement un bel appartement en ville et une carrière importante. Je veux tout : le mariage, la famille et les enfants. C'est peut-être pourquoi ce rêve revient constamment.

– Claire, 25 ans, célibataire, États-Unis

Si Claire veut que cesse son rêve, elle doit changer de « route ». Claire tente d'atteindre une destination – sa mère – mais elle craint de ne pouvoir y arriver à cause d'un bout de chemin qui manque. « Il n'y a pas de pont. » Est-il possible que ce vers quoi elle tend – représenté par sa mère dans son rêve – soit la maternité comme telle? Une relation engagée où il y aura « un mariage, une famille et des enfants » ?

La longue route passant au-dessus de l'eau, qui lui rappelle les autoroutes de la Louisiane où vit son ami, symbolise sa relation à distance. Comme elle tente de parvenir à sa mère (la maternité), elle voit un manque dans la route. Il n'y a pas de pont pour l'amener de l'autre côté. La métaphore est évidente. Claire entrevoit un obstacle important sur le chemin de la maternité et se rend compte, effrayée, qu'elle n'y parviendra pas.

De façon significative, le rêve de Claire a commencé à se manifester il y a deux ans et demi, au début de sa relation avec son ami. Ce rêve récurrent montre qu'elle est consciente depuis le début des limites de cette relation à distance. Sa volonté de poursuivre une carrière lui a fait mettre de côté temporairement son désir de fonder une famille. Toutefois, son rêve qui revient fréquemment lui envoie un message clair : la maternité lui tient à cœur. Pourquoi voyage-t-elle sur une route dépourvue de pont, qui ne peut la mener à son avenir ? Claire doit maintenant penser à s'engager avec une personne qui partage ses valeurs et ses désirs.

« Le pont de l'amour »

Je marchais sur un pont en pierres blanches avec mon épouse, mais j'avais l'impression qu'il s'agissait d'un pont de corde qui avait des planches manquantes. J'avais de la difficulté à avancer car j'ai peur des hauteurs. Je tombais constamment là où il manquait des planches. Alors, ma femme me tirait par le bras et disait, sans trop se soucier de moi : « Viens. Dépêche-toi. Allons-y. » Elle n'agit pas ainsi dans la vie.

Soudainement, nous sommes dans un avion. Je suis assis près du hublot et un étranger se trouve entre nous deux. Ma femme ne s'adresse qu'à lui et quand je parle, elle ne me prête pas attention.

Le lieu change encore une fois. Je me retrouve dans ma cuisine et mes dents tombent. Il y a du sang partout. Je ne sais pas quoi faire, alors je mets mes dents dans une tasse de lait.

– Simon, 18 ans, marié, États-Unis

AU DÉBUT DU RÊVE, Simon et son épouse marchent sur un pont en pierres blanches. Le blanc est associé au mariage et la pierre, à la solidité et à la durabilité. Ce rêve peut-il être une métaphore du mariage récent de Simon ?

Bientôt les obstacles se présentent. Le pont en pierres blanches se transforme en «pont de corde qui a des planches manquantes», ce qui fait perdre l'équilibre à Simon. La transformation du pont, de solide à instable, suggère que la voie du mariage s'avère plus compliquée que ne l'avait cru Simon au départ. De façon similaire, sa perte d'équilibre reflète des émotions parfois confuses dans sa nouvelle vie avec sa jeune épouse.

Tout comme les ponts, les avions dans les rêves signifient un désir d'atteindre une nouvelle destination. Au moment où son mariage « prend son envol », Simon éprouve des difficultés à obtenir l'attention de sa femme. Elle parle à une autre personne dans l'avion. Simon a besoin d'attention et d'être rassuré.

Finalement, Simon arrive à la maison. Ses dents tombent et il y a du sang partout. (La journée a été dure !) Les dents qui tombent en rêve symbolisent couramment un manque de confiance quant à notre apparence ou à notre caractère désirable (nous perdons notre sourire). Le sang qui coule de sa bouche est une métaphore de la douleur et de la perte de pouvoir – l'énergie vitale s'échappe.

Puisque Simon précise que son épouse ne se comporte pas de cette façon dans la vie, son rêve indique un simple besoin d'être soutenu davantage. Étant donné que Simon et sa femme forment un jeune couple, il est normal qu'il se demande quelle direction prendra leur relation et s'ils arriveront à destination. La solution est simple. Simon et son épouse doivent communiquer ensemble, se prouver leur amour et leur engagement, se montrer attentifs l'un envers l'autre, au moment où ils franchissent ensemble le pont de l'amour.

« L'autre côté »

Je crois déjà savoir comment interpréter ce rêve, mais j'aimerais avoir votre avis et que vous me vous parliez de son aspect symbolique.

Ma fille venait d'être assassinée et je traversais une période de trauma. J'étais très déprimée, au point de me suicider. J'ai commencé à rêver que je la voyais, soit chez moi, chez ma grand-mère ou dans la rue. Elle me voyait aussi, se mettait à rigoler avant de partir en courant. Je l'appelais en la poursuivant. Nous franchissions des kilomètres et elle courait toujours, sans que je puisse la rattraper.

Vers la fin, elle arrivait sur un pont en béton qui montait en pente raide dans le ciel. Lorsque je la rejoignais, le pont se terminait abruptement. Il lui poussait des ailes et elle volait juste un peu plus loin. Puis, elle se retournait et me disait : « tu ne peux pas venir, maman » tout en me saluant de la main. À cet instant, je me réveille. L'effort m'a donné des sueurs froides. Je crois que ce rêve est lié à ma tentative de sortir de ma dépression, provoquée par la perte de ma fille.

– Jennifer, 34 ans, mariée, États-Unis

LE RÊVE DE JENNIFER représente clairement les sentiments qu'elle éprouve. Elle souhaite pouvoir être avec sa fille. Cependant, sa fille lui dit : « Tu ne peux pas venir, maman. »

Le pont qui s'élève dans le ciel illustre la transition entre la vie et la mort. Dans le cas présent, seules les personnes qui ont des ailes peuvent traverser de l'autre côté. Nous franchirons tous ce pont un jour. Peut-être Jennifer retrouvera-t-elle sa fille à ce moment ? Je le souhaite.

Poursuite

Poursuite : La poursuite est une métaphore courante qui évoque l'impression d'être « pourchassé » par des peurs et des émotions perturbantes. Les thèmes typiques de la poursuite incluent les agresseurs qui pourchassent la personne qui rêve pour l'attaquer, la violer ou même la tuer. Le rêveur éprouve alors une grande agitation : il doit courir pour se sauver, se cacher et déjouer les plans de l'agresseur potentiel. Ce type de rêve se termine souvent juste avant la capture du rêveur. Ainsi, puisque le réveil a lieu en pleine poursuite, ces rêves sont couramment décrits comme des cauchemars.

Si nous réussissons à confronter le poursuivant, c'est un signe que nous avons confiance en notre capacité de relever des défis. Les rêves de poursuite peuvent indiquer une véritable peur d'être agressée, surtout chez les jeunes femmes dans un contexte sexuel, mais ils ne sont pas prémonitoires.

Consultez aussi le chapitre « Agression ».

Les agresseurs sans visage signalent que nos poursuivants ne sont probablement pas des vraies personnes (avec qui nous sommes en conflit), mais représentent plutôt des peurs non surmontées, des sentiments de culpabilité ou de honte, ou des souvenirs douloureux. Les rêves récurrents où nous sommes pourchassés et attaqués par des hommes ou des femmes sans visage peuvent être le reflet de souvenirs refoulés d'une agression physique ou sexuelle ou de violences psychologiques.

Fuite : Les rêves récurrents dans lesquels nous sommes en fuite et où il y faut sortir par les nombreuses portes et trappes d'une maison peuvent signaler un refoulement (l'évitement de sentiments perturbants et d'une prise de conscience).

• **Truc d'interprétation :** Quels sentiments perturbants veulent se manifester et que vous souhaitez plutôt éviter ?

Remettez-vous à plus tard une décision que vous devez prendre ?

****

Les rêves de poursuites sont des messages puissants nous avertissant que nous devons affronter nos peurs. Dans « Le chasseur d'enfants », une adolescente rêve fréquemment d'un personnage de film. Saura-t-elle cerner les préoccupations que suggèrent ses cauchemars ? « Poursuivie par des lions » montre la quête d'une relation amoureuse dans un style onirique classique : la « nature animale » d'un partenaire est dévoilée. Dans « Le fileur », une jeune femme subit plusieurs fois des avances et du harcèlement. « Poursuivie par un loup » présente une femme qui est poursuivie par un personnage sans visage. À mesure que le loup prend forme, la rêveuse prend conscience de son passé douloureux.

Rêves de poursuites

« Le chasseur d'enfants »

Depuis quelque temps, je fais sans cesse des cauchemars dans lesquels des gens tentent de m'assassiner. C'est très effrayant et perturbant. Dans l'un d'eux figurait l'horrible personnage du film *Chitty Chitty Bang Bang*. Il attrape les enfants et il me faisait très peur quand j'étais petite. Dans mon rêve, je traverse en courant une foire déserte le soir et le chasseur d'enfants me poursuit avec un gros couteau. J'entre dans la maison aux miroirs et je n'arrive pas à en sortir. Puis, je le vois dans tous les miroirs. Je me mets à crier et je tente de m'échapper. Il me saisit par derrière ; je réussis à me sauver un court instant, mais il me reprend par la cheville et il s'apprête à me tuer. Je me réveille à ce moment.

J'ai remarqué que l'assassin est toujours un homme qui porte une sorte de couteau. Il n'y a pas d'autre arme. De plus, je suis toujours seule. Au début, il peut y avoir des gens avec moi, mais ils finissent par disparaître. Je ne sais pas où ils vont. J'ai vraiment besoin de votre aide pour comprendre ce rêve car je m'éveille en pleurant au moins une fois par semaine. Mes parents sont actuellement en instance de divorce. Je ne suis pas certaine que ce renseignement vous éclaire, mais j'apprécierais que vous vous penchiez sur mon cas.

- Amanda, 16 ans, célibataire, États-Unis

IL N'EST PAS SURPRENANT QU'AMANDA ait eu peur du « chasseur d'enfants » lorsqu'elle était petite. C'était un personnage qui attrapait les enfants pour les emprisonner dans une ville gouvernée par un roi et une reine ignobles. Les enfants étaient bannis de la ville car la reine ne les aimait pas.

Dans le film, lorsqu'un enfant était capturé, il ne revoyait plus jamais ses parents. Les deux enfants du film se font attraper et sont emprisonnés, mais ils finissent par s'échapper et rejoignent leurs parents. En fait, à la fin, tous les enfants se sauvent et toutes les familles du village sont réunies. Le film finit bien.

Récemment, le chasseur d'enfants est apparu dans les rêves d'Amanda et, d'après ses descriptions, il est toujours aussi effrayant. En fait, il transporte maintenant un gros couteau et il pourchasse Amanda pour la tuer.

Amanda nous informe que ses parents sont présentement en instance de divorce. Y a-t-il un lien entre son cauchemar et ses sentiments à propos du divorce ? Elle a l'impression qu'il existe un véritable chasseur d'enfants (qui s'appelle « divorce ») qui veut démembrer sa famille (avec un gros couteau) et la séparer de ses parents.

Amanda n'est pas certaine de survivre à cette transition dans sa vie familiale et c'est pourquoi la menace de mort (symbole de changement et de séparation) apparaît dans son rêve.

Ainsi, Amanda a besoin d'être rassurée que sa famille ne mourra pas même si elle va changer de forme. De façon similaire, ilsemble qu'Amanda ait l'impression de vivre dans le film *Chitty Chitty Bang Bang*, là où une force maligne n'aime pas les enfants. Ses parents doivent la rassurer avec leur amour. Lorsque Amanda trouvera sa place dans sa famille réorganisée, qu'elle saura que ses parents l'aiment, ses cauchemars de poursuite cesseront.

« Poursuivie par des lions »

J'ai rêvé que ma copine et moi étions à une fête où nous avons rencontré deux garçons très charmants. À la fin de la soirée, nous sommes tous allés à mon appartement. Nous discutions et rigolions quand, soudain, les deux garçons se sont transformés en lions et nous ont poursuivies. Je me suis réveillée à ce moment. que signifie ce rêve ? Aidez-moi !

– Esther, 17 ans, célibataire, Royaume-Uni

ESTHER ET SON AMIE S'AMUSENT – elles discutent et rigolent – quand soudain, les deux gentils garçons qu'elles ont invités se transforment en lions et se mettent à les pourchasser. (en voilà des manières !)

Le songe d'Esther est une métaphore d'une quête amoureuse. Les garçons qu'elle a invités à son appartement sont charmants. Le groupe s'entend bien mais, tout à coup, les règles du jeu changent. Les garçons deviennent lions (montrent leur nature agressive et animale) et poursuivent Esther et sa copine.

Si Esther a depuis peu commencé à fréquenter des garçons, il semble qu'elle ait déjà perçu l'intérêt qu'elle suscite chez eux. Peut-être a-t-elle dernièrement parlé avec des hommes qu'elle croit n'être que des « amis ». Ce rêve lui envoie un message lui disant qu'il existe peut-être bien dans leur esprit un aspect plus physique qu'elle ne le croit.

« Le fileur »

Dans mon rêve, j'étais une journaliste et je me trouvais dans une résidence de luxe où avait lieu une réception. Je devais écrire un article sur la fête. J'étais excitée car mon histoire devait paraître en page couverture. Je cherchais les hôtes pour recueillir quelques citations.

Tandis que je cherchais, j'ai aperçu un homme avec qui je ne voulais aucunement entrer en contact. Je tenais à ce qu'il ne me voie pas ni ne me parle. Mais il est venu vers moi et m'a demandé comment j'allais. Je lui ai répondu que j'allais bien et de me laisser seule car je travaillais. Il a refusé, disant qu'il désirait parler et danser avec moi. Je lui ai dit que j'étais occupée et lui ai ordonné de s'éloigner de moi. Il insistait pour danser et je continuais de refuser.

Je suis donc sortie pour aller chercher mon enregistreuse que j'avais oubliée dans mon auto. Il m'a suivie en me suppliant continuellement de danser avec lui. Finalement, j'ai décidé de le fuir et je me suis mise à courir. Il m'a poursuivie et nous avons tourné autour de mon auto pendant environ trente secondes. Puis, j'ai couru vers un édifice pour m'y cacher. J'étais terrifiée. J'essayais de trouver une cachette, mais il me découvrait toujours. (L'édifice ressemblait à une cuisine de restaurant.) Il m'a attrapée et a amorcé quelques pas de danse. Je tentais de m'échapper. Finalement, je l'ai frappé à la tête avec un objet et il est tombé par terre. Je suis retournée à la réception en courant. Je suis entrée comme si rien ne s'était passé.

Que peut vouloir dire ce rêve ? Je sais qu'il ne s'agit pas d'un ami qui veut revenir vers moi car je n'ai jamais eu d'amoureux.

– Tamia, 16 ans, célibataire, États-Unis

NOUS POUVONS DÉCELER UN SOUPÇON de sexualité non désirée dans ce rêve où Tamia est poursuivie par un fileur. Quand le fileur demande à Tamia de danser – un indice d'attirance sexuelle – elle lui répond qu'elle n'est pas intéressée. Mais le fileur refuse de la laisser tranquille et bientôt, il l'agresse.

Tamia a certainement lu à propos de fileurs dans les journaux et entendu de telles histoires à la télévision. C'est sans doute pourquoi son rêve se déroule dans le cadre d'un travail de journaliste. Le fait qu'elle déjoue et vainque son agresseur est un signe positif qui montre qu'elle possède une bonne confiance en elle et qu'elle est consciente de sa force.

À la suite de l'agression, Tamia retourne à la fête dans la résidence de luxe où elle entre « comme si rien ne s'était passé ». Son échec à prendre conscience de ses sentiments est significatif. Si son rêve reflète un inconfort face à une attention sexuelle non voulue, sa réaction indique qu'elle refuse de reconnaître l'ampleur de son angoisse. Est-il temps de révéler ses sentiments à une personne qui les comprendra ? Dans son rêve, Tamia fait preuve d'ingéniosité ; elle a pu s'enfuir. Dans la vie, une situation semblable pourrait s'avérer un vrai cauchemar qui finit mal.

« Poursuivie par un loup »

Il y a environ deux ans, j'ai commencé à rêver qu'un loup me poursuivait. Au début, cela m'arrivait une ou deux fois pas mois, mais avec le temps, les détails et la tension se sont amplifiés.

Dans les premiers rêves, le loup me pourchassait jusqu'à une maison mobile dans laquelle je vivais quand j'étais enfant. Je portais un bébé que je devais protéger du loup. Je courais jusqu'à la porte arrière, je la fermais et je grimpais sur le toit en me glissant entre les panneaux de plafond. Je m'éveillais au moment où le loup entrait dans la maison et découvrait ma cachette.

Par la suite, le loup me poursuivait dans toutes les maisons de mon enfance et, plus tard, de mon adolescence. Avec le temps, le loup a pris une forme à moitié humaine et animale. Puis, les rêves ont cessé.

Renseignements sur moi : ces rêves sont survenus à la suite du suicide de mon père (une mort violente) ; il s'est tué le jour où ma sœur (aujourd'hui une adulte) l'a confronté en lui disant qu'il l'avait agressée sexuellement durant son enfance.

- *Ariana, 37 ans, célibataire, États-Unis*

D'APRÈS LES RENSEIGNEMENTS que nous donne Ariana, il est assez facile de deviner l'identité du loup dans son rêve. Il s'agit de son père, de qui elle craignait les attaques (agressions sexuelles) contre sa sœur. Le bébé qu'elle porte dans ses bras (qu'elle doit protéger du loup) représente sa sœur. Puisque les membres d'une famille sont liés de près les uns aux autres, nous savons qu'Ariana a été affectée, même si elle n'a pas elle-même subi de sévices ou si elle n'en était pas consciente.

Lorsque nous vivons un événement traumatisant, souvent notre corps nous protège du plein impact de cette expérience en la filtrant à travers une lentille psychologique. C'est le cas ici. Par exemple, il est significatif que le père d'Ariana ne soit jamais représenté directement dans ses rêves. C'est probablement parce qu'il serait trop difficile pour elle de voir son père dans un rôle d'agresseur aussi violent. Son rêve la protège donc de cette vision dérangeante en le montrant sous la forme d'un loup.

Toutefois, avec le temps, l'identité du loup est peu à peu divulguée. Dans les prochains rêves, nous apprenons que l'agresseur est une créature mi-homme, mi-loup. Que nous révèle d'autre le rêve ? L'agresseur d'Ariana est un être humain de sexe masculin. Nous savons, d'après les lieux où le rêve se passe (les endroits où Ariana a habité durant son enfance), que les agressions se sont produites près de chez elle.

Dans les cercles d'interprétation des rêves, le songe récurrent d'Ariana est une excellente illustration d'un symbole refoulé qui, avec le temps, devient de moins en moins obscur (moins occulte) et de plus en plus transparent (la représentation reflète plus précisément notre vie à l'état de veille). Ce changement dans la représentation – de rêves occultes à transparents – fait référence à notre capacité de regarder en face des sentiments difficiles et de faire des prises de conscience dans notre vie.

La transformation du symbole dans le rêve et, éventuellement, la disparition de ce dernier laissent croire qu'Ariana finira par être en mesure d'absorber cette expérience douloureuse et pourra poursuivre sa vie. Lorsque le rêve ne revient plus, nous savons qu'une partie de notre douleur est guérie.

Prison

Prison : Les rêves qui se passent dans une prison ou une salle d'audience traduisent des sentiments de culpabilité et l'impression d'être jugé. Quelqu'un vous a-t-il accusé de mauvaise conduite ou d'un comportement irresponsable ? Vos agissements comme parent ou votre aptitude à jouer ce rôle est-il évalué, par la société en général ou par le système juridique ? Ce genre de rêve est fréquent lors d'une séparation, d'un divorce et d'audiences portant sur la garde des enfants. Les prisons peuvent aussi indiquer la sensation d'une liberté ou d'une expression restreintes. Quelqu'un vous emprisonne-t-il ? Rester enfermé dans une cellule tandis que les autres sont libérés exprime un sentiment d'abandon.

• **Truc d'interprétation :** Si vous rêvez que vous êtes condamné par un tribunal, demandez-vous sur quel point vous vous sentez jugé par votre famille, vos amis ou vos pairs. La culpabilité est souvent présente avant même que l'acte soit commis. Préparez-vous un « crime » et la peur d'être démasqué vous rendrait-elle nerveux ?

Les prisons ne sont jamais des lieux agréables, comme nous le verrons dans les rêves qui suivent. « La peur de l'incarcération » dévoile l'esprit d'un ancien « criminel ». En planifiant de retourner sur les lieux du crime, il craint de se faire prendre. Dans « Condamnation à mort », une exécution est sur le point de se dérouler en public. Quelqu'un a-t-il commis un crime contre la société ? Dans le dernier exemple, « Captivité », une femme est emprisonnée par un gardien indifférent. S'il ne la surveille pas si bien, pourquoi ne s'enfuit-elle pas ?

Rêves de prison

« La peur de l'incarcération »

Je fais un rêve récurrent dans lequel je tue quelqu'un (un membre de ma famille ou une personne étrangère). Mais ce n'est pas cette partie qui m'effraie, car le rêve ne s'attarde pas sur la façon dont je m'y prends ni sur le motif.

Pendant tout le reste du rêve, je crains d'être pris (je suis certain que cela arrivera) et enfermé à jamais dans une prison, loin de toutes les personnes et de toutes les choses que j'aime. Je ressens aussi un certain embarras d'avoir déçu mes proches (ma mère, mes frères, mon épouse). Mais la peur de l'isolement prend le dessus. Cela m'effraie terriblement.

Maintenant, je vais vous parler un peu de moi. J'ai déjà eu une aventure extraconjugale qui a presque brisé mon mariage. Heureusement, ma femme et moi avons réussi à sauver notre relation. J'ai une entente avec mon épouse selon laquelle je ne dois plus jamais communiquer avec cette femme… mais récemment, je l'ai vue (à peu près vers l'époque où les rêves ont recommencé). J'avais souvent fait ce rêve lors de notre aventure.

– Drew, 38 ans, marié, États-Unis

Le meurtre que commet Drew dans son rêve est une trahison envers son épouse et il craint que cela ne mette fin à leur relation et ne l'éloigne de sa famille pour toujours. Par conséquent, son rêve porte moins sur le meurtre comme tel que sur sa crainte d'être pris.

Le rêve de Drew évoque de la culpabilité par anticipation pour un crime qu'il se sent sur le point de commettre. Malgré l'entente avec son épouse de ne plus jamais parler à la femme avec qui il a eu une aventure, Drew a récemment repris contact avec elle. Maintenant, il a l'impression d'être sur une pente glissante qui pourrait l'amener à la trahison. Dans le rêve, il est embarrassé et honteux ; il évalue les conséquences d'une seconde trahison. Cette fois, son épouse pourrait ne pas se montrer aussi compréhensive et peut-être serait-il condamné à ne plus revoir sa famille.

Le moment où le rêve récurrent commence à se manifester est toujours significatif. Dans le cas de Drew, les rêves sont apparus dès qu'il a repris contact avec son ancienne amante. Drew entend-il l'avertissement que lui fait son rêve ?

À un moment critique de sa vie, son rêve est un rappel utile de la souffrance que cause la trahison et du fort prix à payer lorsque nous brisons la confiance des membres de notre famille. Même si l'aventure de Drew n'était jamais découverte, il devrait vivre avec la conscience d'avoir trahi et avec le fardeau de devoir cacher un secret à une personne qu'il aime. De façon paradoxale, en tentant de parvenir à l'intimité, Drew ne réussira qu'à s'isoler de ceux qu'il aime le plus. L'aventure en vaut-elle la peine ?

« Condamnation à mort »

Dernièrement, je me suis séparée de mon mari avec qui je vivais depuis quatorze ans. Il s'agit d'un deuxième mariage pour nous deux. Il y a un mois, je l'ai quitté et j'ai acheté une maison avec ma sœur.

Hier, j'ai rêvé que je me trouvais à une sorte de chalet dans la nature. Mon mari était là ; il était accusé d'avoir commis un acte pour lequel il devait être pendu. Je ne pense pas que son crime était aussi grave qu'un meurtre ou un viol.

En tant que son épouse, je devais aussi être pendue. Je croyais que cela était injuste puisque nous étions séparés. Je me souviens qu'il s'accrochait à moi tandis que nous marchions vers la corde installée dans la salle de séjour de ce magnifique chalet. Des gens que nous connaissions (pas dans la réalité) étaient assis dans la pièce et attendaient d'un air détaché. Mon mari pleurait lorsqu'il a été séparé de moi et amené à la corde.

Soudain, je parlais avec ma sœur au téléphone. Lorsque j'ai su que c'était mon tour, je me suis mise à pleurer ; je lui ai dit au revoir et que je l'aimais. Lorsqu'on m'a éloignée du téléphone, j'ai entendu un bruit de suffocation. Mon mari avait survécu à la pendaison.

On l'a détaché en annonçant que, puisqu'il avait survécu, je serais aussi épargnée. J'étais très soulagée. En me réveillant, j'ai tout de suite pensé qu'il fallait que je note ce rêve.

– Naomi, 51 ans, séparée, Canada

NAOMI RESSENT SA SÉPARATION d'avec l'homme qui a été son mari pendant quatorze ans comme une « condamnation à mort ». Puisque son mari ne meurt pas dans son rêve, sa mort n'est que symbolique. Une période de leur vie s'achève ; une autre s'amorce.

Le rêve se déroule dans un chalet luxueux avec un groupe d'amis qui surveillent ce qui se passe sans intervenir. Ce contexte social nous informe que Naomi s'inquiète du qu'en-dira-t-on, alors qu'elle traverse une phase de bouleversements émotionnels. Même si son mari est l'auteur du crime (a-t-il suggéré la séparation ?), Naomi est également condamnée (parce qu'ils étaient mariés) et sait qu'elle aussi va mourir. Naomi se sent-elle jugée par la société ? A-t-elle commis un crime contre la société – l'erreur d'un second mariage raté ?

La relation de Naomi avec son mari semble encore amicale. Dans son rêve, elle se montre sympathique envers lui. (Elle ne croit pas « que son crime était aussi grave qu'un meurtre ou un viol ».) Elle lui offre son soutien lorsqu'il est conduit à la corde. Ainsi, il est évident que son lien avec lui est solide. Si ce n'est déjà fait, Naomi devrait consulter un conseiller conjugal, d'abord seule si cela lui convient mieux.

Afin d'acquérir une meilleure perspective sur sa relation, un troisième œil expérimenté lui fournira une aide extraordinaire.

« Captivité »

> Le rêve occupe une longue période de temps – des années. Je fais partie d'un groupe de captives et nous sommes toutes vêtues de simples robes blanches. Je ne sais pas pourquoi, mais je suis consciente que nos ravisseurs sont supérieurs à nous d'une certaine façon. Ils ne nous maltraitent pas ; ils sont juste indifférents, comme si nous étions des animaux. Ils nous déplacent fréquemment, souvent dans une barge. Tout au long du rêve, l'eau est présente. Au fil des ans, mes sentiments envers mes ravisseurs (que je vois rarement) passent de la peur à la rage, puis à la résignation et au désespoir. Il est intéressant de mentionner que je me souviens clairement que les robes que nous portons deviennent de plus en plus vieilles et sales à mesure que le rêve progresse.
>
> Soudain, je me suis échappée et je sors de l'eau en courant pour me rendre à une ville qui devient le lieu où j'ai grandi. Je passe devant une vieille femme accroupie dans une ruelle et je m'arrête pour la regarder. Je m'aperçois que c'est moi et que j'ai gaspillé ma vie. Puis, je suis réveillée. Mes rêves sont souvent très détaillés et comportent presque toujours de l'eau, mais celui-là est nouveau. Les couleurs sont très vives et c'est toujours le soir ou la tombée du jour. J'ai fait ce rêve il y a un mois et je n'arrête pas d'y songer. J'apprécierais savoir ce que vous en pensez.
>
> *– Cassie, 33 ans, engagée dans une relation à long terme, États-Unis*

LE RÊVE DE CASSIE révèle son impression d'être dans une relation amoureuse où règne un déséquilibre du pouvoir qui, de toute évidence, n'est pas en sa faveur.

En réfléchissant à son rêve, Cassie se souviendra probablement que ses ravisseurs, en principe, étaient des hommes et que les autres captives, habillées en robes blanches, étaient des femmes. Cassie spécifie que les ravisseurs ne sont pas cruels, juste indifférents. Ce rêve lui rappelle-t-il une situation où elle se sent ainsi emprisonnée dans la vie ? Pourrait-il s'agir de sa relation à long terme ?

Pour comprendre ce rêve, il est important de reconnaître que les vêtements blancs qu'elle et ses camarades portent représentent des robes de mariée. Par extension, ses camarades symbolisent la situation de nombreuses femmes dans la trentaine qui aimeraient fonder une famille mais qui sont « retenues en captivité » en raison de l'absence d'un partenaire sérieux. Finalement, la supériorité des ravisseurs est fort probablement une allusion au fait que les hommes ne sont pas soumis autant que les femmes aux pressions de l'horloge biologique. Les hommes peuvent procréer jusqu'à la soixantaine avancée.

Le contexte de la barge et de l'eau a son importance. L'eau est un symbole des émotions tandis que les barges sont conçues pour le transport de charges lourdes. (Cassie se sent-elle « chargée » d'émotions ?) De plus, ce genre d'embarcation n'a pas de source d'énergie. Ainsi, le rêve de Cassie indique une certaine passivité dans sa relation. Attend-elle que son ami décide de son avenir ?

Cassie observe que la robe blanche « devient de plus en plus vieille et sale à mesure que le rêve progresse ». Cette image suggère que les années où elle aurait dû se marier s'écoulent. Pendant plusieurs années (le temps durant lequel elle a fréquenté son ami ?), ses émotions sont passées « de la peur à la rage, puis à la résignation et au désespoir ».

Cassie s'enfuit de la barge où elle était captive pour ne trouver qu'une vieille femme accroupie dans une ruelle de la ville où elle a grandi. Horrifiée, elle se reconnaît et s'aperçoit qu'elle a gâché sa vie. Cette scène illustre sa peur de quitter sa relation actuelle. Le moment de la journée – le soir ou la tombée du jour – est une autre évocation du temps qui s'écoule.

Ce rêve est une forte métaphore d'impuissance et, par le fait même, constitue une invitation urgente à l'action. Soit l'ami de Cassie ne s'intéresse pas à ses désirs pour le moment, ou soit il apprécie le déséquilibre de pouvoir que Cassie tolère en ne prenant pas davantage son avenir en main. La solution est simple : si la relation ne fonctionne pas, il est temps que Cassie quitte la barge.

Rat

Rat : Le rat est un symbole de trahison et de nuisance persistante. Comme la plupart des animaux qui figurent dans les rêves, les rats représentent typiquement des gens que nous connaissons. Dans un contexte amoureux, le rat peut référer à une personne dont les intentions nous paraissent obscures ou malhonnêtes. En affaires, il évoque la méfiance et la trahison, par exemple une personne qui veut plaire au patron au détriment d'un collègue ou qui manigance avec un compétiteur. Des rats qui attaquent peuvent faire allusion à des sentiments dérangeants qui « tiraillent » le rêveur sans relâche. Des rats dans un grenier évoquent des émotions évitées qui doivent être identifiées. Des rats dans notre lit peuvent être le signe d'une infidélité en amour.

Les rêves dans lesquels un rat nous mord reflètent l'impression d'avoir été empoisonnés ou contaminés dans une relation amoureuse ou d'affaires. Les rats sont également associés à la pauvreté, à la maladie et à la saleté. Si le rêveur vit dans un endroit souvent infesté de rats, ses rêves peuvent exprimer une véritable peur de ces parasites ou la crainte d'être dérangé par eux dans son sommeil.

• **Truc d'interprétation :** Qui est le rat dans votre vie ? Prêtez attention au lieu du rêve (école, bureau, maison) pour obtenir des indices sur l'identité du rat.

⁂

En rêve comme dans la réalité, les rats ne sont jamais d'agréable compagnie. Le premier rêve explore les diverses identités que prennent souvent les rats. Pouvons-nous échapper à « L'attaque par un rat » ? Dans « Des rats dans ma maison », ces rongeurs sont un symbole de nuisance persistante. La rêveuse veut savoir s'il est possible d'échanger ses rêves de rats contre quelque chose de moins importun. Finalement, « Un rat au travail » examine le symbolisme d'un rat agressif au travail. La rêveuse essaie de se montrer gentille, mais le rat ne la laisse pas tranquille.

Rêves de rats

« L'attaque par un rat »

Mon rêve de la nuit passée a laissé deux souvenirs dans mon esprit, qui m'ont dérangée toute la journée.

D'abord, je me rappelle avoir rêvé à un rat. Il était très gros et avait deux longues dents saillantes. Il était assis sur le canapé face à mon lit. Puis, il a sauté sur le sol et est venu vers le lit où j'étais couchée avec mon ami. (J'étais certaine qu'il s'agissait d'un rat, mais sa manière de se déplacer le faisait ressembler à un kangourou.)

Je ne me souviens pas si mon ami a invité le rat à nous rejoindre ou s'il n'a simplement rien fait pour l'arrêter. J'avais peur du rat et j'implorais David (mon ami) de l'empêcher de monter sur le lit. David était lui-même effrayé et est sorti du lit.

À ce moment, le rat m'a sauté au visage et y a enfoncé ses griffes. Cela ne m'a pas vraiment fait mal, mais j'en suis encore dégoûtée. (Je ne pouvais m'échapper du lit car j'étais du côté de la fenêtre.) Soudain, le thème a changé.

Je me rappelle que j'ai alors ouvert la porte de mon appartement pour y découvrir un voisin nouvellement installé dans l'immeuble. Ma poitrine était nue, j'ai donc juste sorti la tête pour lui dire que je n'étais pas habillée. Cependant, pour une raison ou une autre, mes seins ont été exposés à sa vue. J'ai tenté de les recouvrir pendant qu'il me disait qu'il était passé pour me donner quelque chose. Il allait partir lorsque, je ne sais pourquoi, il s'est retrouvé dans mon appartement. Il semblait connaître mon ami puisqu'il l'appelait par son prénom et qu'ils se sont serré la main.

Je ne sais pas si cela est important, mais ce garçon vient vraiment d'aménager dans mon immeuble. Je l'ai rencontré à quelques reprises dans l'entrée et j'avoue qu'il m'intéresse et m'attire. Il y a quelques jours, j'ai demandé au portier de l'inviter à me téléphoner. Je n'ai pas eu d'appel. Je suppose que je me suis trompée sur ses intentions lorsqu'il a flirté avec moi et m'a même dit que j'étais jolie. Le portier m'affirme qu'il a bien livré mon message.

Ma relation avec David dure depuis trois ans. Dernièrement, je me pose des questions : passerons-nous un jour à l'étape suivante ? Jamais je ne le tromperais et je ne l'ai jamais fait. David m'assure que tout va se mettre en place (vivre ensemble, nous engager sérieusement, etc.). Toutefois, j'ai l'impression d'avoir entendu ce discours depuis si longtemps que, pour la première fois, j'ai décidé d'explorer d'autres possibilités (ce nouveau garçon). Mais jusqu'à maintenant, il ne m'a pas appelée.

– Andrea, 30 ans, célibataire, États-Unis

ANDREA EST DÉÇUE parce que le nouveau locataire avec qui elle a flirté récemment ne lui a jamais téléphoné. (Quel rat !) Dans son rêve, elle est également frustrée lorsqu'elle constate que son ami ne la défend pas du « rat » qui saute dans son lit. (Lui aussi est un rat puisqu'il ne la protège pas.) Finalement, le rat qui aboutit sur son visage laisse supposer qu'Andrea se sent elle-même comme un rat. Son récent besoin d'attention l'a amenée à flirter avec un autre homme (sans succès) à l'insu de l'ami qu'elle fréquente depuis trois ans.

Andrea dit qu'elle n'est pas satisfaite de l'évolution de sa relation avec son ami et qu'en conséquence, elle a décidé d'explorer « d'autres possibilités » (le nouveau locataire). Son rêve prend une tournure comique lorsque son attirance sexuelle est révélée à la porte de son appartement. Andrea est derrière la porte, la poitrine découverte, mais ses seins sont tout de même exposés. De façon révélatrice, David demeure inconscient de cette attirance. (Défendra-t-il un jour son territoire ?)

La signification symbolique de la poignée de main entre les deux hommes intrigue Andrea. Dans un passage évocateur, elle écrit à propos du nouveau locataire : « Il semblait connaître mon ami puisqu'il l'appelait par son prénom et qu'ils se sont serré la main. » Cet homme semble connaître l'existence de David et respecter son territoire. (Le portier lui a-t-il parlé de David ?) De cette perspective, nous pouvons aussi comprendre l'image primaire du rêve. Le rat dans son visage représente l'embarras que ressent Andrea après avoir révélé son intérêt sexuel à ce nouveau locataire, qui sait qu'elle a déjà un ami.

Andrea se sent comme un rat parce qu'elle a flirté dans le dos de son ami qui, lui aussi, est dans le même état en raison de sa passivité qui, elle, provoque une insécurité chez son amie. Le nouveau voisin est le seul membre de ce groupe de personnages qui n'est pas pris au piège comme un rat. Jusqu'à maintenant, il s'est comporté en gentleman.

« Des rats dans ma maison »

Normalement, j'ai de la difficulté à me souvenir de mes rêves, mais au cours des dernières semaines, il y était question de rats. Dans mon rêve de la nuit passée, j'étais dans une grande maison (je pense) avec de nombreuses personnes. Je ne sais pas ou ne me rappelle pas qui étaient ces gens. Il y avait des rats qui couraient partout. Je tentais de grimper sur les meubles pour m'en protéger car ils m'effrayaient énormément.

Vers la fin du rêve, je me tenais debout sur un canapé. Il y avait plusieurs hommes et j'ai fini par me sentir suffisamment à l'aise pour m'asseoir sur le canapé (les pieds en l'air). L'un des hommes me tenait contre lui. J'ai suggéré que les rats soient remplacés par des souris parce qu'elles au moins seraient trop craintives pour se montrer en public. Je croyais qu'il serait beaucoup mieux que ce soient des souris, tant qu'elles resteraient invisibles.

Je suis mariée et j'ai un enfant de un an. J'ai l'impression que les rats représentent divers membres de ma famille. En général, j'ai une bonne relation avec ma famille (incluant ma belle-famille). Tous s'entendent bien et se soucient les uns des autres. Cependant, certains ont tendance à venir s'installer chez nous durant de longues périodes, sans s'annoncer. Mes idées à cet égard semblent s'accorder à ma préférence pour les souris plus effacées.

– Brittany, 28 ans, mariée, États-Unis

Dans ce rêve, Brittany reconnaît sans problème l'existence des rats, tout en souhaitant qu'ils se manifestent moins publiquement (comme les souris). Une fois le lien établi entre les rats et certains membres de sa famille, le sens du rêve devient soudain limpide. Brittany accepte la présence de certains d'entre eux, mais préférerait les voir moins souvent.

Maintenant qu'elle est mère, il n'est pas étonnant que sa famille lui rende visite. Tous veulent voir le nouveau venu. Même s'ils ont probablement de bonnes intentions, peut-être Brittany devrait-elle demander à son mari d'avertir les « rats » qu'elle est parfois fatiguée et qu'il vaudrait mieux qu'ils annoncent leur visite et que celle-ci reste brève. Brittany a les mains pleines – aux sens propre et figuré. Les nouvelles mamans ont besoin de paix et de repos.

« Un rat au travail »

La nuit dernière, j'ai fait deux rêves à propos de rats. Je ne me souviens plus du premier. Dans le second, j'étais au bureau et je devais utiliser la toilette des hommes où il n'y avait que des urinoirs. Ma collègue, qui est aussi une amie, se tenait à l'extérieur pour empêcher les gens d'entrer.

Pendant que j'étais installée à l'urinoir, un rat a commencé à me gruger les pieds. J'ai ouvert la porte pour qu'il s'en aille, mais il a réussi à entrer de nouveau. Maintenant, il était très agressif. Il sautait sur moi et essayait de me mordre. Je ne me rappelle que de la queue et du poil rêche sur ma peau. Je n'arrivais pas à remonter mon pantalon pour courir et mes cris n'alertaient pas ma collègue. Je ne pouvais que penser qu'il était impossible que je sois mordue et que je ne l'avais pas encore été.

Lorsque j'ai enfin pu sortir, le rat a sauté sur moi et s'est agrippé. J'ai dû l'arracher de mon épaule et il a réussi à me mordre les doigts. J'ai donc dû l'arracher de mes doigts et je l'ai lancé contre un mur avant de me mettre à courir vers mon bureau. À mon réveil, mon dernier souvenir était que le rat me pourchassait.

Je n'ai pas peur des rats. J'en ai même eu un comme animal de compagnie durant mes folles années d'adolescence. Je n'en ai pas rencontré d'autres depuis cette époque, mais si cela arrivait je ne crois pas que je partirais en courant. J'ai vingt-neuf ans et je viens de mettre fin à une relation de quatre ans avec une personne avec qui et pour qui je travaille. Je fréquente quelqu'un d'autre et cette relation s'approfondit.

– Rebecca, 29 ans, divorcée, États-Unis

REBECCA TENTE D'ALLER DE L'AVANT dans sa vie amoureuse, mais de toute évidence elle ne réussit pas à se débarrasser d'un rat de son passé.

Le contexte du bureau nous apprend qu'elle lutte contre des émotions liées à son milieu de travail. Puisqu'elle vient de mettre fin à une relation de quatre ans avec un collègue, puisqu'en rêve les rats représentent généralement des personnes dont nous savons qu'elles nous ont trahies ou maltraitées, et puisque le rat de son rêve est de sexe masculin, nous avons toutes les raisons de penser qu'il est question de sa récente rupture.

Dans les rêves, les toilettes sont des images familières exprimant notre besoin de « libérer des émotions intimes ». Le fait que Rebecca utilise la toilette des hommes pour « libérer » ses sentiments (avec le soutien de sa collègue) suggère qu'elle tente d'oublier cette relation avec son compagnon de travail/patron. Le rat qui, au début, n'est que contrariant (elle ouvre la porte pour qu'il s'en aille) ne tarde pas à devenir agressif. La queue et le poil rêche qu'elle sent sur sa peau seraient-ils des allusions sexuelles ? Son ancien amant est-il jaloux et agressif parce qu'elle a entrepris une autre relation ?

La morsure symbolise une blessure sur le plan affectif et la peur de la contamination ou de l'infection. Rebecca fait en sorte que sa vie progresse, mais son rêve lui rappelle qu'elle se démène encore dans des sentiments pénibles concernant son ex. Elle doit cerner ces sentiments et trouver une solution afin d'être en mesure de « s'arracher » à cette relation.

Salle de bains

Salle de bains : La salle de bains est un endroit courant dans les rêves pour évoquer les sentiments de honte et la « libération d'émotions ». Lorsque le rêveur cherche une toilette mais ne peut trouver un endroit privé (les cabines n'ont pas de porte, des étrangers sont présents, ce qui rend le rêveur mal à l'aise), cela indique un manque d'intimité ou une peur d'exprimer des émotions personnelles qui le rendent honteux ou le gênent. Des toilettes sales, qui débordent ou ne fonctionnent pas, révèlent une difficulté à éliminer des émotions, un blocage. Les rêves à propos de défécation sont également fréquents à la suite de disputes entre amoureux ou d'autres conflits intenses. Quelqu'un vous emmerde-t-il ?

Le recherche d'une salle de bains pour uriner peut aussi refléter une véritable pression sur la vessie durant le sommeil. Avez-vous envie d'uriner au réveil ?

• **Truc d'interprétation :** « Retenez-vous » certaines émotions qui ont besoin d'être « libérées » ? Il est temps d'inviter un bon ami et de « lâcher le morceau » !

⁂

Les rêves qui se passent dans les salles de bains sont amusants à lire, mais ils signifient souvent que le rêveur se débat avec des sentiments et des prises de conscience difficiles. Le premier rêve présente un homme en transition, qui s'inquiète de la perception qu'ont les autres concernant ses choix de vie. Sa vie sexuelle appartient-elle vraiment « à la toilette » ? Le rêve suivant, « Besoin urgent », raconte un retour à des comportements primitifs. L'amant d'une femme se comporte comme un animal. Dans « Affaire personnelle », le besoin d'intimité d'une jeune femme est abordé. Tout le monde a-t-il besoin de connaître les détails de son état de santé ? Le dernier rêve, « Défécation », est un exemple humoristique de la façon dont les rêves représentent souvent « tout un discours de salle de bains », de manière un peu plus explicite que ce à quoi nous pourrions nous attendre.

Rêves à propos de salles de bains

« Dans la toilette »

Je suis en processus d'adoption d'un bébé. De plus, il est possible que la compagnie pour laquelle je travaille déménage dans une autre ville et je m'apprête à vendre ma maison. Je fais souvent le rêve suivant. Un bel homme aux cheveux bruns et aux yeux bleus et moi-même tentons de nous rencontrer, sans jamais y parvenir. Des obstacles nous empêchent de nous retrouver. Puis, soudainement, nous sommes dans une salle de bains et devenons très intimes. Je regarde derrière mon épaule et j'aperçois un enfant assis sur la toilette. Je dis à l'homme que nous ne devrions pas agir ainsi, devant l'enfant. Il répond que tout va, tant que nous ne la laissons pas nous voir.

En même temps, cette petite fille quitte la pièce et un second enfant arrive et s'assoit sur la toilette. Puis le rêve se termine.

Ce rêve est si étrange que je ne peux y trouver un sens. Vous pouvez m'aider ?

– Ryan, 34 ans, célibataire, États-Unis

En tant qu'homosexuel, Ryan a toute sa vie enduré des blessures sur le plan social. La société conventionnelle lui dit qu'il est différent et la religion lui dit qu'il ira en enfer. Comme si la situation n'était pas assez compliquée, Ryan souhaite adopter un enfant. Même si les gais ont le droit d'adopter des enfants dans la plupart des États, le débat concernant ce droit a toujours cours dans la société.

Dans le monde du rêve, les salles de bains indiquent souvent des sentiments liés à la honte et à la culpabilité. La plupart d'entre nous avons appris de nos parents, lorsque nous étions petits, que la défécation était sale. Lorsqu'enfants, nous apprenons qu'il est sale d'aller aux toilettes, il n'est pas surprenant qu'une fois adultes nous continuions de nous sentir honteux et coupables dans cette circonstance.

La difficulté que connaît Ryan à se lier avec son partenaire dans le rêve suggère une véritable lutte pour trouver un compagnon de vie. Même lorsque la rencontre a lieu, l'activité sexuelle, au lieu de se dérouler librement et dans l'intimité, se réalise prudemment sous le regard de spectateurs. De plus, cela se passe dans une salle de bains (un placard ?).

Le problème posé dans le rêve de Ryan n'est pas de savoir si un jour il pourra faire l'amour avec son partenaire devant un enfant (un acte que tout parent responsable n'approuverait pas). Au contraire, la salle de bains nous amène à considérer des sentiments de honte acquis plusieurs années auparavant. L'orientation sexuelle de Ryan est-elle sale ? Reste-t-il caché dans le placard ? Sera-t-il un bon parent ? Enfin, comment son enfant percevra-t-il son mode de vie ?

« Besoin urgent »

Je suis divorcée depuis quatorze ans et, dernièrement, je me suis fiancée à un homme tout à fait charmant. Au cours des dernières années, je n'ai fréquenté que deux ou trois hommes. Mon fiancé fait de l'embonpoint ; il pèse près de deux cents kilos. Je suis de constitution normale, avec quelques kilos en trop. Ses habitudes alimentaires sont atroces. Mis à part cela, nous sommes assez semblables et nous avons le même âge. Récemment, il a acheté une maison pour nous deux, mais mon nom ne figure pas sur les documents officiels. Il veut la laisser en héritage à sa fille.

Dans mon rêve, nous marchions dehors. Il ne portait qu'un sous-vêtement et j'étais vêtue d'un t-shirt. Nous étions tous les deux pieds nus. Nous sommes arrivés à un zoo et avons décidé qu'il serait amusant d'aller voir les animaux. Nous n'étions là que depuis un court moment lorsqu'il a eu besoin d'aller à la toilette. Il a alors grimpé pour rejoindre les gorilles et s'est mis à déféquer sous les yeux de tous les passants. J'étais mortifiée. J'ai quitté le zoo en criant et je ne l'ai revu qu'à la maison.

– Nicole, 51 ans, fiancée, États-Unis

LE ZOO LAISSE PRÉSAGER qu'il est question de sujets primitifs. Et, d'après l'information que fournit Nicole, il n'est pas difficile de voir de quoi il s'agit. Les habitudes alimentaires de son fiancé sont « atroces ». Croit-elle qu'il agit parfois comme un animal (un « gorille ») ?

En rêve, la défécation est liée à des questions de maîtrise de soi et de honte. Si nous rêvons que nous sommes à la recherche d'une salle de bains et que nous ne pouvons en trouver, il faut nous demander quelle préoccupation nous « retient » (contrôle) sur le plan émotionnel, que nous devons libérer. Si le rêve se passe dans un lieu public et nous cause de l'embarras, une question liée aux sentiments nous rend honteux ou peut-être sommes-nous incapables de l'exprimer parce que nous craignons l'opinion d'autrui.

Aucun de ces scénarios ne s'applique au fiancé de Nicole. Au contraire, sa défécation en public représente son incapacité de venir à bout de son problème d'alimentation – peu importe quelles personnes sont présentes. Le fait que Nicole et son fiancé portent tous les deux des sous-vêtements est aussi significatif. Leur nudité partielle suggère qu'ils sont exposés et qu'ils se voient nettement l'un l'autre. Dans le rêve, le comportement de son fiancé fait en sorte qu'elle quitte l'endroit où elle se trouve. Nicole délaissera-t-elle sa situation dans sa vie réelle ?

« Affaire personnelle »

Je me trouvais dans des toilettes publiques et il y avait trois filles dans la cabine où je suis entrée. Elles sont restées là tandis quand j'ai commencé à faire caca. Cela semblait normal. J'ai continué de déféquer, puis un groupe différent est entré. Les gens allaient et venaient, comme si cette cabine avait été une salle d'attente pour les autres toilettes qui, elles, étaient privées. J'étais toujours à la selle ; cela semblait ne jamais se terminer.

Je viens de découvrir qu'il est possible que j'aie eu une infection bactérienne depuis l'âge de onze ans. Je suis toujours malade et cela a empiré durant les deux dernières années. La médecin m'a donné des médicaments car j'avais la diarrhée depuis un an. Selon elle, la nourriture pourrissait dans mon estomac. La diarrhée est maintenant réglée.

Je suis contente d'aller mieux, mais je ne suis pas sûre de guérir complètement. J'entreprends ma deuxième série de traitements ; la première n'a pas fonctionné. Cette semaine, j'ai été malade et j'ai dû m'absenter de mon travail. J'ai une diète spéciale sans sucre et sans amidon. Je déteste cela car quand je vais manger avec mes compagnons de travail, mes choix d'aliments se remarquent et je dois toujours m'expliquer. Cela me gêne. Vos conseils seraient appréciés. Merci.

– Samantha, 22 ans, célibataire, États-Unis

SAMANTHA APPRÉCIERAIT PLUS D'INTIMITÉ dans sa vie. Au moment où elle pense qu'un problème est réglé (la diarrhée), sa diète spéciale lui cause de l'embarras. Arrivera-t-elle à se libérer de ce problème de santé qui l'importune et pourra-t-elle un jour cesser de laver son linge sale en public ? (Ou au moins à avoir sa propre cabine ?)

Le rêve de Samantha illustre bien les associations que fait notre esprit par rapport à la salle de bains. Dans la réalité, la salle de bains est un endroit où nous faisons des choses privées. Dans le rêve de Samantha, cependant, la salle de bains n'a rien de privé. Au début, trois filles sont près d'elle lorsqu'elle est à la selle. Elles partent, mais d'autres gens arrivent. Entre-temps, elle est toujours à la selle – pour ce qui lui semble une éternité.

Le long moment que passe Samantha dans la cabine fait allusion à son problème médical récent qui l'a littéralement maintenue enfermée dans la salle de bains pendant près de un an. Le message symbolique du défilé de spectateurs en est un de gêne ; tout le monde est au courant de ses problèmes personnels.

Peut-être Samantha pourrait-elle demander à son médecin quoi répondre aux gens qui la questionnent sur ses choix alimentaires. Elle a besoin d'une réponse qui satisfera rapidement son entourage et restaurera son intimité.

« Défécation »

J'ai fait un rêve étrange et j'aimerais que vous m'aidiez à l'interpréter. Le garçon avec qui je suis en relation depuis cinq ans déféquait sur mon visage intentionnellement. Je criais pour qu'il arrête, mais il continuait. Puis, il a quitté la pièce et j'ai placé ses selles à un endroit où, à coup sûr, il marcherait dedans lorsqu'il reviendrait.

Nous sommes très amoureux depuis cinq ans. Je suis prête à me marier, mais malheureusement ce n'est pas son cas. Je me sens donc rejetée par lui. La veille du rêve, le compagnon avec qui il vit a suggéré qu'ils achètent une maison ensemble. J'étais en colère et frustrée et j'ai dit à mon ami que s'ils achetaient une maison ensemble, je le quitterais. Il était très blessé et m'a assuré qu'il ne le ferait pas. Le lendemain soir, il a dit quelque chose qui m'a vraiment choquée et je lui ai fais savoir que je croyais que c'était cruel de sa part. Il a dit que ma menace de le quitter était cruelle. En fait, il tentait de me rendre la monnaie de ma pièce. Nul besoin de préciser que notre relation ne va plus très bien à cause de mon besoin d'engagement et de sa mauvaise volonté.

– *Cynthia, 25 ans, célibataire, États-Unis*

LES « EMMERDEMENTS » dans les relations se répercutent souvent dans les rêves. « Prends ça», dit Cynthia en plaçant de la merde sur le chemin de son ami. Cynthia sait qu'il va marcher dans la merde (ses propres excréments) et cela compensera pour toutes les emmerdes qu'elle a dû endurer dernièrement.

Les jeux de mots suggéré ici peuvent paraître offensifs. Toutefois, ce rêve montre bien comment les métaphores du langage courant se retrouvent parfois en songe. La veille du rêve, Samantha a senti que son ami « déchargeait ses émotions » sur elle de manière injuste. (Elle a eu l'impression qu'il la traitait « comme de la merde ».) Le rêve qu'elle a fait reflète ces émotions et son désir de montrer à son ami de façon concrète comment nous nous sentons dans une telle situation.

Sang

Sang : Symbole de souffrance, de blessure émotionnelle et d'énergie vitale, le sang peut aussi suggérer des sentiments de culpabilité surtout lorsqu'il se trouve sur les mains (un acte que nous avons commis) ou sur les pieds (une tromperie). Des salles plaines de sang qui monte comme de l'eau évoquent des zones de douleur émotive intense. Si le rêveur saigne, une blessure émotionnelle ou une force d'évacuation sont en jeu.

Les rêves récurrents où il y a de grandes quantités de sang font allusion à des traumas du passé. Quand les rêves sont-ils apparus et que se passait-il dans votre vie à cette époque ? Le sang menstruel est un symbole de fertilité. Chez les adolescents, le sang qui coule signifie souvent la perte de la virginité. (Voir : « Vampire ».) Quand un ami ou une connaissance suce notre sang, cela sous-entend une relation qui nous draine sur le plan affectif. Des rêves désagréables où nous donnons du sang reflètent une impression qu'on exige trop de nous dans une relation.

• **Truc d'interprétation :** Quelle situation de la vie vous a affecté sur le plan émotionnel et qu'est-ce qui draine vos énergies ? Les rêves où il y a du sang ne doivent pas être interprétés comme prémonitoires.

⁂

Les rêves regroupés dans ce chapitre ne sont pas plaisants à lire. Tandis que nos rêveurs se font poignarder (aie !) ou déambulent dans des pièces inondées de sang, nous frémissons devant ces images horribles et partageons leur douleur. Le sang symbolise une blessure émotionnelle et l'angoisse. Les rêveurs reconnaîtront-ils les avertissements contenus dans leurs rêves et mettront-ils fin aux comportements et aux relations qui drainent leur énergies ? Ou l'effusion de sang nocturne se poursuivra-t-elle jusqu'à avoir des conséquences désastreuses ?

Dans « Une histoire sanglante », une jeune femme se fait poignarder plusieurs fois par un partenaire adultère. L'amour qu'ils partagent est-il vraiment « indéniable » ? Dans « La maison des tortures », l'idéal de vie d'un jeune homme est trempé de sang. Déchiffrera-t-il le message urgent que contient ce rêve ? Dans « Le bon type », une femme qui aime flirter se demande si elle est du « bon type » pour se marier. Enfin, « Une mort volontaire » présente une rêveuse perdant son énergie vitale tandis qu'elle tente de se remettre d'une rupture amoureuse.

Il est essentiel de remarquer qu'aucun des rêveurs ne souffre physiquement dans la vie réelle. La blessure est plutôt de nature émotionnelle et la douleur, paralysante.

Rêves de sang

« Une affaire sanglante »

Cela fait à peu près une semaine que chaque nuit je fais le même rêve. Voici d'abord quelques renseignements sur moi. Je suis une femme célibataire de vingt-cinq ans et je vis seule. Depuis un an, j'ai une aventure avec un homme marié. Je sais, ce n'est pas bien, mais notre attirance est indéniable. Nous avons déjà essayé de mettre fin à la relation, sans succès.

Maintenant, mon rêve. C'est la nuit et je suis couchée dans mon lit. Je me réveille car on frappe à ma porte. D'où je me trouve, je vois la porte, qui est en verre givré. Je devine l'ombre d'un homme. Je suis un peu effrayée car j'habite un immeuble d'appartements où il faut se faire ouvrir la porte au moyen d'un système électronique. Je ne connais personne dans l'immeuble et je me demande qui peut bien être là.

Je me lève et me dirige vers la porte. Je suis vêtue d'une très belle robe de nuit en satin blanc, ornée de dentelle. Je regarde par le judas, mais je ne vois rien. J'entrouvre la porte et j'aperçois mon ami (marié). En voyant que c'est lui, je me détends et j'ouvre complètement.

Il se tient devant moi et me regarde pendant un moment qui me paraît une éternité, sans prononcer un mot. Je lui demande s'il va bien et il murmure : « je t'aime » avant de sortir un long couteau très pointu de son manteau de cuir. Puis, il me poignarde à plusieurs reprises.

Je le supplie d'arrêter, mais il continue. Je me rappelle très bien de l'éclat du sang rouge qui recouvrait ma robe de nuit, dégoulinait de mes mains et tombait sur le sol. Je le regarde et il arrête enfin. Il recule, dit qu'il est désolé, puis s'en va. Je me mets à pleurer, m'effondrant par terre et tout devient noir, sauf le sang sur le sol. Le rêve finit ainsi et je m'éveille.

– Rita, 25 ans, célibataire, États-Unis

LES RELATIONS SEXUELLES qu'a Rita avec un homme marié – malgré l'attirance « indéniable » – semblent lui coûter plus cher qu'elle ne le reconnaît. En plus des questions morales que soulève une telle situation, Rita a choisi de s'investir avec un homme qui ne peut satisfaire ses besoins et ses désirs dans le cadre d'une relation saine. Il n'est donc pas surprenant qu'elle sente que son énergie vitale la quitte peu à peu.

D'après le contexte de sa relation, nous pouvons affirmer que les coups de couteau répétés sont une métaphore sexuelle évidente. Le sang rouge vif qui couvre sa robe de nuit, dégouline de ses mains et tombe sur le sol représente les dommages que cause la relation sur le plan affectif, mais aussi, vraisemblablement, la culpabilité que ressent Rita à continuer dans cette voie lorsqu'elle sait que ce n'est pas bien.

Les rêves de Rita ne contiendraient pas de métaphores récurrentes d'attaque et de blessures si ces symboles ne reflétaient pas son état émotif actuel. Ses rêves communiquent avec elle. Entend-elle le message ? Si elle veut que cessent ces rêves débilitants, elle doit mettre fin à la relation et viser des objectifs plus élevés en ce qui concerne sa vie sentimentale.

« La maison des tortures »

Je suis dans un corridor gris et sombre, muni de portes le long des deux côtés. Je vais vers la première porte et je l'ouvre. Mon amie est assise au centre de la pièce, nue. Je me vois, nu aussi, pleurant recroquevillé dans un coin. Elle ne me voit pas ou ne prête pas attention. Je ferme la porte et me dirige vers celle d'en face.

J'ouvre la porte. Je suis dans la même position, mais mon amie est en train de se couper les bras et il y a environ trente centimètres de sang au sol. Encore une fois, elle ne remarque pas que je pleure dans un coin. Je m'apprête à fermer la porte pour aller vers la prochaine, mais je vois mon amie appuyée contre le mur en train de baiser avec Trent Reznor (chanteur du groupe Nine Inch Nails). Elle me regarde et me dit : « je t'aime ». Je sors un pistolet et je tire une balle au visage de Trent Reznor.

Elle tombe et je vais dans la prochaine pièce. Là, elle est en train de recevoir des caresses buccales d'un homme plus vieux dont elle m'a déjà parlé. Je le tue et m'achemine vers la pièce suivante où elle a une relation sexuelle avec mon meilleur ami. Je le tue.

Cela se passe ainsi dans quelques autres pièces. Elle a une relation sexuelle et je pleure dans un coin. À la dernière porte, je trébuche et tombe par terre au bout du corridor et je pleure. Je l'entends baiser dans chaque pièce. Soudain, elle sort de toutes les pièces ; toutes les images d'elle se fondent en une seule. Elle se met à genoux près de moi. Elle dit : « je t'aime » et je réponds : « je sais ». Je place alors le pistolet dans ma bouche et je tire. Je m'éveille en criant et je pleure pendant vingt minutes. Chaque semaine, je fais ce rêve trois ou quatre fois.

Je sais qu'elle parle encore à certains de ses anciens amoureux au téléphone, mais elle ne les fréquente pas. Avant, elle était une « vraie pute » (ses propres mots). C'est la première femme avec qui j'ai des relations sexuelles. Nous sommes ensemble depuis huit mois.

– Carl, 18 ans, fiancé, États-Unis

À UN TOUT JEUNE ÂGE, Carl est très engagé dans sa première relation de nature sexuelle. Il se dit « fiancé » après seulement huit mois de fréquentation.

L'amie de Carl a admis avoir eu plusieurs amants par le passé. Malheureusement, ces anciens amoureux se retrouvent maintenant dans les rêves de Carl, même si lui et son amie ont décidé de se marier. Les pièces remplies de sang dans les rêves de Carl sont un symbole puissant de douleur émotionnelle intense. Les meurtres qu'il commet reflètent la colère et la frustration qu'il ressent devant ces fantôme du passé.

Carl ne trouve-t-il pas étrange que son amie lui dise qu'elle l'aime tout en continuant de baiser avec toute une maisonnée d'hommes ? Le rêve de Carl représente très clairement un message confus – quand une personne dit quelque chose et agit autrement. Dans la réalité, son amie transmet un message confus en continuant de téléphoner à ses anciens amoureux même si elle sait que cela dérange Carl. Si elle l'aimait vraiment, continuerait-elle de parler à ses anciens amants et à lui faire de la peine ?

Le rêve de Carl est un avertissement : il est fiancé à une femme qui n'est pas prête à s'engager (ou qui en est incapable). Ce rêve récurrent dans lequel il finit pas se tuer montre à quel point il souffre dans cette relation. Le message est clair – écrit en lettres rouges (sang) – pour que Carl le voie bien. Au lieu de poursuivre cette fille la nuit dans des pièces ensanglantées, il est temps qu'il ouvre la porte et quitte cette maison des tortures.

« Le bon type »

Je vis une merveilleuse relation avec l'homme que je vais épouser. Il a trente-trois ans et possède sa propre entreprise. Il travaille beaucoup et m'aime énormément. Je l'aime aussi, mais il y a trois semaines, une personne que je n'avais pas vue depuis des années m'a téléphoné et m'a rendu visite. Il s'agit d'un ami ; nous ne nous sommes jamais embrassés. Lorsque nous nous sommes rencontrés, il y avait quelque chose dans l'air. Il était beau et avait presque vingt ans de plus que moi, mais je le trouvais très intéressant car il connaissait beaucoup de choses. J'étais enchantée, mais il ne s'est rien passé et nous avons perdu le contact.

Depuis qu'il est revenu, je fais pratiquement le même rêve une ou deux fois par semaine : mon futur mari tombe malade et entre à l'hôpital. Il a besoin de sang et tout de suite, je dis : « prenez le mien » (nous avons le même type sanguin). Toutefois, lorsque le médecin et l'infirmière commencent à lui injecter mon sang dans les veines, il meurt. Tout le monde se tourne vers moi en disant : « Regarde ce que tu as fait ! » Ensuite, aux funérailles, tous mes amis et ma famille me considèrent froidement, comme s'ils voulaient me dire : « C'est toi qui l'as tué. » Je me réveille en pleurant et je me sens coupable, mais je n'ai rien fait !

Je l'aime et je ne voudrais jamais le blesser. Croyez-vous que mon rêve a un lien avec mon ancien ami qui est revenu ?

– Teresa, 27 ans, célibataire, Brésil

TERESA A RAISON. Elle n'a rien fait, mais ses rêves récurrents indiquent qu'elle se sent coupable de certaines pensées qu'elle a eues.

D'après ce que raconte Teresa, nous pouvons affirmer qu'elle trouve attirant cet homme plus vieux. La chimie opère entre eux ; il y a de la magie dans l'air quand ils sont ensemble.

Naturellement, la pensée d'une relation amoureuse avec lui a traversé l'esprit de Teresa.

Les rêves de Teresa sont liés au retour de cet homme dans sa vie. Cependant, de façon intéressante, au lieu de porter principalement sur son attirance pour cet homme, ses rêves sont plutôt concentrés sur les conséquences d'une telle liaison (dont aucune positive). Teresa capte-t-elle le message ?

Si Teresa vivait une aventure avec cet homme, cela blesserait son fiancé. Dans le rêve cette blessure est symbolisée par la maladie et l'hospitalisation de son fiancé. De façon similaire, l'évocation du type sanguin est presque certainement une allusion au projet de mariage de Teresa et de son fiancé. La future famille de Teresa a besoin de son sang pour survivre. Toutefois, dans le rêve, même si Teresa a le même type sanguin que son fiancé, pour une raison quelconque, son sang n'est pas bon et cause sa mort. La scène finale où elle se retrouve aux funérailles de son fiancé (et non à son mariage) représente la mort de leur relation. Les regards froids venant de la famille et des amis suggèrent qu'ils désapprouveraient une telle trahison.

Ces rêves servent d'avertissements. Selon ses dires, une vie merveilleuse l'attend. Des millions d'hommes et de femmes souhaiteraient avoir un avenir aussi prometteur. Toutefois, le retour de son ancien ami amène Teresa à se demander quel « type » de femme elle est. Verra-t-elle le message que contient ce rêve et prendra-t-elle la bonne décision ? Si son « ancien ami » l'encourage à vivre une aventure, ce n'est pas vraiment un ami.

« Une mort volontaire »

J'ai rêvé que je voyais mon ancien mari avec une femme au centre commercial. Ils se tenaient la main. Il m'a annoncé qu'ils allaient se marier (nous sommes divorcés depuis à peine quatre mois). Plus tard, il m'a téléphoné pour en discuter et je l'ai invité chez moi. Nous sommes entrés dans le spa. J'avais un couteau et je me suis ouvert les poignets. Le sang commençait à couler et je me suis réveillée.

Voici des renseignements sur ma situation. Je n'ai jamais fait ce rêve auparavant. Mon mari et moi venons de divorcer. Il avait une aventure, mais il n'est plus en relation avec cette femme. Nous avons vécus séparés pendant trois ans. Récemment, je lui ai demandé de ne plus communiquer avec moi. Je ne peux être son « amie ».

– *Sandra, 48 ans, divorcée, États-Unis*

LE RÊVE DE SANDRA révèle que son divorce la fait encore souffrir. Son rêve fait allusion à la trahison qu'elle a subie dans la vie en montrant son mari qui tient la main d'une autre femme au centre commercial. Comme pour ajouter à sa douleur, son ancien mari lui annonce son mariage prochain. Sa « période de deuil » n'a duré que quatre mois !

La décision qu'a récemment prise Sandra de couper le contact avec son ex montre qu'elle sait qu'elle doit passer à autre chose. À ce stade, sa présence lui rappelle encore trop de mauvais souvenirs.

Dans la vie réelle, les spas sont associées au romantisme et à la détente. Dans les rêves, ce genre de baignoire, les piscines, les lacs et les autres étendues d'eau sont des métaphores des émotions. Lorsque Sandra invite son ancien mari dans son univers émotionnel, elle ne peut s'exprimer qu'en se tranchant les poignets et en laissant le sang s'écouler. Sandra souffre ; pour elle, la nouvelle vie de son ex-mari provoque sa mort.

Le rêve de Sandra ne signifie pas qu'elle désire se faire du mal. Au contraire, il démontre qu'elle est consciente que les décisions qu'elle prend à l'état de veille sont un signe qu'elle comprend qu'une phase de sa vie est terminée et qu'il est temps d'avancer. Aujourd'hui, son esprit est préoccupé par le sang répandu en raison d'un lien sacré qui s'est déchiré. Demain, son regard s'élèvera au-dessus de ces eaux troubles. Dans l'univers des rêves, la mort représente le changement et la séparation. La mort volontaire de Sandra laisse présager qu'elle est prête à accepter ce changement.

Sans visage

Sans visage : Les gens qui apparaissent sans visage dans les rêves indiquent une identité inconnue ou tronquée afin de protéger le rêveur pour qui la reconnaissance serait trop pénible, à l'état de veille.

Les amoureux sans visage figurent souvent dans les songes qui reflètent un empressement à vivre un amour ou le mariage avec un partenaire inconnu. Si la personne vit déjà une relation amoureuse, ce type de rêve suggère une insatisfaction ; elle cherche « quelqu'un d'autre » qu'elle n'a pas encore rencontré.

Les poursuites par des personnages sans visage laissent supposer que nous fuyons une peur ou une émotion qui n'a pas été clairement définie. Ce même genre de rêve qui revient constamment peut être le signe de traumas réprimés ou évités. Êtes-vous capable d'identifier l'agresseur à partir des indices contenus dans le rêve (sexe, lieu, vêtements, votre âge) ?

Voyez aussi : « Poursuite »

• **Truc d'interprétation :** Si le rêve vous perturbe, demandez-vous si vous évitez de reconnaître des sentiments pénibles concernant un ami, un membre de votre famille, l'être aimé ou vous-même.

Existe-t-il frustration plus grande qu'un rêve à propos d'un amoureux sans visage ? « Mon véritable amour » présente une jeune femme qui désire une relation amoureuse et qui se demande si l'homme de ses rêves se révélera un jour. « L'homme sans visage » provient d'un garçon qui veut savoir pourquoi son amoureuse rêve constamment d'un étranger sans visage. Le dernier exemple, « L'ombre sur le mur », prouve que certaines choses doivent demeurer inconnues, jusqu'à ce que nous nous décidions à considérer toutes les données.

Rêves à propos de personnes sans visage

« Mon véritable amour »

Lorsque le rêve commence, je marche derrière une personne qui semble mon véritable amour. Il me tient la main et me conduit à une clairière. Je ne vois pas son visage. Je marche un pas ou deux derrière lui et jamais je n'aperçois nettement son visage.

La clairière se trouve près d'un lac ou d'une étendue d'eau. Nous sommes sur le point de nous asseoir sur une couverture qu'il a étendue lorsque j'ai une expérience extrasensorielle. Je nous vois maintenant tous les deux en train de regarder la lune au-dessus de l'eau. Je me distingue clairement, mais encore une fois je ne vois que l'arrière de sa tête. Nous demeurons là jusqu'au lever du soleil. Je fais ce rêve assez souvent.

Quelques renseignements sur moi : je suis célibataire mais je fréquente une personne qui m'est très chère. J'aime les histoires d'amour et je souhaiterais bien vivre un conte de fée, mais il est peu probable que cela arrive.

– Zoe, 22 ans, célibataire, États-Unis

QUI EST CET HOMME MYSTÉRIEUX ? Et quand Zoe le rencontrera-t-elle ? Le rêve de Zoe est un excellent exemple de la frustration que peut soulever un rêve dans lequel figure un amoureux sans visage. Puisque Zoe aime les histoires d'amour, il est normal qu'elle rêve de temps en temps à son amoureux idéal. Ses rêves sont agréables et se produisent fréquemment. Toutefois, ils comportent un élément frustrant. Elle a beau essayer de distinguer le visage de son amoureux, c'est impossible. Elle marche toujours derrière lui et il tourne la tête quand elle tente d'obtenir une meilleure vue.

Zoe écrit qu'elle voit actuellement une personne qu'elle aime beaucoup. Son rêve laisse plutôt penser que son cœur hésite. Voici le sens de ce rêve étrange : Zoe n'a pas encore rencontré son partenaire idéal. Au lieu de la mettre sur une fausse piste en montrant un visage, son rêve lui dit qu'elle ne connaît pas cette personne.

Lorsque Zoe rencontrera son véritable amour, elle le reconnaîtra peut-être à ce signe : son amoureux sans visage ne viendra plus la troubler ; il disparaîtra de ses rêves.

« L'homme sans visage »

Je vis une relation merveilleuse avec mon amie, une jeune femme de vingt et un ans qui a beaucoup de maturité. Nous sommes très bons amis et nous aimons énormément. Le seul problème, c'est qu'elle ne semble pas vouloir s'engager.

Parfois je crois qu'elle veut simplement prendre son temps, mais d'autres fois j'ai l'impression qu'il y a autre chose. Elle m'a raconté dernièrement qu'un homme sans visage apparaissait souvent dans ses rêves. Je suis intrigué : y a-t-il un lien avec notre relation ?

– Steven, 19 ans, célibataire, États-Unis

STEVEN EST UN JEUNE HOMME de dix-neuf ans qui fréquente une femme de vingt et un ans « qui a beaucoup de maturité ». Toutefois, « elle ne semble pas vouloir s'engager » et lui raconte qu'elle rêve à un « homme sans visage ». Steven est curieux : cet homme sans visage vient-il l'avertir de continuer sa route ? Son amie essaie-t-elle de lui donner un indice ?

Dans les rêves, les personnes sans visage se manifestent dans deux contextes : lorsque nous évitons les prises de conscience douloureuses (incluant les souvenirs) et lorsque nous éprouvons de l'incertitude face à l'avenir. Puisque l'amie de Steven n'est ni poursuivie ni agressée dans ses rêves – des indices qui nous avertiraient qu'elle évite de faire face à des sentiments dérangeants – il s'agit fort probablement du second contexte. En réaction à Steven qui la presse de s'engager sérieusement dans la relation, l'homme sans visage de ses rêves a un sens symbolique : elle n'est pas prête à s'engager.

« L'ombre sur le mur »

Récemment, mon ami et moi nous sommes quittés parce qu'il a déménagé à trois mille kilomètres. Nous avons tous les deux l'impression que les choses peuvent s'arranger pour l'avenir, mais nous sommes aussi d'accord qu'en étant séparés un certain temps nous pourrons découvrir à quoi ressemble la vie de célibataire (pour des raisons de croissance personnelle).

Hier soir, avant de m'endormir, j'ai posé une question concernant l'avenir de notre relation. J'ai aussi demandé de voir la personne avec qui j'allais bientôt vivre. Et j'ai rêvé que mon ami et moi faisions l'amour dans une pièce inconnue. Nous nous disions qu'il était bon de nous retrouver.

Durant nos ébats, j'ai aperçu son chat dans un coin. Il a sauté sur un rayon de bibliothèque et a projeté une ombre immense sur le mur. Curieusement, il y avait des blancs à l'endroit des yeux. Le rêve s'est terminé ainsi. Que peut-il bien vouloir dire ?

– Kaylee, 18 ans, célibataire, États-Unis

AVANT DE S'ENDORMIR, Kaylee a lancé une question à laquelle elle espère obtenir une réponse dans un rêve. Elle veut savoir avec qui elle partagera bientôt sa vie. Sera-t-elle encore liée à son ami actuel, de qui elle est présentement séparée ? Y aura-t-il un nouvel amour dans sa vie ? La tête remplie d'espoirs reposant sur l'oreiller, Kaylee s'endort et croit fermement qu'elle verra son avenir en rêve.

Dans un rêve qui fait manifestement référence à l'inconnu, elle retrouve son ami dans un contexte agréable. Le bonheur qu'ils partagent et leur intimité représentent leur relation de manière positive. L'immense ombre que projette le chat, cependant, est un symbole classique de l'inconnu. (L'analyste Carl Jung a écrit de nombreux ouvrages sur l'ombre en tant que symbole des aspects secrets du soi.) De façon significative, l'attention de Kaylee se concentre sur l'identité de l'ombre, représentée par les yeux du chat. Kaylee peut-elle voir son avenir ? Perçoit-elle le visage de son prochain partenaire amoureux ? Le rêve donne une réponse à la fois décevante et stimulante : non.

Que signifie le rêve de Kaylee ? L'avenir n'est pas joué. Seule Kaylee a le pouvoir de choisir son partenaire – dont les yeux remplaceront les blancs de l'ombre.

Serpent

Serpent : Les serpents prennent une multiplicité de sens dans les rêves, selon le contexte dans lequel ils apparaissent.

Danger : La peur d'une morsure de serpent reflète la crainte d'une blessure affective dans la réalité. Qui pourrait surgir et frapper soudainement, comme un serpent dans l'herbe ? Lorsqu'un serpent nous mord, il faut remarquer l'emplacement de la morsure. À la poitrine (cœur), la blessure est vraisemblablement de nature émotionnelle. Aux jambes, elle évoque une difficulté d'avancer et des obstacles sur la voie de la réalisation d'un objectif. Un lutte avec un serpent peut indiquer un combat contre une dépendance nocive, telle que la drogue ou l'alcool, ou des émotions très fortes. Tuer un serpent pour se défendre est un signe de confiance devant un défi à surmonter.

Symbole phallique : Les serpents fonctionnent parfois comme un symbole phallique à cause de leur forme. La destruction d'un serpent peut donc exprimer la peur de l'intimité sur le plan sexuel ou la répression de la libido.

Croissance et guérison psychologique : Dans la pratique du yoga, l'énergie du serpent (kundalini) repose en spirale dans le bas du dos et s'élève dans les centres énergétiques du corps (chakras) suivant l'évolution spirituelle. Dans un tel contexte, les serpents deviennent des symboles positifs, signes de croissance et de sagesse.

Dans la Grèce ancienne, les rêves dans lesquels figuraient des serpent étaient reçus comme des présages de santé physique et mentale. De façon spécifique, quand une personne était malade, un rêve à propos de serpent indiquait que le processus de guérison était amorcé. Ce lien entre les serpents et l'art de la guérison se retrouve aujourd'hui dans l'emblème de la profession médicale, le caducée, où l'énergie vitale (un serpent) grimpe sur un bâton de sagesse ailé. Prendre soin d'un serpent dénote une étroite connexion avec l'énergie créatrice.

Tentation, esprit mauvais et mensonges : Les serpents sont liés à la tromperie, à la trahison et à la tentation en raison de leur héritage biblique. C'est un serpent qui encourage Ève à consommer le fruit de l'arbre de vie dans le jardin d'Éden, ce qui provoque par la suite la chute du genre humain, aussi interprétée comme la naissance de la conscience. À cause de leur langue fourchue, les serpents font aussi référence aux mensonges. Les serpents qui « sifflent dans l'herbe » peuvent indiquer que nous sommes au courant de commérages.

Transformation : Parce qu'ils perdent leur peau, les serpents sont associés au changement, à la métamorphose et à l'énergie vitale. Les peuples anciens croyaient que cette créature était immortelle (elle changeait de peau tout simplement) et détenait donc la clé de la vie éternelle. Les serpents en gestation symbolisent la fertilité, la sagesse maternelle et les chances d'évolution dans la vie du rêveur. Les gros reptiles sont un signe de sagesse.

• **Truc d'interprétation :** Si un serpent apparaît dans votre rêve, demandez-vous quel événement récent vous a amené à craindre d'être blessé (mordu) d'une manière quelconque. Avez-vous une occasion de grandir spirituellement ?

⁂

Dans les rêves, les serpents sont toujours des symboles puissants, peu importe le contexte. Dans le premier rêve, « Ma mère est un serpent », une adulte est encore hantée par des souvenirs de son enfance, lorsqu'elle vivait avec une personne « empoisonnante ». Dans « Poursuivie par des serpents », une femme a commis un geste terrible en toute conscience. Le serpent finira-t-il par s'en aller ? « Le jardin d'Éden » présente une femme poursuivie par un serpent dans un jardin. Est-il étonnant qu'elle soit aux prises avec la tentation dans sa vie ?

Rêves de serpents

« Ma mère est un serpent »

J'ai trente-huit ans et je suis mère de deux enfants. Mon cancer du sein est en rémission depuis trois ans. Ma mère a aussi cette maladie et est présentement en phase terminale dans un hospice. Elle m'a terriblement maltraitée physiquement et psychologiquement, mais vu sa mort imminente, je réussis à être gentille et à prendre soin d'elle malgré qu'elle soit encore violente. Je lui ai souvent dit que je lui avais pardonné, mais elle continue d'être offensante tout en s'assurant constamment que je lui pardonne. Je ne pense pas beaucoup à elle ni à mon père, à moins que je n'y sois forcée. Franchement, je suis occupée à vivre une vie heureuse. Pendant que j'étais en traitement à cause du cancer, mes parents ne voulaient pas me voir sous prétexte que je ne m'étais pas excusée de quelque chose que j'avais fait qui avait mis ma mère en colère.

Mon rêve récurrent prend plusieurs formes. Généralement, il survient après un contact avec ma mère, même au téléphone. Je suis dans une maison sombre – souvent la maison où j'ai habité de dix à dix-sept ans – et ma mère est très fâchée. Il y a de hauts cris et des paroles très dures, mais je ne sais pas exactement ce qui se dit. J'essaie d'avancer d'une pièce à une autre, mais je ne peux m'échapper. Elle me suit, en criant et en m'accusant. Parfois, je sors dehors et je me cache.

Quelquefois, ma mère se transforme en serpent et cela me fait très peur. Je me retrouve en train de la battre. (Quand elle est un serpent, je la tue avec une pelle.) Mes membres sont extrêmement lourds lorsque je tente de la frapper ; je dois faire de grands efforts. Je réussis à donner des coups, mais ils semblent doux et inoffensifs. Je ne peux m'arrêter. Habituellement, je la frappe au visage. C'est affreux car je ne suis pas une personne violente. Je suis incapable de tolérer la violence. Dans le rêve, toute cette histoire me dégoûte et me rend honteuse. Je ne me sens aucunement victorieuse ou forte. Lorsque je me réveille, j'ai l'impression que c'est vraiment arrivé et, en général, cela me prend du temps à me réorienter.

– Alyssa, 38 ans, mariée, États-Unis

DES SOUVENIRS PÉNIBLES de son enfance surgissent dans les rêves d'Alyssa – apparemment plutôt aisément. Un simple coup de téléphone de sa mère durant le jour peut ramener, la nuit, des souvenirs d'agressions commises il y a plus de vingt ans.

Les rêves d'Alyssa répètent littéralement les tourments qu'elle a déjà subis. Sa mère la pourchasse dans les pièces de la maison de son enfance et Alyssa n'échappera pas à sa colère. La métamorphose de sa mère en serpent est très révélatrice symboliquement. Comme un serpent, sa mère parle avec une langue cruelle et fourchue, Et puisqu'Alyssa ne sait jamais quand sa mère va frapper, elle doit se tenir sur ses gardes en sa présence. Le venin qui coule de sa bouche est du vrai poison. Alyssa est forte ; elle s'est immunisée contre les morsures de sa mère qui tuent son esprit.

Bientôt, Alyssa est forcée de se battre. Même si elle gagne la bataille – elle réussit à donner des coups – elle observe que sa victoire ressemble davantage à une défaite. Il y a une différence entre elle et sa mère : Alyssa comprend que seule une personne malade peut retirer du plaisir en agressant les autres.

D'après les rêves d'Alyssa, le processus du pardon est encore en évolution. Lorsque sa mère ne pourra plus l'entraîner dans des batailles qui drainent son esprit, Alyssa aura gagné le combat.

« Poursuivie par des serpents »

Dans mes rêves, les serpents me poursuivent ou me mordent. Une amie m'a dit qu'en rêve les serpents pouvaient représenter les actes répréhensibles, une transition ou la trahison.

J'ai honte car, quelques jours après que ces rêves ont commencé, j'ai trahie une très bonne amie que je considère comme ma sœur. Elle m'a donné un emploi, m'a nourrie et m'a même acheté des vêtements quand j'ai vécu une période difficile. Elle a dépensé beaucoup d'argent pour moi. De mon côté, je racontais des mensonges pour cacher ce que j'avais fait. Les serpents sont toujours présents. Qu'est-ce que cela veut dire ?

– Hailey, 40 ans, mariée, États-Unis

Le lien entre le geste qu'a commis Hailey et le sens symbolique de la tromperie est facilement perceptible. Parce qu'elle a trahi une amie, Hailey se sent comme un « serpent dans l'herbe ». Parce qu'elle a menti, elle a la « langue fourchue ». Sous cet éclairage, les serpents qui la poursuivent et la mordent dans ses rêves sont des signes évidents d'une conscience lourdement chargée. Hailey a trompé un être humain, mais éloquemment, ses rêves montrent qu'elle ne peut se tromper elle-même. Le fait que les rêves aient commencé avant la trahison montre que, inconsciemment, Hailey se débattait déjà avec les conséquences du geste qu'elle allait commettre.

Les Grecs de l'Antiquité attribuaient un sens positif aux serpents dans les rêves. Pour eux, ils indiquaient des possibilités de transformation spirituelle et psychologique. Ainsi, le rêve de Hailey signale qu'elle arrive à un moment de transition où elle doit mieux définir sa vie. Hailey a honte de ses agissements passés. L'avenir lui réserve une occasion de rédemption. Saura-t-elle la saisir, admettre son erreur, se racheter pour le mal qu'elle a fait et retrouver le droit chemin ? Ou laissera-t-elle passer cette chance de changement ? Le serpent exige une réponse.

« Le jardin d'Éden »

Je suis en auto avec ma tante et nous nous arrêtons lorsque nous découvrons une magnifique forêt tropicale. La beauté de l'endroit m'enchante. La lumière est vive et il y a quantité de plantes et d'oiseaux. C'est très paisible.

Nous marchons et bientôt nous passons sous les branches d'un arbre. Nous y apercevons un boa constricteur. Nous n'avons pas peur ; nous sommes simplement intriguées. Ce lieu nous charme toujours. Puis, je sens que le sac à lunch que je transporte dans ma main se met à bouger. Je le laisse tomber et un serpent rayé noir et rouge en sort. Immédiatement la peur me saisit, car j'ai l'impression que le serpent va me mordre.

Je m'éloigne et le petit serpent me suit lentement. Sa tête est toujours relevée, comme un cobra, et il me regarde. Je me retrouve derrière un rocher. Le serpent est de l'autre côté, prêt à l'attaque. Derrière moi, il y a un étang rempli de poissons et de dauphins. Autour de l'étang, il fait sombre à cause de la voûte de feuillage que forment de très gros arbres, mais je sais que le soleil brille et je n'ai donc pas peur. L'endroit est toujours aussi calme et paradisiaque.

Pendant que je regarde le serpent, j'entends l'eau de l'étang éclabousser. Je me retourne et je vois une amie de l'école secondaire qui est décédée du cancer du sein. Elle nage avec les dauphins. Elle sort de l'eau, nue, et se fait sécher. Lorsque je me tourne vers le serpent, mon amie est en train de le frapper à la tête avec une pelle et le tue. Je suis soulagée, mais ce qui vient de se passer me rend confuse. Puis, je me réveille, très émotive et déconcertée.

Actuellement, j'éprouve des difficultés dans mon mariage. Je ne suis plus sûre d'aimer mon mari. J'ai rencontré un autre homme et je ne cesse de penser à lui. Il voudrait que je quitte ma famille pour que nous vivions seuls tous les deux. J'en ai envie, mais au fond de moi je sais que je ne devrais pas.

– Melanie, 42 ans, mariée, États-Unis

Le serpent du rêve de Melanie désigne sa tentation de vivre une aventure avec l'homme qu'elle a rencontré récemment. Au cours d'une période de difficultés dans son mariage, cet homme l'a encouragée à entreprendre une liaison secrète avec lui. Elle en a envie, mais au fond d'elle-même, elle sait qu'elle ne devrait pas. De plus, il est évident, d'après son rêve, que Melanie craint que cette nouvelle relation (le serpent) finisse par « l'attaquer » (lui causer une blessure affective, en langage onirique).

Dans la culture occidentale, les serpents sont associés à la tromperie et à la trahison à cause de la référence biblique (l'histoire du jardin d'Éden). Ce n'est donc pas un hasard si le rêve de Melanie qui porte sur la tentation a comme cadre un lieu qu'elle décrit comme paradisiaque. La forêt tropicale dans laquelle elle se promène est claire, ensoleillée, remplie de plantes et d'oiseaux et il y a même un étang où nagent des poissons et des dauphins. Lorsqu'elle entre dans la forêt, un serpent suspendu à un arbre (l'arbre de vie ?) complète la référence au jardin d'Éden.

L'apparition de l'amie de Melanie, qui en réalité est morte du cancer du sein et qui dans le rêve émerge de l'étang contenant des poissons et des dauphins, concerne aussi les valeurs spirituelles. Cette amie agit promptement et tue le serpent avec une pelle. D'après le contexte du rêve, son message est clair. Melanie est soulagée que le serpent soit mort. De façon similaire, elle sera apaisée lorsqu'elle mettra fin à sa tentation.

Sexualité

Sexualité : Dans l'univers onirique, la sexualité est une métaphore courante de l'attirance que nous éprouvons pour des qualités représentées par la personne figurant dans notre rêve ainsi que de notre désir de nous rapprocher d'elle. En conséquence, un rêve de nature sexuelle ne doit pas être interprété comme une expression littérale d'un désir physique. Des rapports sexuels agréables avec un patron ou un collègue peuvent exprimer, respectivement, un attrait pour le pouvoir ou la bonne entente au travail. Des relations sexuelles plaisantes avec un ami peuvent indiquer une grande intimité ou une attirance pour des qualités que nous apprécions chez cette personne.

Un accouplement avec une personne beaucoup plus âgée que nous qui ne nous attire pas à l'état de veille reflète généralement un désir d'obtenir une plus grande sécurité ou d'être guidé. S'il s'agit d'un partenaire beaucoup plus jeune, il peut être question d'innocence, de naïveté ou des premières expériences sexuelles de la personne qui rêve. Les rêves de viol ou de sexe avec une personne que nous détestons peuvent refléter l'impression que nos limites ne sont pas respectées ou que nous sommes forcés d'accepter une situation pénible.

Des relations sexuelles avec une célébrité évoquent la hausse de notre statut dans le monde. (Des gens célèbres nous trouvent attirants.) La difficulté de consommer l'acte sexuel peut indiquer une frustration dans une relation d'affaires ou amoureuse – l'un des partenaires est incapable de se conformer aux conditions ou de boucler la boucle. Les organes génitaux déformés, cicatrisés ou blessés sont, respectivement, un signe d'un manque de savoir-faire sur le plan sexuel, d'anciens traumas sexuels et de préoccupations portant sur la sexualité à l'intérieur d'une relation (incluant la peur des maladies). Les interruptions fréquentes par des figures d'autorité durant l'activité sexuelle peuvent faire allusion à la culpabilité que ressent le rêveur ou à une absence d'intimité. Les hétérosexuels rêvent souvent qu'ils font l'amour avec des personnes du même sexe. Ce type de rêve peut traduire une prise de contact avec leur côté masculin ou féminin ou une simple curiosité.

Dans les rêves, la sexualité exprime aussi des désirs véritables. Les rêves frustrants – incapacité d'accomplir l'acte, partenaire qui disparaît, interruption par un parent (chez les adolescents) – peuvent être le reflet d'une frustration réelle sur le plan sexuel. Les rêves de viol peuvent indiquer une véritable peur de subir une agression sexuelle, surtout chez les femmes. Les rêves où nous recherchons le plaisir charnel avec quelqu'un d'autre que notre partenaire habituel sont souvent un symptôme d'insatisfaction sexuelle. Lorsque nous rêvons que notre partenaire s'accouple à une autre personne, c'est souvent un signe d'insécurité. (Voyez aussi : « Trahison ».) Les relations sexuelles avec une personne inconnue révèlent généralement une curiosité de nature sexuelle. Une personne étrangère a-t-elle capté votre attention ?

• **Truc d'interprétation :** Si vous trouvez que votre partenaire n'est pas attirant dans le rêve, demandez-vous quelles sont les qualités qu'il représente de façon symbolique.

* * *

Les rêves de ce chapitre expriment soit un attrait pour des qualités que possède le partenaire représenté ou une véritable attirance qui se révèle sous diverses formes. Le premier rêve, « Sexualité avec mon père », est raconté par une femme qui vit une transition et qui cherche un modèle de comportement sain. « Le voyeur » présente un homme qui est choqué par la métaphore qu'utilise son rêve. Est-il vraiment un pervers ? « Sexualité avec mon meilleur ami » soulève une question passionnante : la rêveuse laissera-t-elle libre cours à ses sentiments amoureux ? « Satisfaction sexuelle » est le récit amusant de l'accomplissement de désirs sexuels dans le cadre d'un rêve. « Sexualité avec le diable » a pour thème la tentation. Dans la Bible, la punition pour avoir consommé le fruit défendu est l'isolement. L'auteure du rêve résistera-t-elle à la tentation ?

Rêves à propos de sexualité

« Sexualité avec mon père »

Je m'entends à merveille avec ma famille. Je suis très proche de mon père et je le considère comme mon meilleur ami. Aucun membre de ma famille ne m'a agressée par le passé. Actuellement, je suis vierge et je n'ai pas d'amoureux.

Récemment, j'ai rêvé que j'avais un rapport sexuel avec un homme. (Je fais rarement ce genre de rêve.) Lorsque je l'ai regardé, j'ai vu que c'était mon père. Cela m'a paru étrange, mais j'avais plutôt l'impression qu'il s'agissait d'un ami et non de mon père. Ce rêve m'a beaucoup bouleversée et dégoûtée. Que signifie-t-il ?

– Isabella, 20 ans, célibataire, Canada

ISABELLA A FAIT UN RÊVE CLASSIQUE en psychanalyse, que nous craignons tous. (Freud a-t-il dit vrai quand il a affirmé que nous désirions nos parents ?) Au réveil, Isabella se sent bouleversée et dégoûtée, mais de façon révélatrice, dans le rêve, elle ressent de l'amitié.

Isabella précise qu'elle n'a jamais subi d'agressions et que sa relation avec son père est merveilleuse. Quel est donc le sens de ce rêve assez répandu ? Il ne s'agit pas du tout de désirs réels pour son père, mais bien de qualités qu'elle recherchera chez un partenaire éventuel.

D'après son récit, son père constitue un bon modèle de ce qui lui plaît chez un homme. Si elle réussit à dénicher un homme qui lui ressemble, elle aura trouvé un partenaire qui la traitera avec respect et qui deviendra son meilleur ami. Le rêve d'Isabella montre qu'elle se sert de cette relation positive avec son père pour se guider vers l'avenir.

« Le voyeur »

Ce rêve me tourmente depuis quelques jours. Son contenu et les gestes posés m'embarrassent énormément. Le voici.

Je vis dans un appartement situé au troisième étage avec une fille de dix ans et sa mère. Ni l'une ni l'autre n'a de lien avec moi, mais je les connais d'une certaine manière. Elles jouent ensemble sur le plancher et j'écoute la télévision.

Je me lève du canapé pour regarder par la fenêtre. Dans l'aire de stationnement, il y a deux adolescentes de treize ans sur la banquette arrière d'une décapotable bleu foncé. Elles ont un air naïf et toutes deux portent des robes bain-de-soleil. Soudain, l'une chevauche l'autre et les voilà qui s'embrassent. Elles semblent en pleine expérimentation tout en paraissant plutôt à l'aise dans leurs gestes. Je n'en crois pas mes yeux.

Je veux en parler à quelqu'un, mais je crains que la mère, qui selon moi trouverait cette histoire intéressante, ne pense qu'il s'agit d'une mauvaise influence et ne s'enfuie avec sa fille. Je retourne donc à la fenêtre. À ce stade, la mère quitte l'appartement et la fille de dix ans vient me rejoindre à la fenêtre. Elle voit les filles dans la voiture et me demande ce qu'elles font. Je lui réponds qu'elles s'embrassent et qu'elles doivent vraiment s'aimer beaucoup.

Elle approuve et prend soudain des manières grossières pour me demander à quel point je l'aime. Dans le rêve, cela ne me répugne pas (contrairement à maintenant) et mon désir sexuel se manifeste rapidement. Cependant, nous n'avons pas de relation sexuelle. Je me réveille lorsque sa main touche mes organes génitaux.

Je suis désolé si ce rêve ne convient pas à votre analyse, mais il me trouble vraiment. Je n'ai jamais été sexuellement attiré par des enfants et je ne comprends pas pourquoi j'ai fait un tel rêve.

Voici quelques renseignements sur moi. J'ai trente et un ans et je ne suis pas marié. L'été dernier, mon amie a déménagé à une heure et demie de chez moi. Nous ne communiquons pas très souvent ensemble et je ne l'ai pas vue depuis un mois. Au cours de cette période, par contre, nous nous sommes parlé quelques fois.

L'un de mes meilleurs amis m'a dit qu'il y a environ cinq ans, mon amie était lesbienne, puis qu'elle avait changé d'orientation et que maintenant, elle revenait à ses anciennes amours. Je peux vaguement faire des liens avec ces deux personnes dans mon rêve, mais je ne trouve pas un sens précis. Dans mon rêve, je me souviens que j'étais heureux de constater que les adolescentes agissaient en toute volonté et sans aucune crainte.

S'il vous plaît, dites-moi que je ne suis pas un pervers. (Je sais que je ne le suis pas, mais ce rêve me rend mal à l'aise.)

– Mark, 31 ans, en relation à long terme, États-Unis

SELON LES RENSEIGNEMENTS que donne Mark, il est normal que son rêve ait comme thème l'exploration sexuelle. Il pense que son amie est peut-être bisexuelle et qu'elle explore à nouveau les relations homosexuelles au cours d'un moment d'accalmie entre eux. Son rêve le dérange parce que cette exploration se joue dans le cadre d'une rencontre sexuelle avec un enfant.

Comme les rêves sexuels où notre partenaire est beaucoup plus âgé que nous, ceux où la sexualité se vit avec une personne beaucoup plus jeune supposent un attrait pour des caractéristiques de cet individu et non une véritable attirance. Ainsi, les adolescentes apparaissant dans le rêve de Mark ne sont pas une représentation d'une réelle attirance envers les jeunes. L'âge fonctionne plutôt comme une évocation d'une période passée d'innocence et d'explorations sexuelles. Les deux filles de la décapotable qu'il observe de sa fenêtre (manifestement une position de voyeur) explore leur sexualité. S'agit-il d'un rapprochement avec l'exploration qui pèse certainement sur son esprit puisqu'il croit que son amie est peut-être avec une femme ? Le lieu de la rencontre sexuelle – une automobile – est un deuxième indice signalant que les expériences se déroulent loin de lui. Il est significatif que dans le rêve cette exploration intrigue Mark sans qu'il ne porte de jugement de valeur.

L'âge des filles, par association, fait aussi écho à des souvenirs d'une époque innocente d'explorations sexuelles. Par exemple, à cet âge, il est normal de jouer avec des amis de même sexe à des jeux de rôle où nous devenons mari et femme. Il est naturel que les enfants explorent leur sexualité dans des relations homosexuelles.

Le rêve de Mark montre qu'au lieu de se sentir menacé par l'exploration sexuelle de son amie, pour lui cela devient érotique et stimulant. (Il est content de constater que les adolescentes agissent en toute volonté et sans aucune crainte.) Si c'est le cas, peut-être devrait-il aborder ouvertement le sujet de l'orientation sexuelle avec son amie. Elle apprécierait sûrement son soutien et son absence de jugement.

« Sexualité avec ma meilleure amie »

La semaine passée, j'ai rêvé que j'étais chez ma meilleure amie. Nous sirotions du vin au salon, comme à notre habitude.

Soudain, nous sommes dans sa chambre et elle me fait du charme. J'entre dans le jeu et nous avons une relation sexuelle merveilleuse. Elle sait exactement comment me donner du plaisir.

Tout à coup, je suis en route vers chez moi et je n'arrête pas de me répéter en moi-même : « Je ne me souviens pas d'être déjà passée ici. »

En arrivant dans mon quartier, j'aperçois un grave accident d'automobile. À la maison, je reçois un coup de téléphone de ma sœur qui m'annonce que ma mère est morte dans l'accident. Puis, je me suis éveillée.

Qu'en pensez-vous ? Peut-être cela vous aidera-t-il de savoir que je sors avec un garçon depuis trois mois et que ma relation avec ma mère a été très difficile ces derniers temps.

– Amanda, 22 ans, célibataire, États-Unis

LA MÈRE D'AMANDA « mourrait-elle sur le coup » si elle apprenait que sa fille est attirée par les femmes ? Il semble que ce soit le message du rêve d'Amanda. Ou peut-être contient-il un sens plus profond ?

Amanda ne précise pas si elle a déjà eu des relations sexuelles avec une femme, ou si elle a déjà considéré cette possibilité ou fait des blagues à ce sujet avec des amis. D'après son rêve, cette pensée a traversé son esprit inconsciemment. Après son rapport sexuel avec son amie, Amanda se retrouve soudainement en automobile, retournant chez elle rapidement. De façon significative, elle ne se rappelle plus s'être rendue chez son amie. Que signifie cette image étrange ? Le rêve révèle que son élan d'imagination (sa relation sexuelle avec son amie) n'était pas un processus de pensée conscient.

Dans les rêves, la sexualité est souvent une métaphore de bonne entente entre amis ou collègues, mais elle peut aussi être un reflet du désir. En cherchant à définir la nature de l'attirance d'Amanda, il est important de noter qu'elle a apprécié l'aptitude de son amie à lui donner du plaisir. Ainsi, le rêve est hautement sensuel. Il est évident qu'Amanda a aimé son expérience, incluant le jeu de séduction.

À la fin du rêve, Amanda est témoin d'un accident de voiture grave dans son quartier et apprend, peu après, le décès de sa mère. En rêve, la mort est un symbole de changement et de séparation. Le sens de la mort de sa mère s'impose donc de lui-même dans le contexte du rêve. Amanda considère un mode de vie que n'approuverait pas sa mère, défiant ainsi son autorité. Tandis qu'Amanda affirme son indépendance et prend des décisions concernant sa sexualité et sa vie en général, le règne de sa mère en tant qu'arbitre de la moralité tire à sa fin. À la place de sa mère, c'est maintenant Amanda elle-même qui décide de ce qui lui convient le mieux – incluant sa façon de vivre sa sexualité. Quel est donc le sens du rêve ? La petite fille de maman quitte le nid (ce qui est normal) et est prête à explorer le monde par elle-même.

« Satisfaction sexuelle »

Habituellement quand je rêve, non seulement je suis consciente qu'il s'agit d'un songe, mais je contrôle aussi mes actions lorsqu'il est question d'un sujet en particulier : la sexualité. Dès que je suis sûre que ce n'est pas réel, j'ai des rapports sexuels avec de nombreux partenaires : jeunes, vieux, inconnus, amis, membres de ma famille, célébrités, hommes, femmes, etc. Cela se produit environ deux fois par semaine depuis à peu près six ans et j'ai toujours un orgasme.

Mon amoureux vit dans un autre État et je le vois environ une fois par mois. Je ne suis pas du tout le genre de fille qui couche avec tout le monde. Il est évident que j'aime être volage en rêve, mais pourquoi donc je choisis n'importe qui ?

Parfois, dans mes rêves, je n'arrive pas à trouver un endroit privé et l'autre personne ne veut pas avoir de relation sexuelle avec moi, ou nous ne couchons pas vraiment ensemble.

Bien sûr, je fais d'autres rêves où il n'est pas question de sexualité. C'est très étrange. Mes amis croient que je suis folle. Quelle est votre opinion ?

– Amber, 25 ans, célibataire, États-Unis

AMBER FAIT L'ENVIE DE TOUS LES RÊVEURS ! Deux fois par semaine, elle réussit à diriger ses rêves de manière à réaliser des fantasmes sexuels avec des partenaires de son choix : des hommes, des femmes, des étrangers et des célébrités. Elle ne court aucun risque d'attraper des maladies ni de tomber enceinte. Il n'y a aucune exigence, aucun attachement, aucun besoin de faire la cour ou la conversation sur l'oreiller. Elle est satisfaite sexuellement grâce à ses deux orgasmes par semaine.

Amber est curieuse de comprendre pourquoi, dans ses rêves, elle a si souvent des relations sexuelles et pourquoi elle choisit ses partenaires sans discernement. Les amants qui figurent dans ses rêves n'ont rien de spécial. Ce sont plutôt des personnages de circonstance. Il est facile de répondre à la première question. Amber choisit de réaliser des fantasmes sexuels dans ses rêves lucides parce qu'elle est frustrée sur ce plan dans la réalité. Son ami vit dans un autre État et elle le voit seulement une fois par mois. Son manque de discernement dans ses choix signale aussi un type de détresse sexuelle, qui provient probablement de son expérience des rêves lucides. Amber raconte qu'elle ne contrôle pas parfaitement le cours de ses rêves. Parfois, ses amants se refusent à elle ou d'autres obstacles empêchent l'accomplissement de l'acte sexuel. Dans un monde où tous les coups sont permis, Amber est pressée d'atteindre son orgasme et toute personne apparaissant dans ses rêves peut l'aider à cet égard.

Cependant, en accordant trop d'importance aux personnages de ses rêves, nous passons à côté de leur véritable signification. Ses rêves ne parlent que d'elle-même ; les autres ne sont que des accessoires de sa mise en scène. Sa concentration sur sa propre satisfaction sexuelle illustre bien les premières expériences de rêves lucides où nous acquérons peu à peu une certaine conscience. Avec le temps, son horizon s'élargira et ses capacités réceptives s'aiguiseront. Elle pourra ainsi considérer avec lucidité certains problèmes et défis de sa vie, ce qui lui apportera beaucoup plus de satisfaction que la simple réalisation de ses fantasmes.

« Sexualité avec le diable »

Dans mon rêve, mon mari voulait divorcer parce que j'avais eu des rapports sexuels avec le diable. J'étais très contrariée puisqu'à ce moment-là je n'avais pas encore eu de telles relations avec le diable. Toutefois, le diable avait convaincu mon mari que c'était la vérité ; ainsi, mon mari divorcerait et lui pourrait me posséder entièrement.

J'essayais de dissuader mon mari, mais il ne m'écoutait pas. Je me suis alors enfuie du diable en courant, mais il m'a poursuivie. Partout, il y avait des escaliers et le paysage était d'un rouge foncé. Ma mère était présente et de nombreuses personnes que je ne connaissais pas (dans le rêve, je les connaissais). Personne ne m'aidait. Les gens disaient que je devais vivre ce qui allait m'arriver.

Finalement, le diable m'a attrapée et nous avons couché ensemble. Je suis tombée enceinte et j'ai donné naissance à mes deux chats.

Je vis une relation très heureuse et très solide avec mon mari. Je ne ferais absolument rien pour briser ce lien. Il y a un homme au bureau qui ne cesse de flirter avec moi ; je refuse toujours ses avances en lui disant que je suis mariée. Mon mari serait très fâché s'il était au courant de cette situation puisqu'il m'a déjà prise en faute par le passé. (C'était bien avant notre mariage, mais ce sujet demeure délicat pour lui.)

La partie sur les chats m'intrigue beaucoup. C'est la première fois qu'ils apparaissent dans un de mes rêves.

Mon mari et moi essayons d'avoir un enfant ; cela aurait-il un rapport ?

– Chloe, 33 ans, mariée, États-Unis

DANS LES RÊVES, le diable est associé à la culpabilité et à la tentation. Chloe doit s'interroger : a-t-elle été assaillie dernièrement par des pensées ou des désirs desquels elle se sent coupable ?

En rêve, les escaliers sont une métaphore de l'activité sexuelle (à cause du mouvement et de l'angle qui s'apparente à un pénis en érection). La teinte rouge foncé constitue un autre indice qu'il s'agit de sentiments passionnés. (Pensez aux roses rouges et au sang qui « s'échauffe ».) Pour compléter ce scénario de tentation et de culpabilité, même sa famille la laisse tomber. Si Chloe avait une aventure, sa famille aurait-elle l'impression qu'elle est la coupable ?

Le diable qui la pourchasse avec fougue est son collègue de travail qui, Chloe nous apprend-elle, flirte souvent avec elle et à qui elle dit toujours non. Puisqu'elle s'est déjà éloignée de sa relation avec son mari, elle est tout à fait consciente de la blessure que causerait une nouvelle trahison. Le rêve de Chloe représente les conséquences auxquelles elle devrait faire face si jamais elle se laissait aller à la tentation (se livrait « au diable ») et acceptait de vivre l'aventure que lui offre son collègue.

De façon surprenante, Chloe finit par coucher avec le diable après quoi elle accouche de ses deux chats. Dans l'univers du rêve, les chats réfèrent aux bébés parce que nous les prenons de la même manière dans nos bras, que nous les nourrissons, en prenons soin et les protégeons. Généralement, nous les gardons à partir du moment où ils sont chatons, jusqu'à la maturité. Dans le contexte de son rêve, le mystère des chats est-il si difficile à résoudre ? Si Chloe vivait une aventure maintenant, au moment où elle et son mari tentent d'avoir un enfant, peut-elle ne connaîtrait-elle jamais l'identité du père. De là le bébé à l'identité mixte ou, en langage onirique, deux chats !

Tornade

Tornade : Les tornades sont des tempêtes violentes et imprévisibles qui détruisent les maisons et séparent les familles. Ainsi, les rêves à propos de tornades sont un reflet de souvenirs d'instabilité familiale ou de craintes de séparation de la famille. Les tornades peuvent également représenter des personnes souvent sujettes à des accès de violence ou aux changements d'humeur brusques, qui détruisent tout sur leur passage. De façon similaire, les tornades font allusion à des membres de la famille ou de la parenté aux prises avec des problèmes de drogue ou d'alcool. (Nous ne savons jamais quelle personnalité dominera.)

Les rêves qui se déroulent dans le passé – par exemple, dans des maisons que nous avons habitées durant notre enfance – évoquent des souvenirs de séparation et l'instabilité familiale de cette époque. Les tornades qui surviennent dans le présent annoncent des menaces que le rêveur peut percevoir à l'horizon. Ce genre de rêve se produit fréquemment lors de périodes de bouleversements émotionnels, par exemple après une séparation ou un divorce, et au cours d'autres conflits familiaux intenses.

Pour les gens qui habitent des régions à risques, ces rêves peuvent se manifester à cause de peurs véritables qu'une telle perturbation se produise.

• **Truc d'interprétation** : Savez-vous quelle tempête violente menace de détruire votre maison ? Craignez-vous d'être séparé de votre famille ?

⁂

Lorsqu'une tornade frappe, tous courent se mettre à l'abri. « Une tornade omniprésente » montre les tornades en tant que symboles de bouleversements émotionnels et de destruction. Dans « Bourrasque », une forte tempête menace de séparer une famille. « Une tornade combattue à coups de poing » présente un homme au tempérament violent et explosif, qui sème la destruction sur son chemin. « Tempête à l'horizon » recourt au symbole de la tornade pour illustrer la peur et l'incertitude face à l'avenir. Nos rêveurs survivront-ils ?

Rêves de tornades

« Une tornade omniprésente »

Cela fait des années que je fais le même rêve. Il y a parfois des variantes, mais je suis toujours dans la maison où j'ai grandi et une tempête se prépare. Il y a des tornades partout. Le ciel s'assombrit et je peux voir les tornades qui approchent. Je cours chercher les membres de ma famille pour qu'ils entrent à la maison. Je tente de trouver un endroit où nous serons à l'abri du danger, mais il n'y a pas de sous-sol. Quelquefois il manque quelqu'un ; je repars donc à sa recherche à toute vitesse.

Dans certaines versions, il y a une rivière. Les tornades émergent de là et me poursuivent. Je m'enfuis en automobile, mais il y en a partout. Dans certains rêves, d'immenses vagues éclatent et m'emprisonnent. Elles me jettent par terre et je n'arrive plus à remonter à la surface. Je rêve aussi d'autres catastrophes, par exemple de volcans et, une fois, une bombe avait été lancée et je m'étais couchée par-dessus ma petite fille pour la protéger, mais nous étions en train de brûler et à mon réveil j'ai senti une grande chaleur comme si cela s'était réellement produit.

J'ai une fille et je viens d'une grosse famille où je suis l'aînée de sept frères. Généralement, dans mes rêves, ils apparaissent tous ainsi que ma fille sous la forme d'enfants qui commencent à marcher. En réalité, mes frères sont à la fin de l'adolescence et au début de la vingtaine.

Je suis divorcée. Mon mari était un menteur pathologique qui me trompait régulièrement. De plus, quand j'étais jeune, j'ai subi des agressions sexuelles de mon beau-père. Depuis quatre ans et demi, je suis à nouveau mariée. J'aime mon mari, mais j'ai du mal à lui faire confiance. Je rêvais de tornades avant même d'avoir découvert les aventures extraconjugales de mon ancien mari et ces rêves se sont manifestés plus souvent depuis quelques années. Il semble que j'y suis à mon âge actuel, mais à l'époque où mes frères étaient petits.

– Barbara, 31 ans, mariée, États-Unis

DES TORNADES, des raz de marée, des tempêtes, des volcans, des bombes ! Quels rêves ! À chaque instant, le monde de Barbara peut s'effondrer sous ses yeux. Et dans chaque rêve, les enfants sont les personnages dominants. Le thème qui lie ces rêves est un environnement instable, surtout durant l'enfance.

Barbara nous informe qu'elle a grandi dans une famille à problèmes. Ses parents ont divorcé et au lieu de s'améliorer, sa vie a empiré. Son beau-père l'a agressée sexuellement. Par la suite, elle a épousé un homme qui la trompait et lui mentait. (Il n'est pas étonnant qu'elle n'ait pas appris à accorder sa confiance !)

En tenant compte de son passé, nous pouvons affirmer que les symboles chaotiques de ses rêves créent une symphonie de sens. En rêve, les tornades représentent un environnement instable ; nous ne savons jamais quand la prochaine « tempête » va frapper. Elles symbolisent aussi des forces qui menacent de séparer notre famille. Nous avons tous déjà entendu des histoires de familles ayant disparu dans des tornades. Les volcans et les bombes ? Toujours l'instabilité. (Un membre de sa famille a-t-il un tempérament « explosif » ?) Et les vagues qui l'étouffent ? En rêve, l'eau est toujours un symbole des émotions. Barbara se sent-elle parfois submergée par ses émotions ?

La prochaine fois que Barbara fera un rêve semblable, elle doit respirer cinq fois profondément et reconnaître que ses peurs familières – être trahie dans un monde instable – sont remontées à la surface. Si une personne de son passé ne s'est pas montrée digne de sa confiance, Barbara ne doit pas l'oublier. Par contre, si elle n'a aucune raison de se méfier, elle devrait accorder le bénéficie du doute jusqu'à preuve du contraire. Autrement, elle sera privée de vivre avec les amis et les êtres chers qu'elle mérite.

« Bourrasque »

Avant de vous raconter mon rêve, j'aimerais vous parler un peu de ma situation. Ma femme et moi sommes mariés depuis cinq ans. Nous avons eu deux enfants et elle a un fils plus vieux d'un mariage précédent. Depuis que nous sommes mariés, j'ai l'impression que mon épouse accorde davantage d'affection et d'attention à ce garçon qu'à moi-même et à nos enfants. Il m'apparaît comme un mur entre nous deux et cela cause du tort à notre relation.

Je suis beaucoup plus près de nos deux enfants que de ma femme et de mon beau-fils. Dernièrement je les ai quittés, mais je suis revenu car je ne pouvais me passer de mes deux petits. Notre fils plus âgé hésite à m'écouter et à m'obéir car chaque fois que je m'adresse à lui, sa mère intervient. Cela n'arrive pas trop souvent avec les deux autres. En fait, la plupart du temps, ils obéissent sans rouspéter. Tout le monde les appelle le « fils de papa » et la « fille de papa » et je me sens beaucoup plus près d'eux.

Dans mon rêve, je jouais dehors avec les trois enfants dans leur portique de gymnastique. J'ai entendu un bruit strident et, en tentant de voir de quoi il s'agissait, j'ai constaté avec horreur qu'une grosse tornade venait directement vers nous. J'ai appelé les enfants, mais seuls les deux plus jeunes sont venus me retrouver. Comme d'habitude, mon beau-fils ne m'a pas écouté même s'il était terriblement effrayé. Il s'est mis à courir vers la tornade. Ma femme est sortie de la maison en courant et m'a demandé où il était. Lorsque je lui ai indiqué qu'il courait vers la bourrasque, elle m'a accusé de négligence, puis elle est partie à sa poursuite. Ai-je besoin de préciser que tous les deux ont été aspirés dans la bourrasque tandis que moi et les deux petits nous en sommes tirés sains et saufs ?

Le sens possible de ce rêve me perturbe et j'aimerais proposer une hypothèse. Se peut-il que je souhaite me séparer de ma femme et de mon fils pour demeurer seulement avec mes deux jeunes enfants ?

– Daniel, 25 ans, marié, États-Unis

POUR LE MEILLEUR ET POUR LE PIRE, l'interprétation de Daniel est juste et révélatrice. Lui et son épouse se sont mariés et ont eu des enfants à un jeune âge. Ils ont assumé des responsabilités très tôt dans la vie. Probablement plus qu'ils ne pouvaient en prendre.

Les couples qui amènent des enfants dans un nouveau mariage doivent faire face au défi de créer un ensemble cohésif. Malgré toutes les bonnes intentions et de gros efforts, les membres de la famille ainsi reconstituée ne peuvent faire abstraction de leur passé.

Daniel sent qu'il n'a pas obtenu tout le soutien nécessaire de son épouse pour que leur nouvelle famille se développe comme un tout. Si le scénario se joue comme il le décrit, par exemple si sa femme élève et discipline son fils d'un mariage précédent en affirmant constamment son autorité, cela a certainement miné la capacité de Daniel d'assumer le rôle de père auprès de cet enfant. En retour, ce manque de soutien a brisé sa relation avec sa femme. Chaque fois qu'elle intervient entre lui et son fils, elle met en doute sa capacité de jouer ce rôle. En même temps, elle enseigne à son fils à ne pas respecter Daniel dans ce rôle.

Même s'il est tentant de blâmer les autres en temps de difficultés, Daniel et son épouse doivent tous les deux se concentrer pour trouver une solution en ce qui a trait à leurs enfants. S'ils n'ont pas déjà recherché une aide professionnelle, ils doivent le faire immédiatement. Le rêve de Daniel reflète la colère et le blâme que lui et son épouse entretiennent l'un envers l'autre. La tornade laisse présager les bouleversements émotionnels qui se trament à l'horizon et qui menacent de séparer la famille. Lorsque sévit une tornade, les gens sont blessés. Daniel et sa femme doivent éviter que leurs enfants deviennent des victimes.

« Une tornade combattue à coups de poing »

J'ai rêvé que je combattais une tornade dans ma maison, avec mes poings. Je donnais des coups de poing, mais la tornade me repoussait et me faisait pivoter sur moi-même. La maison n'était pas celle dans laquelle je vis en réalité. Elle était beaucoup plus grande car quand la tornade m'a rejetée, j'ai monté très haut avant de heurter le plafond et de retomber au sol. Quand je me suis relevée, c'était terminé. J'ai regardé par la fenêtre et j'ai vu que trois autres tornades approchaient. Elles étaient très grosses et différentes les unes des autres. J'étais très surprise et je me suis réveillée.

Je suis mère de quatre enfants, j'étudie à temps plein et je travaille à temps partiel. Je suis séparée de mon mari depuis quatre ans. Notre relation était vraiment cahoteuse ; mon mari était jaloux et je subissais sa cruauté physique et mentale. Depuis, il affirme qu'il a changé. Quand il sortira de prison le mois prochain, il aimerait nous prouver qu'il peut être un bon père et un bon mari. Je ne suis pas certaine qu'il ait changé car j'ai perçu de nombreuses caractéristiques de la personne que j'ai quittée avant qu'il n'entre en prison. Il se fâche encore contre moi.

Je ne veux pas revivre le cycle de violence dont j'ai mis tant d'efforts à me sortir, ni le faire subir à mes enfants. En même temps, je sens que j'éloignerais le père de mes enfants en ne lui permettant pas de revenir. Mais au fond de moi, je préfère la situation actuelle, car je ne veux pas prendre de risque.

– Linda (trop fatiguée pour lutter), 26 ans, mariée, États-Unis

Le rêve de Linda illustre très bien le sens symbolique des tornades. Celles-ci représentent souvent des membres d'une famille au tempérament « orageux » et imprévisible et de qui nous devons nous protéger.

Est-il étonnant que, dans son rêve, Linda combatte une tornade à coups de poing ? Toujours dans le rêve, elle lutte pour garder le contrôle de sa maison. Cependant, la tornade est beaucoup plus forte qu'elle et bientôt elle la rejette en la faisant tourner sur elle-même. Lorsque Linda atterrit au sol, le premier tour est terminé, mais en regardant par la fenêtre elle voit trois autres grosses tempêtes qui se profilent.

Le rêve de Linda utilise la métaphore des tornades multiples pour représenter le « cycle de violence » dont elle a réussi à s'échapper. Son rêve montre aussi qu'elle « se débat » avec un dilemme : doit-elle ou non laisser son mari revenir à la maison lorsqu'il sortira de prison ? De toute évidence, elle craint que ses souffrances physiques et psychologiques ne reprennent s'il revient et elle sent qu'elle n'est pas de taille pour lutter contre lui. Ainsi, toute personne extérieure se demande pourquoi elle a tant de difficulté à prendre cette décision.

Pour mieux comprendre le message de son rêve, Linda devrait examiner en plein jour les images qu'il contient. De façon spécifique, elle peut imaginer la scène suivante : si un jour, accompagnée de ses quatre enfants, elle voyait une vraie tornade, se mettrait-elle à courir aveuglément avec eux vers la bourrasque ? Certainement pas. Elle réunirait ses enfants et s'enfuirait à toute vitesse vers un abri. Malheureusement, il n'y a pas beaucoup de différence entre le rêve de Linda et sa vie à l'époque où son mari était à la maison. Lorsque son mari a levé maintes et maintes fois le bras pour la frapper, il a perdu son privilège d'être près d'elle et de ses enfants. Linda travaille très fort depuis quatre ans afin de créer un environnement sain pour ses enfants. Elle ne devrait pas le mettre en danger maintenant en ouvrant la porte à une tornade.

« Tempête à l'horizon »

Tout au long de mon enfance, j'ai craint les tornades. Ma mère a grandi en Oklahoma et, elle aussi, a toujours eu peur des tornades. Chaque fois que l'alarme se déclenchait dans notre petite ville, elle nous réunissait et nous amenait dans la cave à toute vitesse jusqu'à la fin de l'alerte.

J'ai vu ma première tornade à la fin de la vingtaine. En fait, il y en a eu deux, une grosse et une petite. Je n'oublierai jamais cette scène. Cela semblait tellement irréel et à l'époque je ne comprenais pas pourquoi les gens se rangeaient sur le bord de l'autoroute pour regarder ce qui se passait. J'ai quitté la ville à toute vitesse et je me suis réfugiée chez moi, dans la montagne. Ai-je besoin de préciser qu'à cette époque j'avais encore très peur des tornades ?

Aujourd'hui, les tornades m'inspirent une certaine forme de respect et une saine peur. En fait, elles me fascinent vraiment. J'ai même songé à devenir membre d'une équipe de secours un été, juste pour expérimenter de près la puissance incroyable de cette force de la nature. Mais, je m'éloigne de mon sujet.

Je rêve à des tornades depuis longtemps. J'ai essayé de relever les scènes répétitives de ces rêves et d'en comprendre le sens. Voici ce que j'ai découvert. Les rêves varient. Parfois, il y a une seule tornade, d'autres fois, il y en a plusieurs. Elles sont rarement destructrices. J'ai toujours été consciente que ces rêves se produisaient juste avant de gros changements dans ma vie.

Il y a quelques années, mon gynécologue m'a annoncé qu'il y avait une grosse tumeur sur mon ovaire gauche, qui était peut-être cancéreuse. Dès la semaine suivante, on m'a opérée pour enlever la tumeur et en faire une biopsie. J'étais complètement terrifiée. Depuis longtemps, je craignais d'avoir le cancer. Ma sœur s'est arrangée pour s'occuper de moi durant ma convalescence. J'ai demandé à mon médecin de me promettre de ne pas procéder à l'hystérectomie et elle a accepté.

Quelques jours avant l'opération, j'ai fait le rêve suivant. J'étais assise au milieu du siège avant de la voiture familiale verte de marque Pinto que je possédais quand j'étais étudiante, il y a plusieurs années. Ma sœur était à ma droite et ma mère conduisait. En réalité, ma mère est morte depuis cinq ans et je me souviens que dans le rêve, je me suis dit que c'était sa forme spirituelle. Cela m'amusait et m'impressionnait de voir ma mère conduire ma Pinto à quatre vitesses. Nous étions sur un chemin de campagne en gravier.

Directement en face de nous, au loin, nous avons vu un gros nuage en entonnoir qui se formait et qui est descendu au sol en spirale. Lorsque la tornade a pris forme, elle ressemblait à un utérus. Les nuages au-dessus avaient l'air de trompes de Fallope et d'ovaires. Dans le rêve, j'ai pensé que cela était très étrange puisque je devais subir une chirurgie à ces organes.

Nous sommes arrivées à une intersection et ma mère a tourné à gauche. Nous traversions une magnifique vallée verdoyante où le soleil brillait dans un ciel sans nuage. Ma mère nous a conduites à une auberge ; les employés ont entré mes effets personnels à l'intérieur. Ma mère et ma sœur m'ont dit qu'elles ne pouvaient rester avec moi, mais que leur esprit m'accompagnerait. Elles me priaient de ne pas me faire de souci, que tout se passerait bien. C'est tout ce dont je me souviens.

L'opération s'est bien déroulée et la tumeur était bénigne. Selon le diagnostic, je souffre d'endométriose avancée, que je traite maintenant en prenant de l'œstrogène naturel.

– Laura, 38 ans, célibataire, États-Unis

Le rêve de Laura emprunte le symbole de la tornade pour mettre en évidence une période d'angoisse (sa chirurgie prochaine) associée à la peur qu'elle ressentait lorsque, enfant, elle se protégeait des tornades avec sa mère. Le rêve recourt aussi à la métaphore de l'automobile (symbole du soi) sur l'autoroute (la direction que prend notre vie) pour représenter sa situation actuelle. Lorsque Laura a fait ce rêve, le moment où elle allait subir sa chirurgie à cause d'une douleur à l'utérus approchait (comme une tempête à l'horizon). Dans l'automobile, Laura est assise entre sa sœur et sa mère, qui est au volant.

Le rêve révèle le sens symbolique de la tornade lorsque celle-ci prend la forme d'un utérus avec des traînées de nuage qui s'apparentent aux trompes de Fallope. À ce stade du rêve, le trio arrive à une intersection. La mère de Laura tourne à gauche, ce qui marque un éloignement de la route principale pendant un laps de temps, et la conduit à une auberge dans une vallée luxuriante remplie de lumière. Sa sœur et sa mère lui annoncent qu'elles ne peuvent demeurer avec elle, mais la sécurise en lui disant qu'elles l'accompagneront en esprit – une remarque particulièrement intéressante puisqu'au moment du rêve, sa mère était morte depuis cinq ans. Elles l'incitent aussi à ne pas se faire de souci et lui affirment que tout se passera bien.

Le rêve de Laura intègre plusieurs dimensions et niveaux d'interprétation. Laura demeure vaguement lucide pendant le rêve et accepte la présence spirituelle de sa mère avec légèreté. (Sa mère peut conduire sa Pinto !) Impossible de se tromper sur le message du rêve de Laura. Pendant une période où elle est effrayée à cause d'une chirurgie qu'elle doit subir, sa mère lui rend visite pour la rassurer. Que signifie la vallée où, de manière symbolique, elle habitera durant la chirurgie ? La magnifique vallée verdoyante est un symbole indéniable de fertilité – un signe puissant que Laura pourra encore enfanter après l'intervention.

Tortue

Tortue : La tortue est un symbole féminin associé à la fertilité en raison de la forme de sa carapace (utérus) qui contient un être vivant. Elle se manifeste fréquemment dans les rêves des futures mères ou des femmes qui essaient de concevoir un enfant. Les tortues qui attaquent ou qui se montrent agressives sont l'expression d'une peur d'être blessée sur le plan émotionnel dans le processus de la maternité. Les tortues écrasées ou blessées évoquent des sentiments de déception ou des doutes liés à la fécondation.

Les tortues réfèrent aussi à la lenteur et à l'inertie, ou à l'autodéfense puisqu'elles se dissimulent à l'intérieur de leur carapace.

Reptiles : Les tortues, les lézards, les serpents et les autres petits reptiles figurent souvent dans les rêves de femmes enceintes au cours des premiers mois de grossesse – une référence évidente aux étapes initiales du développement du fœtus dans l'utérus. Les reptiles représentent un stade de développement primitif et l'énergie vitale dans sa simplicité. À mesure que croît le fœtus, la taille et la complexité des animaux qui apparaissent dans les rêves de grossesse augmentent aussi. Les rêves dans lesquels des reptiles (ou d'autres animaux, incluant les chatons et les chiots) naissent surviennent souvent chez les femmes qui sont mères pour la première fois et qui s'inquiètent de « ce qui grandit en elles ».

• **Truc d'interprétation** : Pensez-vous concevoir un enfant ? Les rêves à propos de tortues mal nourries ou blessées reflètent la crainte de ne pouvoir enfanter.

⁂

Qui aurait cru que les tortues et la fertilité étaient liées de si près ? « Une tortue qui attaque » explique le sens des tortues agressives dans les rêves. La rêveuse veut mettre la tortue dans un sac, mais elle se fait constamment mordre. « Des tortues au soleil » est un rêve plaisant dans lequel deux tortues prennent un bain de soleil, entourées de bébés tortues. La rêveuse se délecte de ce spectacle. « Les tortues écrasées » a pour sujet les inquiétudes d'une femme qui désire concevoir un enfant. Y arrivera-t-elle ?

Rêves de tortues

« Une tortue qui attaque »

Bonjour. Je m'appelle Sophia, je vis en Floride et je rêve continuellement aux tortues.

Dans mon premier rêve, une tortue attaquait mon amie. Je suis donc allée à sa rescousse et la tortue m'a aussi attaquée. Cela paraissait tellement réel que lorsque je me suis réveillée, j'ai couru à la salle de bain et j'ai allumé la lumière pour vérifier s'il y avait du sang sur mon corps et s'il ne me manquait pas des morceaux de peau.

J'ai fait le deuxième rêve la nuit dernière. En revenant du travail, j'ai vu une femme sur la route qui tentait de capturer une tortue. Je me suis arrêtée pour l'aider. J'avais un gros sac dans le coffre de mon camion et j'ai trouvé un bâton. J'ai donc poussé la tortue dans le sac. Lorsque j'ai voulu prendre le sac, la tortue a surgi et m'a saisi le bras près du poignet. Elle m'a mordue jusqu'à ce que mon poignet soit à moitié arraché.

Voici maintenant quelques faits à mon sujet. Je suis engagée dans une relation. Mon amoureuse est originaire du Michigan. Elle a déménagé ici pour se rapprocher de moi, mais dernièrement elle a eu le mal du pays. Elle avait les nerfs à vif, tout comme moi d'ailleurs. Nous voulons fonder une famille. C'est elle qui porterait l'enfant. Sa sœur vient juste d'accoucher. Que pensez-vous de ce rêve ?

– Sophia, 37 ans, célibataire, États-Unis

SOPHIA RÊVE SOUVENT À DES TORTUES et l'un de ses rêves lui a paru si réel qu'elle est même allée vérifier si elle saignait.

En tenant compte de l'information qu'elle nous donne, nous pouvons affirmer que la tortue qui attaque dans ses rêves représente sa relation actuelle et son désir de fonder une famille. La femme que Sophia aide à mettre une tortue dans un sac est son amoureuse. Elles ont déjà parlé d'avoir des enfants, au point d'avoir déterminé qui les porterait. Il est donc facile d'interpréter l'image de Sophia « mettant une tortue dans un sac ». Elle essaie littéralement de placer un bébé dans le ventre de son amoureuse.

Malheureusement, la situation est compliquée. Son amie a le mal du pays, ce qui dénote une certaine incertitude quant à la relation. En fait, le second rêve se passe sur une route – une référence au désir de son amie de retourner vivre chez elle. Vu les circonstances, il n'est pas surprenant que Sophia appréhende les blessures. Elle est prête à s'installer et à regarder grandir ses petits, tandis que sa partenaire considère retourner chez elle.

Sophia se souvient-elle de la douleur qu'elle a ressentie quand elle a été mordue ? Ses rêves l'avertissent que les circonstances ne sont pas les meilleures qui soient pour élever une famille. À cause des incertitudes, Sophia serait sage de suivre le conseil de ses rêves et d'attendre d'avoir créé un foyer plus stable avant d'élever ses tortues.

« Des tortues au soleil »

Dans mon rêve, c'était comme si cette femme et moi venions d'arriver à la maison, du travail. J'ai l'impression que nous sommes très liées, mais je ne sais pas si nous vivons ensemble. Nous nous embrassons, enlacées, et nous sommes très heureuses de nous retrouver. Nous nous trouvons dans la salle de séjour et je sais que c'est chez moi, mais je ne reconnais pas la maison. Soudain, elle se détache de moi et me demande : « Veux-tu m'épouser dans quatre mois ? »

Je suis à la fois excitée, choquée et surprise. Nous nous enlaçons et nous embrassons à nouveau et je perçois la cour arrière par la fenêtre. Je vois deux tortues adultes qui se prélassent au soleil. Puis, je me rends compte qu'à la base des grandes fenêtres, qui partent du niveau du sol, il y a une trentaine de centimètres d'eau, ce qui crée l'aspect d'un aquarium. J'aperçois alors des milliers de bébés tortues.

Ce dont j'étais témoin me laissait une sensation agréable, comme s'il s'agissait d'un heureux présage. Je me rappelle avoir pensé tout en rêvant que la cour serait trop trempée pour y marcher, mais cela ne me dérangeait pas trop.

Dans la réalité, je fréquente la femme de mon rêve depuis un peu plus d'un an. Malheureusement, elle est encore prise dans une relation qui, selon ses propres dires, ne la satisfait pas. C'est la plus profonde relation que j'aie connue et, même si je ne suis pas vraiment heureuse ni fière de notre situation, j'ai l'impression d'être tout à fait à ma place. Je dois faire preuve de patience.

Je suis intriguée car je n'ai jamais rêvé à des tortues ni qu'on me demandait en mariage. De plus, jamais le temps n'est précisé dans mes rêves, comme « dans quatre mois ». Je sais que l'eau renvoie aux émotions et ce n'est pas ce qui manque dans ma vie actuellement.

– Madeline, 29 ans, célibataire, États-Unis

LE RÊVE DE MADELINE EST PUISSANT, non seulement à cause des sentiments positifs qu'elle vit, mais aussi par son imagerie extraordinaire. Tout de suite après la demande en mariage que lui fait son amie, sa cour se transforme en aquarium, comprenant des tortues et de l'eau.

Dans les rêves, les tortues sont un symbole féminin fortement lié à la fertilité. Ainsi, dans son propre langage curieux, le rêve de Madeline est le reflet de ce qu'elle éprouve pour une femme et de son désir de fonder une famille avec elle. Les deux tortues qui prennent le soleil désignent Madeline et son amoureuse. Les « milliers » de tortues qui peuplent la cour correspondent à la famille potentielle. Son rêve annonce-t-il une vie familiale comblée de bonheur ?

Puisqu'elle se réjouit de la proposition que lui fait son amie, cela laisse croire que Madeline est prête à s'engager sérieusement dans une relation. Par contre, la date suggérée pose une énigme. Que va-t-il se passer dans quatre mois ? Madeline a-t-elle estimé correctement le temps que prendra son amie pour se sortir de sa situation actuelle ? Vivront-elles vraiment ensemble à ce moment ?

Madeline devrait considérer son rêve comme un indicateur qu'elle est vraiment prête à vivre une relation engagée avec son amie, et non comme prémonitoire. Une telle interprétation pourrait l'amener à envisager l'avenir passivement, guidée par l'espoir que son rêve se réalisera comme par magie. Ainsi, Madeline ne doit pas se laisser entraîner dans la complaisance. Au contraire, si elle a entrevu son avenir en rêve, elle doit maintenant s'efforcer de le mettre en place dans la réalité.

« Les tortues écrasées »

Je rêve à des tortues et, au moins deux fois, elles étaient écrasées sur la route. Depuis cinq ans, je suis un traitement contre la stérilité. Mon mari refuse d'entreprendre quoi que ce soit pour favoriser une grossesse ou adopter un enfant. Existe-t-il un lien ?

Cette année a été très éprouvante pour notre mariage, qui s'est presque terminé par une séparation. Nous sommes mariés depuis cinq ans et j'ai un fils de quinze ans.

– Pamela, 34 ans, mariée, États-Unis

À L'INSTAR DU RÊVE DE SOPHIA où une tortue l'attaquait, le rêve de Pamela a trait à la difficulté de concevoir un enfant. Toutefois, la tortue ne mord pas mais, à deux reprises, elle est écrasée au sol.

Pamela raconte qu'elle et son mari essaient de concevoir un enfant depuis cinq ans (toute la durée de leur mariage). De façon éloquente, elle ajoute que son mari « refuse d'entreprendre quoi que ce soit pour favoriser une grossesse ou adopter un enfant ». S'agit-il de l'indice nécessaire pour comprendre la violence de la métaphore du rêve de Pamela ? Pamela, qui est déjà mère d'un garçon de quinze ans, désire de toute évidence un autre enfant, même si elle doit adopter un bébé. Cependant, elle vit comme une attaque le refus de son mari de poursuivre le traitement ou de considérer l'adoption. Les rêves de tortues écrasées de Pamela signalent qu'elle sent que ses chances d'avoir un autre enfant sont délibérément anéanties ou « écrasées » par une autre personne. Son stress se répercute dans ses rêves – et dans ses problèmes matrimoniaux.

Trahison

Trahison : Les rêves dans lesquels nous sommes trahis dans une relation amoureuse traduisent de sentiments d'insécurité ou la peur de l'infidélité. Si la trahison se produit dans un contexte d'affaires, peut-être craignons-nous les mensonges ou la fraude de la part de notre partenaire. Fréquemment, ce genre de rêve survient à la suite de véritables trahisons de la part de personnes dans notre vie.

Infidélité : L'infidélité venant du rêveur peut indiquer une attirance romantique à l'extérieur de la relation, de même qu'une insatisfaction sur le plan sexuel.

• **Truc d'interprétation :** Les rêves de trahison reflètent souvent nos insécurités et non pas une trahison réelle. Avant d'accuser un partenaire, réfléchissez à votre propre estime de vous-même.

Ah, la trahison ! Rien ne peut nous réveiller aussi rapidement qu'un rêve dans lequel un partenaire fait preuve d'infidélité. Le traître est-il sans visage ? S'agit-il d'une personne connue – d'un « bon ami », de quelqu'un qui travaille avec nous ou qui habite le même quartier ? Au réveil, nous éprouvons des soupçons, sans être sûrs de pouvoir porter des accusations. Notre rêve tente-t-il désespérément de nous transmettre un message ? Nous envoie-t-il des indices que nous devons connaître ? Ou notre rêve est-il simplement un miroir cruel qui nous renvoie nos propres sentiments de peur ou d'infériorité – peut-être croyons-nous que nous ne méritons pas l'amour et l'engagement ?

Chacun des rêves présentés ici illustre un aspect de la trahison. « Mon mari est infidèle » montre le doute qui accompagne souvent les femmes sur le point de devenir mère. « Femme sans visage » nous enseigne que les aventures et les séparations causent préjudice à la relation et brisent la confiance, ce qui peut prendre des années à se reconstruire. « On me ridiculise » nous amène à examiner la dynamique d'une faible estime de soi, la véritable coupable dans de nombreux rêves de trahison et d'infidélité. Notre dernier exemple, « Un océan de trahison », démontre que dans certaines circonstances même les traîtres peuvent être trahis.

Rêves de trahison

« Mon mari est infidèle »

> Je suis une femme de vingt-six ans qui reste à la maison avec un enfant de dix mois. Récemment, j'ai fait des rêves dans lesquels mon mari me trompait. Il s'agissait d'étrangères et une fois c'était avec une prostituée. Presque toutes les fois, je le prenais en flagrant délit.
>
> Mon rêve le plus récent m'a beaucoup perturbée parce que « l'autre femme » était ma sœur de dix-huit ans. Nous nous entendons bien et sommes assez près l'une de l'autre. Mon mari et moi avons des relations sexuelles régulièrement (une fois par semaine), mais moins souvent qu'avant la naissance de notre fils. J'avais confiance en mon mari avant ces rêves. Maintenant, j'ai des doutes et je sens que je ne peux lui faire confiance.
>
> – *Gina, 26 ans, mariée, États-Unis*

GINA SE DÉCRIT COMME UNE FEMME de vingt-six ans qui reste à la maison. Même si elle n'a aucune raison de douter de son mari, une série de rêves dans lesquels il était infidèle a soulevé ses soupçons. Que fait-il chaque jour au travail, se demande-t-elle, et avec qui ?

Les rêves de Gina peuvent être provoqués par ses nouvelles responsabilités en tant que mère – qui la maintiennent à la maison tandis que son mari est toujours libre de parcourir le monde, mais une inquiétude plus profonde est très certainement à l'œuvre ici. Comme de nombreuses femmes nouvellement mères, Gina se demande peut-être si elle est toujours aussi désirable et jolie qu'avant son accouchement et depuis qu'elle est passée du rôle d'amante à celui de mère.

Puisque dans ses rêves son mari se retrouve avec différentes partenaires inconnues, (dont une prostituée), elle ne le soupçonne pas d'entretenir une relation avec une femme en particulier. L'apparition de sa sœur dans un rêve récent est d'autant plus significative. Gina raconte qu'elle est « assez près » de sa sœur. À la lumière de cette proximité, la sœur n'est pas une candidate probable dans cette histoire d'infidélité. Ainsi, pourquoi sa sœur apparaît-elle dans ses rêves ? Probablement à cause de son âge. Elle a dix-huit ans ; elle est donc jeune comparativement à notre rêveuse qui, elle, se sent maintenant beaucoup plus âgée.

Puisque Gina n'a aucune raison de douter de son mari et parce que ses rêves reflètent probablement, jusqu'à un certain point, ses propres insécurités dans son nouveau rôle de mère, il serait bien qu'elle exprime ses craintes à son mari du point de vue de ce sentiment et non en l'accusant d'infidélité. Au moment d'entreprendre ensemble une nouvelle étape de vie, les partenaires doivent respecter leurs inquiétudes et leurs besoins respectifs. Tandis que la rêveuse s'inquiète de demeurer attrayante à la maison, son mari doit rester actif dans le monde professionnel puisqu'il a maintenant une famille. Ce type de rêve révèle un besoin accru d'être aimé, soutenu et rassuré pendant une période de transition normale dans la relation.

« Femme sans visage »

Depuis deux ans, chaque nuit je fais le même rêve. Au début, je suis toujours assise dans ma voiture dans l'allée d'accès au garage et je m'apprête à entrer dans la maison. Je vais à la porte ; j'essaie de l'ouvrir et j'échappe tout ce que je tiens dans mes bras. Je tente à nouveau d'ouvrir la porte, mais la poignée ne tourne pas. Je réussis enfin à l'ouvrir et je trouve mon mari assis sur le canapé avec une autre femme. Je marche lentement autour du canapé pour voir son visage, mais elle n'en a pas. Puis, mon mari commence à l'embrasser et à lui caresser la poitrine. C'est à ce moment que je m'éveille. J'aimerais que vous m'aidiez à comprendre ce rêve.

Lorsque les rêves ont commencé, notre mariage était en difficulté et nous vivions séparés. Maintenant, nous sommes revenus ensemble et nous suivons une thérapie de couple. Depuis – environ un an et demi – notre relation se porte à merveille. Cela n'a jamais été aussi bien et je continue de faire ce rêve. Dans le rêve, je me sens calme, mais seule et déçue.

– Heidi, 28 ans, mariée, États-Unis

HEIDI NE MENTIONNE PAS si son mari a déjà été infidèle, mais d'après son rêve il est évident qu'elle s'est sentie coupée de la vie de son mari pendant un certain temps (sa difficulté à ouvrir la porte) et qu'elle s'inquiétait qu'il voie une autre femme.

Chaque nuit, les rêves récurrents de Heidi rappellent qu'il est très difficile de poursuivre une relation après une séparation ou des aventures. Le niveau fondamental de confiance est souvent perdu à jamais. La femme sans visage indique que Heidi ne connaît pas l'identité de l'autre femme. Heidi ne sait pas si elle existe vraiment ou si elle est le fruit de soupçons.

« On me ridiculise »

Mon fiancé et moi devons nous marier, mais nous n'avons pas encore fixé de date et parfois il dit à la blague que nous vivons déjà comme des époux, alors pourquoi se hâter ? Il peut attendre jusqu'à ce que nous ayons quarante ans. Il ne m'a jamais trompée, contrairement à mon ancien mari, qui était aussi violent, une autre caractéristique que n'aura jamais mon fiancé.

Mais dernièrement, j'ai fait des rêves dans lesquels mon fiancé me quitte ou me trompe. Certains sont plutôt vagues, parfois même amusants par moments, et ne me dérangent pas. Par contre, la nuit passée mon rêve était si réel que je me sentais encore en colère contre Kevin (mon fiancé) au réveil.

Quand le rêve commence, je suis à « mon appartement », qui semble être un loft au-dessus d'une remise à bateau, près de l'eau. Il est situé au pied d'une colline et l'allée qui monte au sommet est très abrupte. Ma « meilleure amie » est là. Je mets des guillemets parce que je n'ai jamais vu cette personne ; mais de toute évidence, dans le rêve, c'est ma meilleure amie.

C'est une blonde aux yeux bleus ; elle est très jolie et intelligente. Elle est habillée avec style et a une belle personnalité. Exactement le genre de femme qu'apprécie Kevin dans la réalité. (Curieusement, j'ai les yeux et les cheveux bruns.) Nous parlons de Kevin, de la distance qui semble s'établir entre nous depuis quelque temps. Je lui demande si elle croit qu'il se détache de moi ou s'il a simplement peur de l'engagement. Elle me rassure en m'affirmant qu'il m'aime beaucoup en précisant qu'ils se sont parlé dernièrement et qu'il lui a dit qu'il m'aimait. Je lui dis que je suis très heureuse qu'il se confie à elle puisqu'il ne le fait pas avec moi.

Je lui dis qu'elle est vraiment une bonne amie et que c'est merveilleux de pouvoir avoir confiance en elle. Elle se met alors à rire et me dit qu'elle se sent coupable. Elle doit m'avouer que la veille, il n'était pas chez ses cousins comme il me l'avait fait croire ; en fait, il avait couché avec elle. J'ai l'impression de recevoir un coup de poing à l'estomac ; je me sens tellement blessée et trahie. Je suis dévastée.

Soudain, Kevin arrive et devine rapidement ce qui est en train de se passer. Je lui demande en criant comment il ose me faire ça ! Il rit et m'apprend que cette relation existe depuis longtemps déjà. Ne m'étais-je pas aperçu que chaque fois qu'elle nous rendait visite, lorsque je sortais de la pièce, ils se tombaient dans les bras ? Il me dit que je suis idiote et tous les deux rient.

Je descends les escaliers à la course et je sors à l'extérieur. J'essaie de démarrer ma voiture, sans succès. Je monte l'allée abrupte en courant. La pluie s'est mise à tomber très fort et je n'arrive pas à monter car je glisse. Je suis trempée et couverte de boue et finalement, j'abandonne et je m'effondre en pleurant, dans la vase. Je veux disparaître dans la terre. J'ai le cœur en miettes et je souffre aussi physiquement, à cause de ma tentative de montée. Je regarde derrière moi et je les aperçois enlacés ensemble et souriants. À nouveau, ils rient de moi, puis ils s'en retournent vers la maison. Apparemment, la tempête ne les dérange pas. Et voilà que je me réveille.

En réalité, Kevin se montre très bon envers moi et jamais il n'agirait comme dans ce rêve. Pourquoi donc alors est-ce que je rêve à quelque chose d'aussi horrible ? Pourquoi le rêve me semble aussi réel ? À mon réveil, j'ai dû prendre quelque temps pour me calmer et l'oublier. Je devais pratiquement guérir ma blessure et m'efforcer de ne pas me mettre en colère contre Kevin pour une situation qui s'était passée en rêve. Pouvez-vous m'aider à démêler tout cela ?

– Sharon, 27 ans, fiancée, États-Unis

L'HISTOIRE DÉCHIRANTE du rêve de Sharon met en scène un scénario qui se produit souvent dans les situations réelles où la confiance est brisée : il s'agit d'une personne proche, la relation dure depuis longtemps et « Dieu, que nous sommes crédules ».

L'insouciance de Kevin à l'égard de la date du mariage, doublée de l'expérience récente de Sharon dans une relation (violente) qui a échoué, a sonné l'alarme du doute chez elle. Qu'attend son fiancé ? Y a-t-il une raison pour laquelle il ne veut pas se marier ? Que signifie une bague de fiançailles si elle n'est pas suivie par un engagement dans le mariage ?

De façon significative, Sharon identifie la femme de son rêve comme étant le genre idéal de Kevin. Cette information nous révèle qu'il est très possible que son rêve soit davantage le reflet de sa propre estime d'elle-même. Elle se compare à un idéal fictif. Comme elle le dit : « en réalité, Kevin se montre très bon envers moi et jamais il n'agirait comme dans ce rêve ».

Sharon a l'impression de n'être pas de taille pour rivaliser avec cette « femme idéale » et dès qu'elle se retire de la relation, des métaphores familières illustrant l'impuissance apparaissent. Elle court vers sa voiture (symbole du soi), mais n'arrive pas à la démarrer. Ensuite, elle tente de s'enfuir à pied, mais ne parvient pas à monter une allée très boueuse et glissante. Tout au long du rêve, l'eau – symbole des émotions – est présente. Son appartement est situé au-dessus d'une remise à bateau, « près de l'eau » et un orage éclate au moment où le rêve aboutit à un climax sur le plan des émotions. Son sentiment d'infériorité et sa peur du rejet ont tous deux libre cours pendant cette averse.

Contrairement aux apparences, le rêve de Sharon n'est pas une mise en garde contre un partenaire infidèle. Il traduit plutôt ses doutes concernant son côté désirable et sa confiance en soi – des préoccupations normales pour tous – qui sont amplifiés chez elle en raison d'un ancien mari abusif. Tandis qu'elle s'efforce de restaurer son estime de soi, elle s'attend à entendre, comme un écho lointain, des voix qui lui disent qu'elle n'est « pas bonne » ou « idiote ». Sharon doit trouver d'où viennent ces voix (son ancien conjoint) et, d'une position de pouvoir, accorder le pardon, témoigner de la compassion. Simultanément, elle doit évaluer aussi objectivement que possible, le progrès de sa relation avec Kevin. Ses questions concernant la date du mariage sont raisonnables et justifiées. Si les intentions de Kevin sont sincères, il n'a aucune raison de prolonger l'insécurité de sa fiancée.

« Un océan de trahison »

J'ai vécu une relation amoureuse avec un homme marié qui était un ami de longue date. À cette époque, il fréquentait également une autre femme, mais je croyais qu'il ne la voyait plus. Dans mon rêve, il y avait mon ami/amant, son autre maîtresse, un ami commun et moi-même. Nous étions à la plage. J'étais dans l'eau, entraîné vers le fond, et je voyais mon amant qui se tenait dans l'eau avec son autre maîtresse à ses côtés. Leurs visages n'affichaient aucune expression. Je tentais constamment de remonter à la surface pour qu'il m'aide et m'empêche de me noyer. Il restait là à me regarder, sans bouger.

Mon autre ami se tenait sur la plage, au bord de l'eau. Il savait que je me noyais, mais lui non plus n'a pas fait un geste pour me sauver. Je me suis enfoncée davantage et le rêve s'est terminé dans la noirceur complète. Deux semaines plus tard, mon ami m'a annoncé qu'il était effectivement toujours lié à l'autre femme et qu'il lui avait parlé de notre relation.

– Janet, 44 ans, divorcée, États-Unis

CELA PEUT SEMBLER étrange que Janet, qui « nage » dans un monde de tromperie, soit surprise d'apprendre que son ami a une « autre maîtresse ». Elle savait que déjà il trompait son épouse. S'attendait-elle vraiment à ce qu'il change son comportement avec elle ?

Le rêve de Janet utilise parfaitement la noyade comme symbole de sentiments d'impuissance sur le plan affectif. Tandis qu'un courant fort l'attire sous l'eau (sa connaissance intuitive et inconsciente de la trahison), Janet cherche le visage de son ami et celui de son autre maîtresse pour obtenir un indice à propos de sa situation déjà difficile. « Leurs visages n'affichaient aucune expression », écrit-elle. Paradoxalement, ces visages sans expression révèlent ce que cherche Janet. La trahison est dissimulée par une conspiration du silence.

Janet se sent trahie parce qu'elle est l'exclue – la dernière mise au courant – du triangle amoureux. Comme c'est souvent le cas, un « bon ami commun » (qui, de manière significative, se tient à l'extérieur du triangle) est aussi reconnu comme un conspirateur dans la trahison. Janet sera-t-elle surprise lorsqu'elle apprendra que son « bon ami » était depuis toujours au courant de la situation ?

Train

Train : Les trains désignent des tentatives de parvenir à des destinations significatives dans notre vie, par exemple l'atteinte d'objectifs de carrière ou sentimentaux. Arrivons-nous à nos fins ? Les épaves de trains et les pannes mécaniques signalent des doutes relativement à notre capacité de réaliser un but. Assister au départ en train d'un être cher ou d'un membre de notre famille traduit une conscience de la séparation. Les trains manqués symbolisent des chances perdues ou la sensation de ne pas être prêt à atteindre une destination (un objectif professionnel, par exemple). Les trains en marche arrière suggèrent une impression de reculer dans la vie – nous n'avançons pas tel que nous le désirons dans notre carrière ou notre vie personnelle. Un train qui n'arrive pas indique que nous ne savons pas comment parvenir à un but et peut refléter des sentiments d'abandon et d'isolement.

Voyez aussi « Avion ».

Voie ferrée : Les trains qui déraillent évoquent la sensation que nous allons dans la mauvaise direction ou que nous dévions de la voie prévue. Les trains remis sur rails expriment une réorientation de nos objectifs et de nos efforts. Les voies surélevées évoquent de grandes visées sur le plan de la carrière ou de l'amour.

Gare : La gare symbolise les choix et les possibilités qui s'offrent à nous dans la vie. C'est aussi un symbole de transition. Envisagez-vous un changement dans votre carrière ? L'impossibilité de trouver le bon quai à cause d'un nombre trop grand de personnes ou de bagages suppose une incertitude quant à la direction à prendre pour parvenir à un but. L'incapacité de monter à bord d'un train (le véhicule est trop gros, l'accès nous est refusé, nous manquons d'argent pour acheter un billet) représente l'impression de ne pas être à la hauteur devant une occasion, ou un obstacle qui nous empêche d'atteindre un but.

Bagages : L'incapacité de monter à bord d'un train en raison de bagages trop nombreux suggère que nous sommes écrasés par nos émotions et ne pouvons donc passer à la prochaine étape de notre vie. Les bagages oubliés ou les valises vides indiquent un manque de préparation et de l'angoisse face à une transition.

• **Truc d'interprétation :** Si le train n'arrive pas à destination, pensez aux buts que vous tentez d'atteindre. Y a-t-il des obstacles sur votre chemin ?

※ ※ ※

Lorsqu'il y a des trains dans nos rêves, notre vie « progresse ». Dans le premier rêve, « La gare », une femme craint d'avoir pris le mauvais train. Après cette erreur initiale, retrouvera-t-elle son chemin ? Dans « Mauvaise destination », une femme apprend avec stupeur qu'elle s'est trompé de train. « Des voies séparées » a pour sujet un rapport amoureux conflictuel. Le rêve laisse-t-il entrevoir l'avenir ou vient-il satisfaire un désir ? « Le train qui approche » montre que tous les rendez-vous sentimentaux ne se ressemblent pas. La rêveuse souhaite que le train passe sans s'arrêter.

Rêves de trains

« La gare »

La nuit dernière, j'ai fait un rêve qui m'a semblé très réel et j'espère que vous pourrez m'aider à le comprendre. Mais auparavant, je vous parle un peu de moi. Je vis une relation amoureuse cahoteuse qui ne va nulle part, depuis sept ans. Je crois être attirée par un bon ami avec qui je communique par Internet et que j'ai déjà rencontré en personne. Nous nous parlons tous les jours. La façon dont je suis traitée à la maison ne lui plaît pas. Il me répète constamment que je mérite mieux et que je devrais quitter mon ami. Je ne sais pas ce qu'il ressent pour moi. Il vit aux États-Unis et j'habite au Royaume-Uni. Nous allons nous voir plus tard cette année.

La première partie du rêve n'est pas très claire, mais je suis étendue sur une couverture avec cet ami qui vient tout juste de me préparer un repas. Nous sommes couchés sur la couverture et nous mangeons en regardant l'émission *Jenny Jones* sur un téléviseur à écran géant fixé à un immense et horrible immeuble d'habitation. Je découvre alors un insecte bizarre dans ma nourriture et je m'excuse de ne pouvoir finir mon assiette.

Puis, nous sommes soudain en train de nous promener dans une petite ville où j'ai déjà habité. Je me rends compte tout à coup que je me suis éloignée de lui et que je suis dans un train qui quitte la gare. Je n'ai pas de billet. Le trajet est plutôt tumultueux ; le train fait des embardées à gauche et à droite. Je suis consciente que ce train m'amène loin d'un endroit où je veux être désespérément. Je m'inquiète d'avoir de graves ennuis puisque je n'ai pas de billet. Le contrôleur arrive pour vérifier les billets, mais pour une raison quelconque, il ne demande pas à voir le mien et je m'en tire ainsi.

Je fais de grands efforts pour réunir mes effets personnels et descendre du train, mais à chaque gare quelque chose m'empêche de parvenir à mes fins. Par exemple, je parcours le wagon et je cherche mes bagages. Je n'ai avec moi que mon sac à main et une housse pour ordinateur portatif. Je n'ai pas l'ordinateur, seulement la housse. (J'utilise mon ordinateur portatif pour communiquer avec mon ami.)

À l'une des gares, je crois pouvoir descendre, mais je m'aperçois que la housse d'ordinateur ne m'appartient pas. J'essaie donc de trouver le propriétaire. Je réalise alors qu'il y a une inscription rose à l'intérieur de la housse et je l'associe à une marque de même couleur sur l'ordinateur d'un des passagers. Nous échangeons donc nos housses. Cependant, l'enveloppe qu'il m'a remise ne ressemble pas à la mienne et, encore une fois, je pense devoir rester dans le train.

Je décide finalement de prendre tout ce que je trouve de mes effets personnels sans me soucier du reste et de sortir du train. Je descends donc à une gare au milieu de nulle part et je m'informe pour savoir à quel quai je dois me rendre pour retourner dans la ville d'où je viens. Encore une fois, je n'ai pas de billet. Je m'éveille avant de parvenir au quai.

– *Carol, 28 ans, fiancée, Royaume-Uni*

CAROL EST FIANCÉE, mais au début de son récit, elle nous informe que sa relation qui dure depuis sept ans est insatisfaisante et « ne va nulle part ». Est-ce un hasard que le nouvel homme dans sa vie, celui avec qui elle communique tous les jours par Internet, soit un personnage prédominant dans ses rêves ? À un moment où Carol se demande si sa vie amoureuse est sur la « bonne voie », cet homme surgit dans son rêve comme substitut de son fiancé.

La cour que fait cet homme à Carol est illustrée par le repas qu'il a préparé et qu'ils dégustent sur une couverture. Toutefois, plusieurs éléments de ce repas renvoient aux doutes qu'éprouve Carol quant à la possibilité d'une relation amoureuse avec lui. Le repas ne se déroule pas dans une ambiance romantique. Ils sont dans un horrible immeuble d'habitation et regardent l'émission *Jenny Jones* sur un écran géant. De plus, il y a un insecte dans la nourriture. Dans les rêves, la nourriture est une métaphore courante de satisfaction sensuelle et affective. La découverte de Carol d'un insecte dans ses aliments est un signe évident que quelque chose la dérange dans cette relation. Après cette anicroche, elle refuse de continuer à manger.

Puis, elle se retrouve errant seule dans une ville qu'elle a déjà habitée et monte à bord d'un train. Les trains sont des symboles de voyages et de parcours significatifs que nous entreprenons dans notre vie, incluant la poursuite d'une relation amoureuse engagée. Dans le train qui fait des embardées (signe d'instabilité émotionnelle), Carol s'inquiète de plus en plus d'avoir pris la mauvaise direction, s'éloignant « d'un endroit où elle veut être désespérément ». Elle craint aussi d'être découverte par une figure d'autorité (le contrôleur) parce qu'elle n'a pas le droit de faire ce voyage. (Elle n'a pas de billet.)

Au cours d'une période insatisfaisante avec son fiancé, le train qu'elle prend représente son désir de « s'embarquer dans une autre aventure » – s'engager avec un autre homme sur la voie de l'amour véritable. Sa peur d'être prise par le contrôleur est un rappel de sa peur d'être découverte par son fiancé. (Elle n'a pas la permission de chercher un autre amoureux.) De façon similaire, sa recherche de la housse d'ordinateur portatif reflète ses préoccupations à propos de ses échanges quotidiens par Internet. Son fiancé est-il au courant du temps qu'elle accorde à cet autre homme ?

Le rêve de Carol lui transmet le message que sa relation en ligne l'a momentanément fait dévier de sa voie et qu'elle craint de s'éloigner de sa relation principale – l'endroit où elle veut être désespérément. Quelle est donc la solution ? Carol doit couper la communication avec son ami virtuel et se concentrer sur sa véritable histoire d'amour.

« Mauvaise destination »

J'ai rêvé que je transportais une toilette et que je courais frénétiquement dans la ville de New York, pieds nus, pour prendre un train. J'ai finalement pris le train (toujours avec la toilette) puis, réalisant que ce n'était pas le bon, j'ai sauté et je me suis électrocutée sur les rails. Je me suis réveillée à cet instant.

Voici les événements récents de ma vie. Dernièrement, je me suis séparée d'un homme que je fréquentais depuis longtemps et je vois maintenant une nouvelle personne extraordinaire. De plus, je mets énormément d'énergies dans mes études et je vais obtenir mon diplôme le printemps prochain. À ce moment, ma « vraie vie » va commencer.

– Erica, 25 ans, célibataire, États-Unis

ERICA VIENT DE METTRE FIN à une relation et d'en amorcer une autre. Son rêve est-il le reflet de ce changement de partenaires, la représentant dans un train qui se dirige dans la mauvaise direction, puis sautant pour remettre sa vie amoureuse sur les rails ?

Deux éléments du rêve d'Erica le rendent particulier. Lorsqu'elle accourt vers le train (son premier partenaire), elle transporte une toilette. Que signifie ce symbole étrange ? Dans le monde du rêve, les toilettes sont associées aux questions émotionnelles intimes que nous voudrions résoudre et « éliminer de notre système ». Son rêve lui révèle-t-il qu'elle porte un « énorme bagage émotionnel » en poursuivant son premier partenaire ? La nature frénétique de sa course vers le train reflète-t-elle une prise de décision trop rapide en ce qui a trait à sa vie amoureuse, en raison de préoccupations personnelles, aux dépens d'un choix de partenaire plus réaliste et approprié ?

Le second événement spécial du rêve se produit lorsqu'elle saute du train et s'électrocute sur les rails. Les rêves de chocs électriques et d'électrocution, souvent désagréables, sont une métaphore des traumatismes émotionnels. Sa rupture lui a-t-elle causé un choc et a-t-elle été éprouvante ?

Si Erica est passée du mal au pire dans ses relations amoureuses, son rêve lui suggère qu'elle doit évacuer sa première relation (dans la toilette du rêve) avant de s'engager dans une nouvelle aventure.

« Des voies séparées »

Je suis une veuve de soixante-cinq ans et je vis avec mon fils et son épouse. Dernièrement, leur relation a connu des soubresauts.

Récemment, j'ai rêvé que j'étais à bord d'un train avec eux. Nous devions faire une excursion aller-retour dans la région. Je suis allée me promener avec mon fils et pendant ce temps, le wagon a été aiguillé sur un autre embranchement. En conséquence, nous avons été séparés de sa femme. Elle est partie à destination d'une autre région du pays, tandis que nous étions toujours dans le train qui devait faire un aller-retour.

Ce rêve est-il une certaine forme de souhait inconscient ? Ou peut-être leurs problèmes matrimoniaux s'insinuent-ils simplement dans mes rêves ?

– Myrna, 65 ans, veuve, Canada

LES TRAINS REPRÉSENTENT NOS TENTATIVES de réaliser nos buts. Dans le contexte d'une relation amoureuse, le rêve de Myrna dans lequel son fils et sa bru voyagent dans des trains différents exprime son sentiment que s'ils n'arrivent pas à régler leurs difficultés, peut-être bientôt devront-ils prendre chacun leur chemin. Sa bru part pour une autre région, tandis qu'elle et son fils détiennent un billet aller-retour. Ce détail a de l'importance : sa bru ne reviendra pas rejoindre son fils.

Myrna veut savoir si son rêve serait la réalisation d'un souhait inconscient, ce qui voudrait dire qu'elle n'apprécie pas beaucoup sa bru. Cependant, il est probable que la réponse soit non. (Sigmund Freud croyait que tous les rêves étaient la réalisation de désirs, mais la plupart des spécialistes des rêves ne sont pas d'accord avec cette théorie.) Le rêve de Myrna s'explique plus simplement en tant que reflet des problèmes qu'elle perçoit dans la relation.

«Le train qui approche»

Je me tiens sur une voie ferrée en plein champ. Il fait nuit noire et j'avance au milieu des rails. Je me retourne lorsque j'entends le sifflet d'un train. Malgré la noirceur, je perçois la lumière du train qui roule vers moi. Je reste figée sur place. Je vois cet énorme engin qui approche vers moi et je ne fais rien. Je crie pour que quelqu'un arrête le train.

Juste avant qu'il me heurte, je m'accroupis. Je me presse contre un petit rebord pendant que le train passe au-dessus de moi dans un bruit d'enfer. Je crie toujours pour que quelqu'un arrête le train. Mes mains s'agrippent à la terre. Je tente de me faire toute petite pour éviter que le train ne me happe. Je sens sa puissance pendant qu'il roule au-dessus de moi. Son bruit m'assourdit. Je ne peux que penser : « Je suis sauve pour l'instant, mais quand les derniers wagons arriveront, le train va dérailler et m'écraser. »

Je me suis réveillée sur le plancher de ma chambre, la poitrine appuyée contre le dessous du sommier de mon lit et mes doigts empoignant la moquette. Je ne sais comment je me suis retrouvée là et j'avais mal à la gorge à force d'avoir crié. Normalement, je ne me souviens pas de mes rêves, sauf quand il s'agit de cauchemars car les gens me réveillent parce que je les mime. De plus, je parle beaucoup quand je dors.

Je n'ai jamais pris de train, encore moins marché sur une voie ferrée. J'ai vingt-quatre ans et je viens de reprendre mes études en vue d'obtenir un diplôme. Je sors avec un homme depuis sept ans et nous devons nous marier sous peu. Il a des problèmes de santé et il semble que je serai seule à pourvoir à nos besoins. Dernièrement, je me suis sentie inquiète parce que son attitude envers moi a changé et est devenue amère. Je souhaiterais avoir des enfants et demeurer à la maison avec eux, mais cela semble impossible.

Il y a quelque temps, j'ai découvert que j'étais attirée par un autre homme. J'ai évité de le voir pour me concentrer sur ma relation avec mon fiancé. Toutefois, cet homme est aussi un bon ami et je me sens complètement perdue car maintenant je ne peux même pas lui parler.

– *Michelle, 24 ans, fiancée, États-Unis*

Puisque la date du mariage de Michelle arrive à grands pas, nous pouvons en déduire que le train qui approche dans son rêve est le reflet de cet événement. Malheureusement, ce train ne l'amène pas vers une destination romantique avec son fiancé, mais Michelle sent plutôt qu'elle est sur le point d'être écrasée et se demande si elle va survivre.

Grâce aux renseignements qu'elle fournit, nous savons qu'elle appréhende le jour de son mariage. Son fiancé souffre d'une maladie qui aura un grand impact sur sa vie. De plus, elle a l'impression qu'il est devenu amer à son égard. Dans une période où Michelle hésite à s'engager, ce train qui roule vers un avenir incertain (représenté par la noirceur) paraît plutôt de mauvais augure que le présage de moments heureux.

Lorsqu'elle s'éveille de ce cauchemar, elle se rend compte qu'elle a mimé le rêve. Elle est cachée sous son lit et sa gorge est irritée parce qu'elle a crié. Le stress que lui cause son rêve est un indicateur de son angoisse croissante.

Le rêve de Michelle évoque des peurs beaucoup plus grosses qu'une simple « frousse ». Michelle devrait réfléchir au sens de ses appels à l'aide, suppliant « que quelqu'un arrête le train ». Si elle n'a pas déjà consulté un conseiller conjugal, son rêve l'invite à le faire. Le mariage est un engagement qui rend tous les couples nerveux. Michelle doit être sûre de monter à bord du bon train.

Vampire

Vampire : Le vampire est un symbole de transition, souvent associé aux rites d'initiation. Il apparaît fréquemment dans les rêves des adolescentes qui se questionnent sur la perte de leur virginité. Le vampire, de sexe masculin, prend le sang et rend sa victime semblable à lui (non vierge). Dans les rêves d'adultes, le vampire représente une personne qui souhaite entreprendre une relation sexuelle illicite. Il peut aussi correspondre à une personne qui nous draine sur le plan affectif – qui prend notre énergie vitale (le sang). Les vampires ont aussi des liens avec le pouvoir masculin. Le pouvoir vous attire-t-il ? Êtes-vous prêt à vous y soumettre ?

• **Truc d'interprétation :** Vous sentez-vous forcé de faire une transition de nature sexuelle ? Quelqu'un draine-t-il votre énergie ?

Les récits racontés dans ce chapitre illustrent différents aspects que prennent les vampires dans les rêves. « Un vampire à l'école » nous amène dans l'esprit d'une adolescente en transition. Doit-elle se laisser mordre ? « Une aventure avec un vampire » montre à quel point les vampires demeurent dans notre esprit des symboles d'initiation sexuelle. La rêveuse sera-t-elle tentée de « se joindre à la foule » ?

Rêves de vampires

« Un vampire à l'école »

Je fais ce rêve qui m'épuise depuis au moins une semaine. Peut-être pouvez-vous me guider pour en découvrir le sens.

Quand le rêve commence, je suis enceinte (en réalité, je suis vierge). Le père de l'enfant est mon meilleur ami. Il me dit ce qu'il ressent et plein de belles choses, puis tout à coup je me retrouve à l'école.

La moitié des élèves sont des vampires, mais je suis humaine. Bientôt les vampires commencent à mordre les gens, qui deviennent eux aussi des vampires. J'invite alors mon ami (celui qui est censé être le père de mon enfant) à me mordre. Je savais que de toutes façons j'allais, moi aussi, tôt ou tard me transformer en vampire. Qu'est-ce que cela signifie ?

– Kelly, 15 ans, célibataire, États-Unis

LE RÊVE DE KELLY reflète ses sentiments à propos de la perte de sa virginité. Dans le rêve, elle est enceinte (elle est en attente) et son meilleur ami est le père de l'enfant (quel meilleur choix ?) Il lui assure qu'il l'aime (« lui dit plein de belles choses ») et soudain, dans un revirement, Kelly est à l'école.

La moitié des élèves sont des vampires (non vierges), mais Kelly est humaine (encore vierge). Puis, les vampires qui sucent le sang (comme lorsqu'elle perdra sa virginité) commencent à mordre les gens, qui deviennent eux aussi des vampires (non vierges). Kelly invite alors son meilleur ami à la mordre (prendre sa virginité), parce qu'elle sait que de toutes façons elle va, elle aussi, tôt ou tard se transformer en vampire (non vierge).

Cette question de la virginité lui trotte dans la tête et, d'après son rêve, Kelly aimerait peut-être que son meilleur ami soit « le premier ». Cependant, il est important qu'elle n'oublie pas que ce n'est pas parce qu'elle a rêvé qu'il était « le premier » que les choses doivent obligatoirement se passer ainsi. Son rêve ne fait qu'évoquer certaines pensées qui l'habitent. Elle seule peut décider de la façon dont se passera cet événement.

« Une aventure avec un vampire »

J'ai vingt-six ans. Je suis mariée depuis deux ans et heureuse avec mon mari. J'ai un fils de huit mois qui est ma joie de vivre. Avant d'être mère et épouse à temps plein, j'étais comptable. J'apprécie chaque seconde de ma situation actuelle. Mon mari a une bonne profession et il travaille très fort. Nous sommes encore follement amoureux et, en plus, c'est mon meilleur ami.

Je fais ce rêve chaque nuit depuis une semaine. La version varie chaque fois, mais les événements se ressemblent. Chaque nuit, je reçois la visite d'un vampire, qui est mon ami. Toutefois, je lui répète constamment que je ne veux pas devenir « l'un d'eux ».

Dans le premier rêve, j'étais l'hôtesse d'une fête où, soudain, je m'apercevais que tous mes invités étaient des vampires. Je leur ai demandé immédiatement de s'en aller. Alors, le chef (je me souviens clairement de son visage, mais je ne sais pas qui c'était – il ne me rappelle personne que je connais) s'est adressé à moi gentiment et s'est montré tout à fait compréhensif. J'étais polie, mais ferme. J'ai accouru à la chambre de mon fils et je l'ai pris de son berceau. Je tentais de le cacher à divers endroits, mais chaque fois que je le croyais en sécurité, il sortait de sa cachette en me souriant. Le vampire est alors entré dans la chambre de mon fils et m'a demandé qui se cachait ici. J'ai couru prendre mon fils. Je le serrais très fort contre moi et le vampire essayait de me l'enlever. À mon réveil, j'ai entendu mon fils qui pleurait dans sa chambre. (Il pleurait aussi dans mon rêve.)

Les cinq rêves suivants étaient assez semblables, sauf que la plupart se déroulaient dans la maison où j'ai grandi (de ma naissance à dix-huit ans, au moment où je suis partie étudier dans un autre État). À la fin, le vampire essayait de me mordre dans le cou.

C'est la première fois qu'un de mes rêves se répète. C'est certainement significatif. La nuit dernière, dans mon rêve, Sarah Jessica Parker et moi étions de grandes amies. (Je l'aime beaucoup, mais je n'ai jamais rêvé à une célébrité.) Nous nous promenions en ville et passions un moment agréable ensemble lorsque le vampire est apparu. Cette fois, il m'a invitée à l'accompagner à Hawaii (l'endroit où mon mari et moi avons passé notre lune de miel). J'ai refusé et Sarah a simplement dit : « Oh, évidemment, vous pourrez rester chez moi. » Je faisais non en secouant la tête derrière le vampire.

Elle a dit : « Eh bien, allons tous au cinéma. » Nous sommes montés dans une voiture (je conduisais) ; le vampire était sur le siège arrière. Il s'est avancé vers Sarah et lui a obturé la bouche avec un instrument. Elle est morte sur le coup. Je me suis mise à crier : « Non ! Pourquoi l'as-tu tuée ? Elle était si gentille avec toi ! » Le rêve s'est terminé lorsqu'il s'apprêtait à me mordre dans le cou.

Je n'ai jamais rêvé aux vampires et c'est pourquoi cette série de rêves m'intrigue tant. Voici ce qui s'est produit récemment dans ma vie. Il y a deux semaines environ, une connaissance m'a confié qu'elle vivait une aventure extraconjugale et cela m'a dérangée. J'avais du mal à croire ce qu'elle me racontait. En plus, elle m'a avoué qu'elle était enceinte de lui. (Il est marié.) Je ne veux pas être associée à de telles personnes et je ne lui ai donc pas parlé depuis.

– Nina, 26 ans, mariée, États-Unis

LE SONGE DE NINA fait référence à la nouvelle dérangeante qu'elle a apprise peu de temps avant le début de cette série de rêves. Une connaissance qui est mariée lui a annoncé qu'elle était enceinte d'un homme qui n'est pas son mari. En conséquence, le vampire qui s'est manifesté dans le rêve de Nina fonctionne comme un symbole d'initiation sexuelle et de tentation. Spécifiquement, Nina serait-elle capable de commettre un tel acte ?

Dans son premier rêve, Nina a organisé une réception pour ses amis et soudain elle s'aperçoit que ce sont tous des vampires. Son rêve est l'expression de sa conscience que plusieurs de ses amis et connaissances vivent des aventures extraconjugales. D'après son rêve, il est évident que Nina n'est pas intéressée à faire partie de ces couples. (Elle dit poliment et fermement au vampire de s'en aller.) Son engagement à sa relation avec son mari est représentée par son désir de protéger leur enfant.

Dans son rêve le plus récent, Sarah Jessica Parker, la vedette de l'émission *Sexe à New York*, est sa « meilleure amie ». De manière significative, le personnage que joue Sarah Jessica Park dans cette émission a de nombreux partenaires amoureux et explore la sexualité librement et sans culpabilité.

Dans le rêve, puisque Nina s'identifie à Sarah Jessica Park (elles sont de grandes amies), cela dénote une curiosité et une certaine ouverture face à des aspects du mode de vie de ce personnage. Cependant, il est clair dans le rêve que Nina associe ce mode de vie à la curiosité et à la frivolité. Lorsque le vampire l'invite à Hawaii (une allusion symbolique à l'infidélité), Nina décline l'invitation fermement une fois de plus. Par contre, cette fois, le vampire tue Sarah Jessica Park et s'apprête à mordre le cou de Nina. Ce rêve voudrait-il transmettre le message que les flirts peuvent avoir des conséquences dangereuses ? Est-ce ce qu'elle a aussi appris en raison de la confidence qu'elle a reçue ? Le rêve de Nina montre qu'elle n'a pas l'intention de faire cette transgression.

Vêtements

Vêtements : Dans l'univers du rêve, les vêtements sont un symbole de la présentation. Les habits froissés et les robes tachées correspondent à des espoirs qui ont été « gâchés » par la déception. Les vêtements portés sens devant derrière suggèrent un renversement de rôle ; s'ils sont à l'envers, des sentiments sont « exposés » au su de tous. Les costumes déchirés ou dépenaillés évoquent une période de difficultés sur le plan physique ou émotif. Deux souliers différents indiquent que nous sommes tiraillés entre deux directions. Des vêtements neufs ou chers sont le signe d'un nouveau statut social.

S'il nous manque une pièce de vêtement essentielle (un soulier, un chapeau, un gant) à un événement important (un mariage, une grande soirée, une réunion d'affaires), peut-être ne sommes-nous pas prêts pour la circonstance en question. Les rêves angoissants sur le jour du mariage (la robe de mariée n'est pas de la bonne couleur ou de la bonne taille) ne sont pas prémonitoires ni de mauvais augures. La future mariée ou le futur marié souhaitent simplement que tout se déroule bien, au moment du grand jour.

• **Truc d'interprétation :** Si vous rêvez que vous êtes vêtu de façon inconvenante, voici la question à vous poser : avez-vous l'impression de n'être pas préparé dans l'un des domaines de votre vie, soit amoureux, social ou professionnel ?

⁂

Les rêves à propos de vêtements sont liés aux thèmes de l'identité de rôle et de la présentation personnelle. Notre premier sujet doit prendre une décision importante dans son rêve intitulé « La robe de mariée ». Portera-t-elle sa vieille robe de mariée, avec tous les souvenirs qui y sont rattachés ou le temps est-il venu de repartir de zéro ? Dans « Trop petit ou trop grand », une femme fait le même rêve dérangeant depuis des années. Finira-t-elle par mettre le doigt sur la décision qu'elle remet au lendemain ? Dans « Le chandail sens devant derrière », une employée arrive constamment au travail portant son chandail sens devant derrière. Elle se demande : la direction a-t-elle pris la bonne décision ? Le dernier rêve, « Un joli pantalon », reflète l'inquiétude d'une femme qui espère que son mari « gardera son pantalon ». Elle tente vaillamment de garder son mariage sur les rails.

Rêves à propos de vêtements

« La robe de mariée »

Je suis une femme de quarante-neuf ans, mariée depuis trente ans. Mes trois enfants vont à l'école. Je me suis occupée de mes vieux parents jusqu'à leur mort, survenue chez nous. Je suis une couturière professionnelle. Mon mariage ne va pas bien et j'ai l'intention de partir quand les enfants seront plus vieux.

J'ai renoué avec un ancien amoureux du temps de l'école secondaire. L'an passé, nous avons amorcé une relation à distance. J'ai annoncé à mon mari que j'allais le quitter. Il ne veut pas que notre mariage se termine. Je vous fais part de ce rêve parce qu'il me paraît très significatif.

Dans mon rêve, je suis invitée à un mariage qui a lieu dans une chapelle. C'est un endroit très chouette. Je me rends dans une pièce où la future mariée est censée se trouver et où de nombreuses femmes sont rassemblées. Je ne sais pas qui est la mariée. Quand j'entre, elles m'apprennent que c'est moi qui doit se marier. Je suis en état de choc et j'ai peur.

Elles me disent que ma robe est prête. C'est celle que j'ai portée il y a trente ans. Elles m'informent que j'épouse à nouveau mon mari. Je veux crier non, mais je ne me sens pas bien et je me retiens.

Elles apportent la robe dans un grand sac de plastique neuf, blanc. Je ne vois pas la robe tant qu'elles n'ont pas ouvert le sac. Les femmes semblent excitées par cet événement. J'aperçois la robe, très vieille, tachée, avec des déchirures recousues. Je remarque les déchirures qui ont été reprisées avec soin. La robe a jauni et elle est laide. Elles ne l'ont même pas nettoyée et elle est rapiécée.

Je quitte la pièce. Je cherche mes parents, mais je ne les trouve pas. Puis, ils apparaissent. Ils ont l'air triste. Par contre, mes enfants et mon mari sont heureux et excités. Je ne me marierai pas. Je ne revêtirai pas cette robe. Je me sens mal. Je veux m'enfuir. Je me réveille et le rêve m'habite longtemps.

– *Isabelle, 49 ans, mariée, États-Unis*

VU LES ANTÉCÉDENTS D'ISABELLE en tant que couturière professionnelle, nous savons qu'elle s'y connaît en vêtements. Le sens du rêve est donc assez évident. Voilà une robe qu'Isabelle ne veut plus revêtir !

Il serait difficile d'imaginer un symbole plus puissant qu'une robe de mariée pour représenter les espoirs et les rêves qui emplissent notre cœur lorsque nous entrons dans le mariage. Après trente ans d'une relation décevante, la robe d'Isabelle a pris un dur coup. Elle est sale, déchirée et jaunie. Même si les déchirures ont été raccommodées avec soin (par une couturière professionnelle ?), les années de négligence sont encore visibles.

La décision d'Isabelle de retarder son départ jusqu'à ce que ses enfants soient plus vieux reflète son dévouement face aux responsabilités familiales, tout comme le soin qu'elle a accordé à ses parents durant leurs dernières années. Toutefois, sa rencontre sentimentale avec un ancien ami a ramené l'idée de séparation au centre de ses préoccupations. Maintenant qu'une porte est ouverte sur l'avenir, Isabelle aura-t-elle le courage de la franchir ?

Étrangement, la signification du mariage dans le rêve d'Isabelle n'est pas l'espoir qu'elle entretient envers sa nouvelle relation amoureuse. Au contraire, le mariage symbolise sa peur de ne pouvoir échapper à son passé. La foule enthousiaste qui l'encourage à épouser de nouveau son mari représente probablement la pression sociale – de la part d'amies, de ses enfants, de son mari qui lui disent de ne pas le quitter. Cependant, chaque fois qu'elle regarde la robe et la déception qu'elle évoque, elle se sent mal.

Si Isabelle veut vraiment « franchir le seuil » d'un nouveau chapitre de sa vie, son rêve souligne deux obstacles qu'elle doit surmonter : son sentiment d'être coupable de briser la famille et l'opinion sociale à propos du divorce. Son rêve l'encourage fortement à retrouver ses espoirs perdus qu'elle a remis à plus tard. Lorsqu'elle les retrouvera, les vêtements qu'elle portera en rêve, qui sont un reflet de son esprit, subiront une transformation extraordinaire. Ils seront propres, éclatants et bien confectionnés. Toutes les personnes qui croiseront son chemin les admireront.

« Trop petit ou trop grand »

Je rêve que je retourne constamment à la même boutique pour acheter une robe. La scène initiale varie, mais à la fin, je suis toujours dans la même boutique. C'est l'heure de la fermeture et je sens qu'il est urgent que je choisisse une robe. Mais aucune ne me va !

Ce rêve revient par intermittence depuis trois ans. J'ai pris trente kilos au cours de ces années, c'est peut-être un début d'explication.

– Susan, 51 ans, mariée, États-Unis

Le rêve de Susan fait directement allusion à son angoisse face aux kilos qu'elle a pris et montre qu'elle désire vraiment perdre ce poids excédentaire. Il est révélateur que son rêve ait débuté au moment où elle a commencé à engraisser. Lorsqu'un rêve récurrent nous intrigue, voici la meilleure question que nous puissions nous poser : que se passait-il dans ma vie lorsque ce rêve est apparu ? Il y a toujours un lien.

Dans son rêve, Susan est angoissée. Trouvera-t-elle une robe avant la fermeture de la boutique ? L'état d'urgence qu'elle ressent évoque son angoisse (et sa remise à plus tard) liée à son gain de poids. Susan n'aime pas sa nouvelle image corporelle. Renversera-t-elle la tendance pour trouver une taille qui lui convient ?

« Le chandail sens devant derrière »

J'ai fait ce rêve bizarre quatre nuits d'affilée. Il ne s'agit pas d'un rêve complet, mais plutôt d'un cliché de moi dans différentes situations. Dans chaque circonstance, je porte un chandail sens devant derrière, l'étiquette à l'avant. (Le chandail n'est pas à l'envers, l'étiquette est donc à l'intérieur.) Je suis toujours en public (deux fois au travail, une fois au centre commercial et une autre, au restaurant) quand je m'aperçois que mon chandail est mal mis. Au fait, les chandails diffèrent chaque fois.

Récemment, j'ai obtenu une promotion et je crois que mon rêve a quelque chose à voir avec cet événement. Mon travail comporte maintenant une dimension technique à laquelle je ne suis pas habituée et je manque parfois de confiance.

– Candice, 35 ans, célibataire, États-Unis

Ce rêve est une variante du thème de la nudité en public. Elle est dans un lieu public et se rend compte qu'elle n'est pas habillée de façon appropriée. Ici, Candice n'est pas nue – un rêve qui révèle l'impression d'être exposé ou non préparé – mais elle porte son chandail dans le mauvais sens. Son milieu de travail, qui sert deux fois de contexte, sous-entend que le rêve est lié à son emploi.

Il est significatif que son chandail soit sens devant derrière et non à l'envers. Dans ce dernier cas, cela voudrait dire que Candice expose ses sentiments intimes – ses émotions et ses intentions – au su des autres. Le chandail porté dans le mauvais sens fait plutôt allusion à un renversement de rôle.

Candice nous confie qu'elle ne se sent pas à l'aise dans son nouveau poste plus technique. Son rêve illustre cette impression mais, comme c'est toujours le cas dans les rêves à propos de présentation personnelle, ses compagnons de travail ne perçoivent pas son malaise. (L'étiquette est à l'intérieur.) Quel le sens ? Ses compagnons de travail ne perçoivent pas aisément la maladresse que ressent Candice dans son nouveau travail. À mesure qu'elle développera une nouvelle habileté pour répondre aux exigences de son poste, ces rêves à propos de renversement de rôle et l'impression que la direction « s'est trompée » s'estomperont bientôt.

« Un joli pantalon »

J'ai rêvé que mon mari me cherchait dans une boîte de nuit bondée. Ce faisant, il a été approché par une jolie jeune fille. Elle lui a déclaré qu'elle aimait le pantalon qu'il portait. De toute évidence, il en était flatté. Tellement flatté qu'il le lui a même offert.

Elle l'a pris et il se promenait dans la salle sans pantalon. J'étais furieuse et nous sommes partis à la recherche de son pantalon car j'insistais pour qu'il le récupère.

Brusquement, le rêve change et je me retrouve à bord d'un gros train qui va vite. J'essaie de toutes mes forces de garder le train sur les rails, mais j'ai l'impression qu'il va fatalement dérailler.

– Jaime, 40 ans, mariée, États-Unis

La facilité avec laquelle son mari enlève son pantalon pour une admiratrice qui, de manière éloquente est plus jeune et jolie, donne l'impression à Jaime d'être trahie. Elle passe le reste de son rêve à tenter de lui faire expier son faux pas – et de le défendre – en cherchant le pantalon. La scène se termine sans être résolue et soudain Jaime se retrouve aux commandes d'un train rapide et puissant qui roule dangereusement sur une voie ferrée. Jaime essaie « de toutes ses forces » de garder le train sur ses rails, mais elle croit qu'il « va fatalement dérailler ».

Malheureusement, les métaphores contenues dans ce rêve sont très claires. Jaime veut que son mari « garde son pantalon » (ne s'intéresse pas à une autre femme sexuellement) et elle s'efforce de maintenir leur mariage sur la bonne voie. Son rêve laisse deviner ses doutes concernant sa capacité de garder le train (leur mariage) sur les rails.

Lorsque son mari se montre trop amical lors de rencontres sociales, Jaime devrait l'avertir qu'il manque de respect. S'il est sensible, il comprendra ce qu'elle ressent et il modifiera son comportement. Si le train est vraiment hors contrôle et que Jaime pense que son mari peut « dérailler », elle pourrait peut-être songer à prendre un rendez-vous avec un conseiller matrimonial qui l'aidera à démêler ses sentiments, à voir ses options et à comprendre les forces qui guident les gestes de son mari. D'après le rêve qu'elle raconte, elle aura besoin d'aide pour maintenir son mariage sur les rails.

Violence

Violence : La violence est une image qui revient souvent dans les rêves pour exprimer la colère, la frustration, les blessures affectives et la souffrance.

Assassin : Lorsque dans un rêve nous perpétrons un acte de violence – un meurtre, une fusillade, des coups de poing ou de couteau – il ne s'agit aucunement d'intentions meurtrières, ni du désir de blesser autrui. Cet acte doit plutôt être perçu comme une représentation de la colère ou de la frustration ou d'un désir de faire fuir quelqu'un ou quelque chose. Les parents qui rêvent parfois qu'ils blessent leur enfant devraient reconnaître ces rêves comme un signe de frustrations et non de mauvaises intentions. À la suite d'une dispute avec des amis ou un être cher, les rêves de meurtre (colère) accompagnés de regrets sont fréquents. La violence gratuite – par exemple, une tuerie – sous-entend une colère et une agressivité non maîtrisées.

Couteau : Le couteau est une arme courante dans les rêves et sert à couper et à tuer. Lorsqu'un agresseur de sexe masculin brandit un couteau, l'arme peut symboliser un pénis, une peur des relations ou des agressions sexuelles ou un souvenir négatif d'une expérience sexuelle violente.

Fusil : Le fusil est un symbole de pouvoir, d'agression et de protection. Si, en rêve, nous attaquons une personne, nous devons tenter de cerner les sentiments de colère ou d'hostilité que nous éprouvons envers elle. Si nous nous protégeons avec un fusil, c'est une preuve de confiance en soi et d'estime de soi.

Viol : Les rêves où un viol se produit indiquent une appréhension de la violence ou des sentiments d'attention non désirée pouvant venir de personnes des deux sexes. Il est normal qu'une personne ayant subi un viol en fasse un rêve récurrent. Le viol peut être aussi une métaphore puissante indiquant que nos limites personnelles sont « violées ».

Fileur : Un fileur apparaît souvent en rêve comme représentation littérale de la peur d'une femme (dans la plupart des cas) d'être agressée ou poursuivie. Cela peut aussi être le signe d'un sentiment perturbant ou d'une prise de conscience que doit faire le rêveur.

Voyez aussi « Agression » et « Poursuite ».

• **Truc d'interprétation :** La violence dans les rêves est rarement à prendre au sens littéral. Réfléchissez plutôt aux sentiments qui font surface. Vous êtes-vous senti en colère ou frustré récemment ? Avez-vous été blessé sur le plan émotionnel ?

❊ ❊ ❊

La violence dérange toujours. Dans « Mon bébé se sauve », une mère est bouleversée par son recours intempestif à la violence dans un rêve. Est-il possible qu'elle en vienne à faire du mal à son enfant ? « La tête tranchée » raconte l'histoire d'une femme qui a l'impression qu'une autre personne prend les décisions à sa place. « Porter un couteau » est un rêve troublant qui illustre que parfois la frontière entre la fantaisie et la réalité est assez facile à franchir.

Rêves de violence

« Mon bébé se sauve »

Je suis avec mon fils de trois ans. Dans le rêve, il parle couramment. Nous sommes menacés par une force extérieure et décidons que puisque nous sommes en danger, nous devrions lui couper les pieds. Je prends un couteau et je coupe au niveau des chevilles, comme je le ferais avec un poulet à rôtir, et j'ampute ses pieds.

Lorsque j'ai terminé et que je m'apprête à panser les blessures, il se sauve de moi en courant et en pleurant et les gens autour de nous se montrent dégoûtés par mon geste. Je me sens terriblement coupable. Mais je le vois courir sur un tapis blanc et je remarque que les plaies ne saignent pas. À ce moment, je me suis réveillée avec un sentiment de culpabilité horrible, incapable de supporter l'idée que j'avais mutilé mon fils si mignon que j'adore. Ce rêve m'a bouleversée et j'apprécierais que vous m'aidiez à en comprendre les images.

– Diane, 40 ans, mariée, États-Unis

Ce serait merveilleux de pouvoir parler avec nos enfants comme avec des adultes, qu'ils nous écoutent et nous comprennent. Mais les enfants de trois ans ne sont pas des adultes comme nous le rappelle le rêve de Diane.

Pendant un court instant, Diane a une conversation d'adulte avec son fils, au cours de laquelle ils sont tous les deux d'accord qu'il ne devrait pas courir autant (l'amputation) parce que cela menace sa sécurité (la force extérieure). Lorsque Diane est confrontée à l'interprétation littérale de ses gestes – les gens dégoûtés – elle se sent immédiatement coupable. Cependant, lorsqu'elle regarde son fils courir, l'intention symbolique de son geste apparaît de nouveau. Il n'y a pas de sang, remarque-t-elle, et son petit garçon peut encore courir. Malgré les horribles blessures de son fils, Diane sait qu'elle n'avait pas l'intention de le blesser.

L'amputation qu'elle pratique sur son fils est une représentation symbolique de son désir de freiner son enfant de trois ans. Toutefois, la violence de l'image – l'amputation comme moyen de contention – dérange et soulève une question : le rêve de Diane reflète-t-il la frustration et la colère qu'elle connaît parfois quand elle tente de maîtriser son enfant ? Il est probable que la réponse soit affirmative. De façon similaire, la culpabilité qui l'assaille dans son rêve est sans doute une expression de la confusion qui l'envahit lorsque son rôle de mère lui pèse et qu'elle doute de ses capacités.

Lorsque Diane se réveille, elle est « incapable de supporter l'idée qu'elle a mutilé son fils si mignon qu'elle adore ». Le contraste entre ses émotions dans le rêve, lorsqu'elle comprend qu'elle veut protéger son fils, et celles qu'elle éprouve au réveil, lorsqu'elle voit l'amputation comme un acte de violence, est instructif. Il est important que Diane sache que son rêve n'est absolument pas un signe qu'elle veut faire du mal à son enfant.

« La tête tranchée »

J'ai vingt-trois ans et je suis étudiante à l'université. Je termine mes études à la fin de ce trimestre. (Enfin ! Après cinq ans et demi !) En plus d'étudier, j'ai deux emplois à temps partiel – un dans un laboratoire à l'université et l'autre au siège social d'une entreprise. Je voudrais être indépendante financièrement, mais de temps en temps je dois demander un peu d'argent à mes parents et je déteste cela.

Quelques jours avant que je fasse ce rêve, je parlais avec ma mère au téléphone (mes parents vivent à l'étranger depuis que je vais à l'université) et la conversation a bifurqué sur ce que j'allais faire en janvier, à la fin de mes études. Je tentais de lui expliquer que je voulais rester dans ma ville actuelle encore un an, que je planifiais d'accepter tout emploi qui me permettrait de payer mes comptes et d'épargner un peu d'argent, puis de me mettre à la recherche d'un véritable emploi. Ma frustration montait car elle ne comprenait pas pourquoi je ne cherchais pas tout de suite un vrai travail. Quand j'ai raccroché, j'étais très ennuyée et amère.

Dans mon rêve, mon frère et moi ainsi que deux amies intimes de la famille (qui, dans la réalité, sont des sœurs à peu près du même âge que nous) attendons que mes parents nous tranchent la tête. Ma mère a une forte présence, mais je ne me souviens pas de mon père. Malgré tout, je sais qu'il s'agit de mes parents. Notre décapitation doit avoir lieu en guise de solution à un problème (je ne sais plus lequel) et nous l'acceptons. Nous n'avons pas peur.

Nous sommes donc en rang de part et d'autre d'un dispositif qui s'apparente à une guillotine (nous avons chacun le nôtre) mais qui a une particularité : la lame tranche le visage dans le sens de la longueur. L'un de mes parents (mon père, je crois) nous dit : « Ramassez le livre à vos pieds. » (Nous avons chacun un livre.) Je ne veux pas le faire et j'attends simplement. Grâce à la vision périphérique, je vois que mon frère se penche (en regardant toujours droit devant lui) et ramasse le livre. Au moment où le livre quitte le sol, j'entends le bruit de la lame. (Comme si un tour nous était joué.)

J'ai fermé les yeux et j'ai attendu. Je ne sentais aucune douleur. Puis, je me rappelle que Sara et Jane (les deux sœurs) marchaient lentement et que soudain elles se sont effondrées l'une sur l'autre, une masse rouge se trouvant à l'endroit de leur tête. Je les vois décapitées (la tête coupée au niveau du cou) et je remarque que je n'ai pas perdu la vue. Je leur demande donc, dans une sorte de panique, si elles aussi peuvent encore voir. Tout à coup, je ne sais pas ce qui leur arrive, ni à mon frère ; je ne les revois plus.

Je peux donc voir, mais je me perçois ainsi que les autres avec la tête tranchée au niveau du cou. Puis, je pense (encore paniquée) : comment puis-je parler ? Pourrais-je manger ? Il est évident que je vais demeurer en vie.

À ce moment, ma mère veut entailler les nerfs de mes yeux pour m'empêcher de voir. Elle consulte donc un bottin car elle pense connaître une certaine personne (une spécialiste des yeux, je crois) qui pourrait l'assister dans cette tâche. Soudain, elle décide qu'elle peut certainement procéder par elle-même. Je tente de la convaincre d'obtenir des directives d'abord et la discussion dégénère en petite dispute.

C'est tout ce dont je me souviens. Il me paraît évident que ce rêve a un lien avec ma mère et notre récente conversation, mais je ne sais quoi en penser. Ce rêve est tellement étrange.

– Karin, 23 ans, célibataire, États-Unis

LE RÊVE DE KARIN recourt à toute une panoplie d'images violentes pour illustrer l'influence de ses parents sur ses décisions relativement à sa carrière. Dans le rêve, ses parents souhaitent lui « enlever la tête », de même qu'à son frère et à deux de leurs amies du même âge. La décapitation est une métaphore des sentiments de Karin qui croit que ses parents ne veulent pas qu'elle « pense par elle-même ». Karin a l'impression que sa mère, surtout, veut contrôler sa vie et serait heureuse de pouvoir le faire. (« Trouve un bon emploi tout de suite. Ne prends pas une année sabbatique avant d'entreprendre une carrière sérieuse. ») La présence de son frère et des amies indique que Karin sait qu'ils subissent une pression semblable.

La violence physique qu'expérimente Karin dans son rêve est une représentation de la souffrance émotionnelle qu'elle a ressentie après avoir parlé avec sa mère au téléphone. À un moment où elle aurait certainement apprécié être félicitée d'avoir terminé ses études – tout en subvenant à ses besoins grâce à deux emplois à temps partiel – Karin a la sensation que sa mère vient de la décapiter. De plus, il est évident que Karin a l'impression que sa mère l'a choisie pour la torturer. Quand sa mère se rend compte qu'elle voit toujours même sans tête, elle consulte un bottin pour trouver une amie (médecin ?) qui peut lui donner les directives à suivre pour entailler les nerfs optiques. À la fin du rêve, Karin et sa mère se disputent encore.

Karin se sent « attaquée » sur le plan affectif, mais à l'instar de Diane dans le récit précédent, elle doit se rendre compte que son rêve ne reflète pas de réels désirs de la blesser, de la part de ses parents. Au contraire, les motivations de ses parents sont simples et honnêtes. Ils veulent seulement voir Karin progresser dans sa carrière le plus tôt possible et éviter de prolonger ses années de vie estudiantine à faire de petits boulots. Ils veulent aussi s'assurer que Karin est bien installée dans sa vie professionnelle. Il s'agit d'une transition importante, mais souvent les parents oublient qu'il est essentiel que leurs enfants prennent eux-mêmes ce genre de décisions.

« Porter un couteau »

Quand le rêve commence, je suis derrière mon amie Joan et j'appuie un couteau à steak contre sa gorge (un ustensile que je possède en réalité). Je l'oblige à me conduire à sa voiture. Il semble que je veuille vraiment le tuer.

Son auto est garée chez une amie dans un garage à deux places, près de la maison. Pendant que nous sommes dans le garage, son amie arrive et le mari de celle-ci sort de la maison. Son amie avance jusqu'à nous, baisse sa vitre d'auto démesurée et demande ce qui se passe.

Je lui explique qu'il s'agit d'une farce. Puis, les deux amis s'approchent de nous. Mon couteau est toujours contre la gorge de Joan. Même si la lame ne touche pas le cou, je suis prêt à trancher. Puis je m'éveille, bouleversé, en train de porter un coup à l'un de ses amis.

Je suis un célibataire de trente ans, assez timide. Mon allure est plutôt banale et je fais un peu d'embonpoint. Joan a vingt-huit ans et elle est célibataire. C'est une personne très gentille, pas du tout timide. Elle paraît bien. Tous les matins, nous faisons de l'exercice ensemble. Elle a un problème avec un voyeur. Elle vient de s'acheter une auto neuve et dans mon rêve son ancienne voiture était dans le garage.

Nous sommes de très bons amis, mais rien de sexuel ne s'est produit entre nous et je ne crois pas que cela arrivera un jour. Nous ne nous sommes jamais blessés l'un l'autre, ni physiquement ni psychologiquement.

Je ne connais pas les gens qui étaient ses amis dans le rêve.

– *Mason, 30 ans, célibataire, États-Unis*

LE PROBLÈME QUE VIT JOAN avec un voyeur en réalité renvoie au problème qu'éprouve Mason avec Joan. Mason se sent attiré vers elle, mais comme il le précise : « rien de sexuel ne s'est produit entre nous et je ne crois pas que cela arrivera un jour ». Sa rencontre quotidienne avec Joan au centre sportif, où ils font de l'exercice ensemble (et où leur corps est exposé), ne fait qu'accroître sa frustration.

Le couteau que presse Mason contre la gorge de Joan est une expression non ambiguë de sa colère et de son hostilité. En la contraignant de le conduire à son automobile, nous voyons qu'il aimerait s'immiscer dans une relation amoureuse avec elle afin qu'ils puissent « voyager ensemble » tous les deux « dans la même direction ». (Mason nous apprend que Joan vient de s'acheter une nouvelle voiture. Peut-être souhaite-t-il y prendre place ?)

Mason espère se frayer de force un chemin dans la vie de Joan. Malheureusement, d'autres personnes lui compliquent les choses. L'amie qui avance vers eux dans une auto munie d'une vitre démesurée signifie qu'une personne voit clairement ce que fait Mason – sa véritable motivation. Mason affirme à cette femme qu'il s'agit simplement d'une farce, mais le couteau reste sur la gorge de Joan et sa ruse échoue. Mason se réveille tentant d'atteindre avec le couteau l'un des amis de Joan qui a gâché ses plans.

Le rêve de Mason réfléchit son désir amoureux frustré, qui se transforme en colère, en haine et en violence malsaines. Si Mason n'est pas une personne violente et que son rêve l'a pris par surprise, ce dernier vient lui suggérer qu'il est temps de mettre fin à cette relation. Mason ne devrait pas se créer de frustrations inutiles avec une femme qui n'est pas disponible physiquement ni sentimentalement. Il doit plutôt rechercher une personne qui l'appréciera et voudra être avec lui.

Toutefois, si le rêve évoque un fantasme péremptoire pour Mason, au point qu'il veuille le réaliser, il doit quand même mettre fin à la relation et s'adresser immédiatement à un psychologue qui l'aidera à maîtriser sa colère. (A-t-il déjà commis des actes violents par le passé ?) Dans un cas comme dans l'autre, sa relation avec Joan provoque de la colère chez lui. Il est temps de passer à autre chose.

Vol

Vol : Voler dans un rêve est une métaphore du pouvoir personnel. Les rêves dans lesquels nous volons librement – en conservant l'altitude et sans rencontrer d'obstacles – dénotent une confiance en soi et une grande estime de soi. Nous avons l'impression de pouvoir atteindre facilement n'importe quelle destination et de « dominer le monde ». Les obstacles sont fréquents dans ce genre de rêves – les arbres et les fils électriques – et reflètent de véritables obstacles à la prise en charge de soi et des doutes quant à notre capacité de parvenir à un but. Lorsque nous échappons à un agresseur en nous envolant, nous faisons preuve d'ingéniosité pour éviter les conflits ou les défis. La peur de nous écraser renvoie à une incertitude face à l'avenir : nous ne savons pas où nous atterrirons. Les rêves de vol sont plus courants chez les enfants que chez les adultes.

Fils électriques : Si vous êtes coincé dans des fils électriques ou incapable de vous élever au-dessus d'eux, il est possible que vous luttiez pour reprendre votre pouvoir sur le chemin menant à un but.

• **Truc d'interprétation :** Si votre vol prend la forme d'une lutte, recherchez les obstacles qui vous empêchent de parvenir à vos buts.

⁂

Les rêves de vol sont très variés. Dans « Les fils électriques », nous rencontrons une femme qui s'efforce de conserver son altitude. Est-ce une coïncidence qu'elle ne puisse pas s'élever au-dessus des fils électriques – un symbole récurrent dans ses rêves ? Dans « Voler très haut », la vision positive d'un rêveur et son statut social supérieur semblent lui donner des ailes. Rien ne lui est impossible. À l'opposé, dans « La peur de voler » nous faisons la connaissance d'une femme dont le seul crime est d'avoir appris à voler. Maintenant qu'elle prend un nouvel envol dans sa vie, apprendra-t-elle à atterrir ? « Les ailes de l'amour » est une leçon de vol. Dans de bonnes conditions, nous pouvons tous voler.

Rêves de vol

« Les fils électriques »

> Je fais le même rêve une ou deux fois par semaine depuis environ l'âge de sept ans. Je vole, mais j'ai toujours de la difficulté à demeurer en altitude. Je ne touche pas la terre, mais mes bras conservent difficilement leur battement pour me maintenir en l'air de manière stable. Parfois, je heurte ou esquive des fils électriques. La plupart du temps, je vole pour aider une personne ou m'en échapper. J'apprécierais votre aide ; je n'ai trouvé de réponse dans aucun livre.
>
> – *Mercedes, 25 ans, célibataire, États-Unis*

BIEN DES LECTEURS envient certainement la fréquence des rêves dans lesquels Mercedes vole. Imaginez ! Plus de gravité ! Avoir la faculté de voler dans le ciel selon notre gré ! Mais pourquoi donc devons-nous toujours « battre des ailes » ?

En fait, tous les rêves de vol ne sont pas pareils. Certains nous rendent euphoriques et sont accompagnés de sentiments de pouvoir et de liberté ; nous volons aisément et la vue en dessous nous éblouit. D'autres, comme le rêve de Mercedes, évoquent une difficulté à rester en altitude et surviennent souvent lorsque nous essayons d'échapper à un danger.

Les fils électriques sont souvent présents dans les rêves de vol. Les rêveurs rapportent fréquemment qu'ils « tentent de voler au-dessus des fils électriques » ou qu'ils s'y heurtent. La métaphore est limpide : la façon dont se déroule notre vol – nous planons aisément ou nous luttons pour conserver notre altitude – reflète notre sentiment de pouvoir personnel.

Puisque ce genre de rêve revient si souvent chez Mercedes, il sera facile pour elle d'établir dans son esprit le lien suivant : lorsqu'elle vole, elle est en train de rêver. Ce lien lui permettra alors d'explorer ses rêves consciemment, phénomène appelé aussi rêve lucide.

Le rêve de Mercedes laisse penser que sa vie, actuellement, est une « lutte pour demeurer à flot ». Lorsqu'elle parviendra à reconnaître qu'elle est en plein rêve, elle pourra soumettre sa question : que représentent les fils électriques dans lesquels elle se coince constamment ? Mercedes doit absolument réussir à se sortir de cette situation, quelle qu'elle soit.

« Voler très haut »

Je suis un homme de cinquante-trois ans qui fait l'envie de tous ses amis et des membres de sa famille. Parmi mes sept frères et sœurs, je suis le seul à « endurer » le phénomène que je vais vous décrire.

Je fais le plus souvent deux types de rêves : l'un à propos de vampires et dans l'autre, je vole. Ce dernier rêve se produit au moins trois fois par semaine. On pourrait dire que je veux faire du tape-à-l'œil puisque dans le rêve, je vole au-dessus des gens pour qu'ils me voient.

Je sais que les fils électriques figurent souvent dans les rêves de vol, mais ils ne m'ont jamais occasionné de problèmes ; je les survole tout simplement. Tout se passe bien, même quand il pleut.

Plusieurs fois dans mes rêves, j'ai secouru de nombreuses personnes, mais la plupart du temps il semble que je ne fasse que parader en volant au-dessus des gens. Jamais, je ne prends la posture de Superman (les bras tendus vers l'avant). Mes bras reposent de chaque côté ou font un battement.

La seule interprétation que je puisse proposer (en amateur) est la suivante : tout le monde affirme que je suis tout le temps heureux.

En 1998, j'ai cru que ces rêves allaient cesser lorsque j'ai appris que j'avais une maladie incurable. Cela n'a pas été le cas. Ces rêves se produisent même lorsque je fais une sieste d'une heure ou deux en après-midi. Et peut-être aurez-vous de la difficulté à me croire, mais ils surviennent aussi quand je me recouche après être allé à la salle de bains durant la nuit.

Récemment, j'ai fait de nouveaux rêves dans lesquels je soigne des patients affligés de toutes sortes de maux – de fractures à la cécité. De plus, au cours du mois dernier, j'ai rêvé à trois ou quatre reprises que je retournais à l'époque où j'étais enfant et que je réparais toutes les choses qui, à ma connaissance, allaient se détériorer dans le futur.

Une chose est sûre : quand je dors, je rêve tout le temps. J'aimerais bien vous en dire plus, mais c'est maintenant l'heure de ma sieste.

– Dr Walter, 53 ans, divorcé, États-Unis

En plus de faire l'envie de ses amis, le Dr Walter rend envieux tous les rêveurs qui souhaiteraient bien, eux aussi, expérimenter aussi souvent cette faculté de voler.

Par sa signature, notre rêveur nous informe qu'il est médecin. A-t-il déjà établi le lien entre sa profession et ses rêves ? Les médecins jouissent d'un statut « élevé » dans notre société. Les rêves de M. Walter reflètent ainsi cette position supérieure en le représentant en train de voler au-dessus de ses amis et d'autres gens. Les fréquents sauvetages qu'il réalise sont des références directes à sa profession. En tant que médecin, il s'occupe de sauver des vies.

Le thème du pouvoir revient dans ses rêves les plus récents. Dernièrement, il a en quelque sorte commencé à accomplir des miracles ; il guérit les membres cassés, redonne la vue aux aveugles, et va même jusqu'à changer le passé pour assurer un meilleur avenir. Voilà des gestes puissants, étrangement posés dans le contexte d'un vol aisé et sans obstacle, au-dessus de la terre.

Dans la vie, nous sommes privilégiés lorsque nous pouvons faire ce que nous aimons. Dans le cas du Dr Walter, il semble que la carrière qu'il a choisie il y a longtemps continue de lui apporter des récompenses sur les plans social et émotionnel. Malgré le diagnostic qu'il a reçu récemment, il est évident qu'il a encore la sensation « d'avoir des ailes ». Applaudissons cet esprit de large envergure.

« La peur de voler »

Depuis quelques années, je fais un rêve très bizarre. À un certain moment du rêve, je me rends compte que je suis capable de voler et que j'ai toujours eu cette faculté. Je me rappelle comment procéder, puis je prends mon envol et je m'élève au-dessus des champs, des montagnes et des plaines. Une sensation de bien-être et de liberté m'envahit et je ris joyeusement.

Tout à coup, j'entends mon propre rire et je m'aperçois que je suis une méchante sorcière. Cela m'angoisse tellement que je perds ma faculté de voler. À la fin du rêve, je tombe et je suis triste. Puis je me réveille.

– Fiona, 38 ans, séparée, Royaume-Uni

LES RÊVES DE VOL sont les préférés de tous les rêveurs. Pendant un instant magique, nous échappons à la gravité – et au poids de nos préoccupations terrestres. Nous exultons : « libre ! libre ! libre ! » tout en planant au-dessus de la terre. Avons-nous déjà connu une expérience aussi enivrante ?

Toutefois, si nous volons trop haut, une vague de doute peut soudainement nous assaillir. Nous nous demandons : y a-t-il quelque chose qui cloche dans cette image ? Possédons-nous vraiment la faculté de voler ? Et qu'en est-il de l'art de l'atterrissage, le maîtrisons-nous ?

Le rêve de Fiona comporte un vol merveilleux, interrompu par un moment de doute. De manière significative, c'est une étrange sensation de culpabilité qui la paralyse en plein vol et la retourne à la terre. Fiona nous apprend qu'elle est séparée, comme bien d'autres personnes qui font ce genre de rêve. Il est possible que sa séparation lui ait donné un sentiment de liberté, représenté par la faculté de voler. Il est aussi probable qu'elle ressente parfois des doutes et de la culpabilité, ce qui expliquerait sa métamorphose en « méchante sorcière ».

Le rêve de Fiona suggère qu'elle désire « prendre un nouvel envol » dans sa vie personnelle et sa carrière. Si parfois elle ressent le besoin de restreindre son enthousiasme, elle devrait s'attarder à l'avertissement que lui fait son rêve. Si, par contre, son rêve n'est que le reflet d'une simple peur de son pouvoir personnel, elle devrait alors se méfier des voix qui lui affirment qu'elle ne mérite pas une envolée aussi magnifique. Des hauteurs, la vue peut être éblouissante ; cependant, seuls ceux qui ont appris à voler peuvent en jouir.

« Les ailes de l'amour »

La nuit dernière, j'ai rêvé que je me rendais au gymnase pour effectuer mes exercices du matin. En route, je me suis aperçu que je pouvais voler. J'ai donc levé les bras et commencé à exécuter lentement de longs battements qui m'ont soulevé de plus en plus haut dans le ciel. Même si j'étais conscient de ma faculté, je craignais de m'éloigner et de tomber. Je revenais donc rapidement à la sécurité du sol.

J'étais tellement excité que je voulais enseigner aux autres comment voler. Je leur disais : « fais-moi confiance, je ne te laisserai pas tomber », puis je leur prenais la main et ensemble nous faisions des battements avec notre bras libre pour nous élever dans le ciel. Là-haut, certaines personnes avaient très peur et même si elles cessaient le mouvement de battement, je tenais parole et je ne les laissais pas tomber.

Quand je suis arrivé au gymnase, j'ai appris par téléphone qu'on m'offrait un travail très rémunérateur. J'étais très heureux et même si je devais retourner l'appel immédiatement, j'ai plutôt choisi de voler. M'élevant avec le soleil qui pointait à l'horizon, je ne pouvais penser qu'à donner des cours de vol.

– Russell, 35 ans, amoureux, États-Unis

En lisant le récit du rêve de Russell, notre esprit cherche l'indice qui nous renseignera sur l'événement merveilleux qui est survenu dans sa vie et qui le rend si exalté – comme s'il flottait dans les airs. S'agit-il d'un nouvel emploi ? A-t-il obtenu le rôle principal dans une pièce de théâtre ? Cet indice arrive avec sa signature. Il est amoureux ! (Existe-t-il un état pouvant nous donner une aussi forte impression de légèreté ?)

Peu de rêves offrent un sentiment de confiance et d'euphorie aussi puissant que celui que nous expérimentons quand nous y volons, surtout quand nous dirigeons le vol à notre gré. Il n'est pas surprenant que ces rêves soient associés à une « haute » estime de soi, au succès, au pouvoir, à la confiance et au sentiment « d'être au-dessus de tout ». (Les rêves de vol sont tellement agréables que Freud croyait qu'ils représentaient la sexualité. Les analystes modernes ne sont pas d'accord.)

Lorsque nous sommes amoureux, notre cœur a des ailes et le rêve de Russell possède toutes les conditions nécessaires pour que se produise ce joyeux événement. Les lieux élevés offrent une ambiance de confiance et de sécurité. Il est donc naturel que Russell déclare à ses élèves : « fais-moi confiance, je ne te laisserai pas tomber. » Lorsqu'il s'engage à fond et tient parole, comme il le démontre dans son rêve, même les cœurs les plus timorés prennent leur envol.

Nous sommes nombreux à entreprendre ce merveilleux voyage de l'amour, mais plusieurs tombent et se blessent. Certains n'osent plus jamais voler. Le rêve de Russell nous enseigne deux grandes sagesses : apprendre à voler exige de l'entraînement et du courage, mais dans de bonnes conditions, nous y arrivons tous. Voilà un message qui s'élève bien au-delà de nos préoccupations terrestres. Puisse l'amour de Russell s'avérer un phare pour tous ceux qui oseront voler.

Vue

Vue : Les rêves dans lesquels nous éprouvons de la difficulté à voir traduisent une incapacité de discerner les choses clairement à l'état de veille. Si nous rêvons qu'un ami, un associé en affaires ou un membre de notre famille est aveugle ou n'a pas une bonne vue (œil manquant, lunettes ou lentilles de contact), peut-être percevons-nous un côté faible ou une certaine naïveté chez cette personne. Des lunettes ou des yeux énormes (chez autrui) peuvent indiquer que la personne nous devine ou perçoit nos véritables motivations. Des lunettes ou des verres de contact trop grands peuvent supposer une tentative d'absorber une grande quantité d'informations, particulièrement au travail. Une poussière (ou autre) dans l'œil est le signe d'une situation qui nous ennuie, que nous avons de la difficulté à gérer, ou qui nous gêne. Les yeux fermés symbolisent l'inconscience, le peu de sensibilisation et le refus de voir. L'inaptitude à soutenir un contact visuel sous-entend un évitement de l'intimité. La perte d'un œil ou une blessure à cet organe suggèrent un manque de discernement causé par un stress ou un trauma émotif.

• **Truc d'interprétation :** Quel problème essayez-vous d'éviter ? Ne le voyez-vous pas ? Remarquez le lieu (travail, maison d'enfance, automobile) et les gens (collègue, frère ou sœur, partenaire amoureux) pour obtenir des indices sur le problème ou la relation dont il est question.

❊ ❊ ❊

Dans les rêves, une vue embrouillée renvoie littéralement à une difficulté de voir les choses dans la vie. Dans « Les yeux qui tombent », une jeune femme éprouve, de toute évidence, des problèmes avec son maquillage. Ses yeux tombent peut-être parce qu'elle a besoin de jeter un regard sur elle-même. « Ma cousine est aveugle » montre que la cécité chez autrui peut agir comme un symbole de la naïveté. Est-il surprenant que la rêveuse soit plus vieille, et donc qu'elle se croie plus sage que sa cousine ? Le dernier exemple, « Une vision très claire » montre l'importance de la vision, en général dans les rêves.

Rêves concernant la vue

« Les yeux qui tombent »

Voici mon rêve. Je ne sais pas où je suis, mais j'ai l'impression que mes parents sont tout près. J'essaie de faire quelque chose qui a rapport à mes yeux (probablement me démaquiller), mais c'est très difficile. J'emploie donc une solution. Le maquillage part : le rimmel et les faux cils que je porte depuis longtemps et que je croyais avoir enlevés. (Je n'ai jamais porté de faux cils, mais depuis quelque temps je songe à en acheter.)

Le maquillage entraîne avec lui le haut de mes yeux et un bout de paupière. Apparemment, c'est une partie amovible que le médecin enlève pour examiner les yeux. Cela me paraît un peu étrange, mais je ne sens aucune douleur.

Je regarde dans le miroir pour tenter de remettre les parties en place. Mes yeux semblent bizarres. J'ai encore mes cils et mes paupières, mais ils sont très minces et il est évident que mes paupières et mes yeux sont incomplets. Pour remettre les parties en place, je dois enlever mes yeux complètement – ce qui s'effectue aisément, comme il se doit. Même si je n'ai plus de yeux (ils sont dans ma main), je vois encore.

J'essaie toujours de replacer les morceaux sans jamais y arriver car ils sont très glissants. Je demande à mon père quoi faire. Il me répond que le médecin a procédé de la même façon quand il a été opéré des yeux. (Mon père a subi plusieurs opérations aux yeux il y a longtemps, avant ma naissance.) Je ne sais pas encore où je suis. Il me semble donc impossible de trouver un médecin qui replacera mes yeux. Je continue d'essayer par moi-même, sans succès.

La frustration commence à me gagner et, puisque ces parties sont très fragiles, l'une d'elles s'écrase entre mes doigts. Cela ne m'inquiète pas trop et je continue mon combat inutile.

Je fais de nombreux rêves où je deviens frustrée en raison d'une chose qui ne fonctionne pas ou que je ne peux accomplir. De plus, ma vue n'est pas parfaite. Je porte des lunettes (dernièrement, plus souvent des lentilles de contact), mais je peux me débrouiller sans elles. Elles ne me servent que pour voir à distance.

Je soupçonne que ce rêve est lié à la dispute que j'ai eue avec mon ami ce jour-là. La situation est complexe avec lui, mais la voici en résumé. Nous avons fait connaissance sur un site de causerie ; nous avons discuté ensemble pendant deux mois, puis nous nous sommes rencontrés en personne. Cela n'a pas fonctionné et j'ai été très frustrée. Ma meilleure amie s'est immiscée dans la relation : j'ai mis fin à notre amitié par la suite. Par contre, je parle encore très souvent avec lui. Enfin, je ne suis pas accrochée à lui ni à ce qui s'est passé entre nous (cela date de quatre mois), mais je me demande pourquoi il me parle encore s'il ne veut pas être mon amoureux. (Il ne m'a pas rejetée mais n'a fait aucune avance, même si durant nos discussions, il disait rechercher une relation.) Je vous remercie de vous pencher sur mon cas.

– Erica, 19 ans, célibataire, Angleterre

Le rêve d'Erica réunit trois métaphores oniriques familières. Au début, elle se démaquille dans un miroir – un indice que son rêve reflète une certaine inquiétude à propos de son apparence. De manière significative, elle enlève aussi une paire de faux cils qu'elle croyait avoir ôtés depuis longtemps. Finalement, après avoir retiré ses globes oculaires afin de réparer le dommage fait en se démaquillant, remettre ses yeux en place lui pose problème – une allusion directe à la difficulté de voir.

La dispute qu'elle a eue avec l'homme qui l'attire (pour qui elle a sacrifié sa meilleure amie) est certainement à l'origine de son rêve. Il a décidé de ne pas entreprendre une relation amoureuse à la suite de leur rencontre et il est normal qu'Erica se demande quel était le problème. Avant qu'ils se voient (lorsqu'ils ne faisaient que bavarder en ligne), « il disait rechercher une relation ». Ainsi, a-t-il changé d'avis à cause d'une question d'apparence ?

Les faux cils sont une deuxième référence à l'apparence. À la suite de ce rejet non verbalisé, Erica a probablement pensé à des façons d'améliorer son apparence. Cependant, curieusement, elle croit avoir enlevé ses faux cils « il y a longtemps ». Il est possible que les faux cils soient une allusion à la personnalité qu'elle s'est créée en ligne, dont elle a cru se départir lors de la rencontre en personne.

La difficulté qu'elle éprouve à replacer ses yeux renvoie à un problème de vision. En plus de la métaphore évidente – elle ne comprend pas la motivation de son compagnon de causerie – certains de ses gestes récents la rendent-elle confuse ? De façon spécifique, Erica nous informe que pendant cette quête amoureuse, elle a perdu le contact avec l'une de ses meilleures amies. Sa relation avec cet homme demeurant toujours insatisfaisante, est-il possible qu'elle ait l'impression de ne plus savoir où elle s'en va ?

Erica devrait songer à mettre son orgueil de côté et à rétablir sa relation avec son amie. Quant à son ami « virtuel », le temps est peut-être venu de le remettre à sa place, sur le site de causerie. Le rêve d'Erica lui suggère de remettre ses valeurs et ses priorités à la bonne place.

« Ma cousine est aveugle »

Récemment, j'ai rêvé que ma cousine Julia épousait l'homme qu'elle fréquente depuis longtemps. Toutefois, elle perdait la vue et son médecin l'avait avertie qu'elle serait complètement aveugle le jour de son mariage.

Cela me contrariait énormément, surtout parce qu'elle ne verrait pas sa robe de mariée. Par contre, cette nouvelle traumatisante ne dérangeait aucunement Julia et Ben.

Deux semaines après que j'ai fait ce rêve, Julia m'a appris qu'elle et Ben s'étaient fiancés (une bonne nouvelle), mais mon rêve m'habite encore.

Je suis très près de Julia. Je suis son aînée et j'ai pris soin d'elle tout au long de notre enfance et de notre jeunesse. Mon rêve signifierait-il que j'ai de la difficulté à accepter qu'elle soit une adulte ?

– Daniela, 29 ans, mariée, Australie

L'INTERPRÉTATION DE DANIELA révèle une vision parfaite. Elle croit que sa petite cousine est trop jeune pour se marier. (Daniela a de la difficulté à accepter qu'elle soit « une adulte ».) Son rêve reflète cette préoccupation en représentant sa cousine qui sera « aveugle » le jour de son mariage. Sa cousine s'inquiète-t-elle ? Pas du tout ! (Daniela a-t-elle oublié que l'amour est aveugle ?)

Daniela écrit que les fiançailles de Julia sont une bonne nouvelle. Toutefois, son rêve laisse croire qu'elle a certaines réserves. Il est vrai qu'en étant plus vieille, elle est en meilleure position pour voir les difficultés et les problèmes potentiels que Julia ne perçoit pas actuellement. Et maintenant que Julia a fait son choix, le temps où elles étaient très près l'une de l'autre tire à sa fin. S'inquiète-t-elle de la façon dont s'en tirera Julia – sans sa « grande sœur » pour s'occuper d'elle ?

Daniela « a pris soin » de Julia pendant presque toute sa vie. Maintenant que Julia se lance bravement – et un peu naïvement – vers son avenir, Daniela doit l'encourager et garder ses doutes pour elle-même. Vient un temps où tout « parent » doit lâcher prise et observer de loin, avec joie, les progrès de leur enfant.

« Une vision très claire »

Je rêve que je me réveille et que je me dirige vers ma porte arrière. À l'extérieur, l'air est frais et sent bon. Je regarde la cour de mes voisins et je vois que les arbustes ont été complètement rasés. Je distingue très clairement la maison et ce qu'il y a autour. Ce rêve se termine et je me retrouve sur une plage de sable. Il y a toujours une bonne odeur. Je me sens calme et en paix. J'aperçois un coquillage en spirale. Je le ramasse et je le tourne. Je vois à l'intérieur comme si j'étais une caméra. Mon ancien mari est là. Il fait des choses que je n'aurais jamais imaginées : il boit avec excès, consomme des drogues et a des rapports sexuels avec de nombreuses femmes. J'ai l'impression de voir une personne que je ne connais pas.

Je viens d'un milieu chrétien et j'ai divorcé il y a un an et demi parce que mon mari se droguait, était violent et me trompait. J'ai découvert tout cela d'un seul coup. Je lui ai présenté un choix et il a opté pour les autres femmes et la drogue. J'ai deux enfants, dont un handicapé. Récemment, j'ai fréquenté un voisin brièvement. Nous nous sommes rencontrés parce que nos cours sont côte à côte et que ses arbustes ont envahi mon terrain. Un jour, nous les avons taillés pour que mon fils puisse se balancer sans que les branches ne le frappent au visage. Ils sont toujours très gros, mais taillés. Mon voisin est aussi un bon chrétien. Il m'a dit qu'il croyait que je n'avais pas encore tout à fait pardonné à mon ex. Ce n'est pas mon avis. Il est possible que ce voisin déménage à cause de son travail. Nous n'avons donc pas donné suite à notre amitié. Je ne sais pas comment interpréter la partie de mon rêve qui porte sur mon voisin. En ce qui concerne mon mari, c'est peut-être que je pense ne l'avoir jamais vraiment connu.

– Karen, 30 ans, divorcée, États-Unis

LORSQUE KAREN regarde de sa porte arrière et aperçoit la maison de son voisin, « l'air est frais et sent bon ». Elle remarque également sa cour. Dans le rêve, les arbustes qu'elle a récemment taillés avec son voisin sont complètement rasés, ce qui lui permet de « distinguer très clairement la maison et ce qu'il y a autour ». La métaphore qu'utilise le rêve de Karen est liée à la vue. Elle peut « voir » distinctement ce « bon chrétien » – représenté par sa maison et sa cour. Rien n'est caché et sa vue n'est aucunement obstruée.

Comme si les deux hommes étaient comparés et mis en opposition dans son esprit, Karen se retrouve ensuite marchant sur une plage de sable. Tout comme dans la réalité un coquillage en spirale nous permet d'entendre l'océan, la conque du rêve de Karen ouvre une fenêtre sur les activités passées (et actuelles) de son ancien mari : l'alcool, la drogue et les femmes.

Dans l'univers du rêve, les plages sont des lieux symboliques de résolution parce que ce sont des zones où les forces conscientes (la terre) et inconscientes (l'eau) se rencontrent. Son voisin a insinué qu'elle avait encore de la rancœur en elle, mais son rêve laisse croire le contraire. Dans ce lieu de résolution, Karen perçoit son ex distinctement avec un sentiment de paix.

La sagesse chrétienne nous apprend à détester le péché, mais à toujours accorder notre pardon au pécheur. Après un premier mariage décevant, il est évident que Karen se sent soulagée d'être libérée de son ancien mari et qu'elle peut « voir clairement » les valeurs qu'elle doit rechercher à l'avenir chez un partenaire.

Index

A

B

D

F

G

H

I

L

M

N

O

P

R

S

T

V

Z

L’auteur

Charles Lambert MCPhee est diplômé de Princeton University et détient une maîtrise de la University of Southern Carolina. Par le passé, il a coordonné le laboratoire du sommeil au National Institute of Mental Health, à Bethesda, dans le Maryland. Il a aussi été coordinateur clinique du Sleep Disorders Center, au centre médical Cedars-Sinai, à Los Angeles, en Californie. De plus, il a été directeur du Sleep Apnea Patient Treatment Program au Sleep Disorders Center de Santa Barbara, en Californie. Son premier livre s’intitule Stop Sleeping Through Your Dreams. Ses rubriques sur l’interprétation des rêves ont été publiées pas Oxygen.com et America On Line. Ses rubriques « Ask the Dream Doctor » paraissent toutes les semaines au Royaume-Uni sur supanet.com. Il a créé le site Web interactif www.askthedreamdoctor.com et anime l’émission The Dream Doctor à la radio, tous les soirs de la semaine, de 21 heures à minuit sur KRUZ FM 103,3, à Santa Barbara. L’auteur invite ses lecteurs à partager leurs rêves à l’adresse www.askthedreamdoctor.com.